D1253818

LA FOLLE GUERRE DE 1870

DU MÊME AUTEUR
à la Librairie Hachette

1871, la Commune.

André Guérin

La folle guerre de 1870

HACHETTE

DC 289
.G8

INDIANA
PURDUE
LIBRARY
DEC 1970
FORT WAYNE

WITHDRAWN

© Librairie Hachette, 1970

Le maire de Boulange (Moselle) vit ses visiteurs mettre pied à terre devant sa ferme, et comprit tout de suite. C'était son tour, le tour de Boulange.

Juillet 1871 : la sinistre année a déjà fait son plein de malheurs. La France a perdu la guerre. Après Napoléon III, balayé par les premières défaites, Gambetta, l'homme de la résistance malgré tout, a disparu de la scène. L'ennemi foule quarante-trois départements; quatre cent mille soldats sont prisonniers en Allemagne ou internés en Suisse. Malgré la protestation pathétique, devant l'Assemblée de Bordeaux, des députés de l'Est, la paix de Bismarck, signée à Francfort le 10 mai, a été ratifiée dès le 18. A Versailles, règne maintenant le verbe cassant, d'Adolphe Thiers, résolu à appliquer au plus vite les clauses lues et approuvées par Jules Favre, Pouyer-Quertier et Goulard. A les appliquer, c'est-à-dire à payer la somme et à remettre les territoires.

On sait à Boulange que l'Alsace et la Lorraine messine sont, avec cinq milliards de francs, la rançon de la France.

La carte au liséré vert.

Dans la Moselle, la Meurthe, le Bas-Rhin, les Vosges, le Haut-Rhin, les populations ont reçu notification du texte, avec une carte marquée d'un « liséré vert », au-delà duquel le sol est abandonné à l'Empire allemand « à perpétuité, en toute souveraineté et propriété ». Cette carte, jointe au traité, a été éditée dès septembre 1870 à Berlin, capitale de la Prusse. Elle est à la disposition de tous. C'est fait, il ne reste plus qu'à

DEC 3 0 1970

*planter les poteaux-frontière. Du grand-duché de Luxembourg jusqu'à
la Suisse, les notables ont chaussé leurs besicles pour s'assurer, quant
au sort réservé à leurs communes, qu'aucun doute ne pouvait subsister.*

Or, précisément pour Boulange, un micmac s'est produit.

*Dans les préliminaires du 26 février, à Boulange, comme à Lomme-
range, Neufchef, Knutange, Nilvange, Fontoy, Havange, Tressange,
Aumetz, Audun-le-Tiche, Russange, Tedange, on s'était réjoui — trop
vite — de se voir porté du « bon côté » du liséré vert, du côté gauche,
celui qui demeurait à la France. Quelques semaines plus tard : mal-
donne. Les plénipotentiaires sont revenus sur le tracé, faisant passer
tout ce lot à droite, l'attribuant, d'un trait de crayon, à l'Allemagne.*

A cause de Belfort.

*Jouant les magnanimes, Bismarck a fini par accorder à Thiers,
contre une entrée symbolique des vainqueurs dans Paris, la rétrocession
de Belfort. Mais Bismarck, ne donnant jamais rien pour rien, a exigé
Sainte-Marie-aux-Chênes, près de Saint-Privat-la-Montagne, et Vionville, à l'ouest de Rezonville, 324 et 440 habitants. C'est pour les Allemands le « cimetière de la Garde » où sont tombés en août ces grenadiers
et tirailleurs d'élite que pleure le roi Guillaume. Là-dessus, les négociateurs français d'insister, puisqu'on marchande. La ville et les fortifications de Belfort comme il est dit, soit. Mais autour de la citadelle,
quoi au juste? Il a fallu des palabres pour faire accepter que le « rayon »
comprendrait les cantons de Belfort, de Delle, de Giromagny, et une
partie du canton de Fontaine, 26 936 habitants.*

*Seulement, là encore, discussion, qui s'est traduite au bénéfice de
Bismarck par une rectification de la ligne vers Cattenom et Thionville,
douze communes avec 7 083 habitants, dont les 445 de Boulange. La
carte définitive a été remise le 7 mai à Jules Favre.*

Simon, Joseph-Jules.

*Non, il ne se hâte pas d'accourir, le maire de Boulange. Il sera tou-
jours assez tôt de voir Boulange germanisé en Bollingen, comme Lom-
merange en Lommeringen, Redange en Redinger, et Audun-le-Tiche
en Deutschoth!*

*Toujours assez tôt. Il s'appelle Simon, Joseph-Jules, cultivateur.
Jeune et solide gaillard, il s'avance comme on se promène, se dandine :
ainsi l'évoque Laussedat dans son livre sur* La Délimitation de la

frontière franco-allemande. *On l'imagine en bonnet de coton et sabots, les mains dans les poches. Avec une mauvaise volonté si évidente que dans le groupe des visiteurs, quelqu'un l'interpelle rudement. La réponse traîne, avec tout le poids de l'accent de ces contrées :*

« *Ah ça! Croyez-vous que je sois si pressé de devenir Prussien?* »

Puis se tournant vers un autre, qui n'a pas parlé, le villageois salue et s'excuse :

« *Mon colonel, je suis sûr que vous ne m'en voulez pas, vous!* »

Le lieutenant-colonel du génie Laussedat est le délégué français de la commission internationale, et son homologue allemand, ingénieur des mines, s'appelle curieusement Hauchecorne.

Ils se connaissent, ayant d'abord travaillé sur documents, face à face, à Bruxelles, puis à Francfort. Maintenant, c'est sur le terrain même, d'après le cadastre, qu'il s'agit de reconnaître les bornes et de piqueter les limites.

Apre et cruelle besogne. La fameuse carte berlinoise est parfois imprécise : on a même oublié à Francfort deux hameaux, Saulnes et Godhange. Surtout, on bute à chaque instant sur une exigence tatillonne de l'Allemand, qui provoque un refus opiniâtre du Français, décidé à défendre jusqu'au bout la moindre parcelle, la moindre scierie, la moindre maison forestière.

Hauchecorne, faisant l'aimable, a suggéré que l'on cheminât de compagnie. Laussedat a décliné l'offre, sèchement. Ils se retrouvent donc chaque matin, l'un venant de la zone annexée, l'autre de la zone libre, et ne s'adressent guère la parole que pour le service.

Le maire de Boulange les regarde faire, eux et leurs adjoints, avec leurs planimètres, leurs croquis, leurs pieux et leurs chaînes, s'arrêtant à un chemin de terre pour relever qu'ici commence Beuvillers, l'heureux bourg qui échappe à la conquête.

« Un si merveilleux pays. »

Laussedat, professeur d'astronomie et de géodésie à Polytechnique, fut un des rares militaires lucides de l'empire, de ceux qui, de longue date, s'étaient alarmés devant le délabrement de nos défenses. En 1868, au retour d'une randonnée de vacances, il avait mis en garde les maréchaux Vaillant et Niel. Renvoyé à Frossard, président éminent du comité des fortifications et confident des Tuileries, il s'était trouvé en présence d'un général suffisant et goguenard :

« *Alors, vous croyez, vous aussi, que nous les laisserons venir jusqu'aux Vosges?* »

Trois ans après, c'est à Laussedat qu'il appartient de disputer, pouce par pouce, ce qui peut être sauvé de la Lorraine messine. L'insistance de son ami le général Doutrelaine, rentré de captivité en très mauvais état, l'a déterminé à accepter le « douloureux honneur » de jalonner par les monts et par la plaine les territoires abandonnés.

Non sans colère. En vain, après les premières entrevues avec les Allemands, s'est-il rendu à Versailles pour adjurer Thiers et Jules Favre de ne pas accepter tel quel le liséré vert, au moins de repousser fermement toute interprétation abusive des préliminaires. Il a rencontré un Thiers plus que jamais imbu de sa supériorité en tous domaines et prodiguant aux militaires comme aux civils, à propos de la trouée de Belfort, des leçons de haute stratégie : sans soupçonner que tout aussi dangereuses étaient celles de Saales et du Donon. De Jules Favre, ministre des Affaires étrangères, Laussedat a gardé le souvenir d'un homme déprimé et désemparé.

Laussedat est revenu de Versailles plus qu'amer : le souci dominant pour le « chef du pouvoir exécutif », c'est trop évidemment de liquider avec Bismarck tous les contentieux — et coûte que coûte. Sur la route du retour, le colonel a entendu de Paris insurgé et dans la banlieue ouest tonner l'artillerie de la guerre civile. Il a traversé Metz fourmillant d'ennemis installés comme chez eux. Il a vu, du mauvais côté du liséré vert, les populations déjà en proie au sous-préfet allemand, au gendarme allemand, au facteur allemand. Et le voilà, lui, pratiquement investi des ultimes responsabilités. Car Doutrelaine s'en remet décidément à lui, comme en face le général von Stranz s'en remet à Hauchecorne, estimant que c'est désormais métier d'arpenteurs.

Avec Bismarck en personne, il arrive que les choses se passent presque mieux. A table, il a, comme on dit, ses têtes. Par exemple Pouyer-Quertier, ministre des Finances. Un tel coup de fourchette, cet industriel de la Seine-Inférieure!

« Quoi? s'étonne un jour le jovial convive, je ne vous eusse pas obligé, moi, à devenir français et vous me faites allemand!

— Comment cela? Qui vous parle de prendre votre Normandie?

— C'est pourtant bien simple. Je suis un des principaux actionnaires des forges de Villerupt, et vous voyez bien que, de ce côté, vous me faites allemand.

— Vraiment! répond Bismarck, bon prince. Allons, ne pleurez pas, *je vous laisse Villerupt, mais ne me demandez plus rien ou je vous le reprends. »*

Et Villerupt est resté à la France.

Laussedat, devant Hauchecorne, et son géomètre Hugnagel, a la partie moins facile.

Hauchecorne, descendant de huguenots chassés par la révocation de l'édit de Nantes, réussit à se montrer plus prussien que les Borusses de souche. Le type même de l'Allemand occupant, correct de forme mais d'un zèle obtus, et pour toute consigne reçue, d'une obéissance de caporal; enclin par surcroît à remettre en question le lendemain ce qui a été approuvé la veille. Le major Rhein qui lui succédera le 15 juillet pour la délimitation de l'Alsace paraîtra plus compassé mais moins ergoteur.

Il est vrai que Laussedat sait à l'occasion user d'un argument qui porte : la menace de rupture.

Car les Allemands sont aussi pressés que Thiers. Un boqueteau, un écart, les dépendances d'une ferme, un droit de passage, infimes accrochages, mais dont dépendra l'attribution de tant et tant de feux : tels jeunes Lorrains ou Alsaciens porteront demain ou le képi ou le casque à pointe. Laussedat, au jour le jour, se bat contre Hauchecorne. Poussé à bout, il finira par lui jeter à la figure, à propos du bois d'Avril :

« Des compensations, monsieur? Vous demandez des compensations? Vraiment, si vous aviez essayé de me voler ma montre, et que je vous eusse pris la main dans mon gousset, pensez-vous que je dusse vous donner un pourboire, parce que je vous l'aurais fait lâcher? »

Et l'autre ne réplique pas. Au fond, Laussedat a toujours été convaincu qu'avec ces « gens-là », on a signé beaucoup trop vite les préliminaires, que même après la capitulation de Paris on aurait dû continuer la lutte contre un ennemi usé, impatient de rentrer chez lui, et stupéfait de nous voir renoncer si facilement à l'Alsace-Lorraine, « une si riche proie, un si merveilleux pays, des populations si françaises ».

Le piquetage de la frontière.

Il n'a pas craint, Laussedat, de se remuer et de faire des éclats. A Bruxelles, à Francfort. Il a rameuté à Versailles, contre la ratification, les hésitants de la commission extraparlementaire pour avis. Ne serait-il pas scandaleux d'aller au-delà des préliminaires, et de livrer d'autres populations lorraines?

Mais le général Le Flô le lui a confirmé : Thiers ne veut plus rien entendre. Thiers estime être allé, personnellement, aussi loin que possible, en réclamant Mulhouse, voire (paraît-il) tout le Haut-Rhin... Laussedat sait ce que peuvent valoir ces histoires. Le traité une fois ratifié par la majorité « rurale » de l'Assemblée élue le 8 février, dans un climat d'écroulement national, il s'est mis en devoir, sur ordre, de piqueter la nouvelle frontière. Discipliné, il piquette, armé de son dictionnaire des communes, en empêchant qu'on le grignote et en s'employant de son mieux avec son adjoint le capitaine Bouvier, l'agent voyer Laloy, l'ingénieur des ponts et chaussées Krafft, à grignoter.

Combat épuisant et souvent ingrat. Il lui arrive de tomber comme à Crusnes, sur un rustre qui demande qui paiera les hommes de peine, les haches et les pioches. Et Crusnes, grâce à lui, parce qu'il fait savoir qu'il est prêt à remettre ses papiers dans sa sacoche, et à retourner à Versailles, sera pourtant sauvée avec ses 372 habitants. De tomber aussi sur des maîtres de forges trop portés à intervenir dans le débat — le minerai, le minerai — au nom de leurs propres intérêts. Et qui attirent naïvement l'attention des vainqueurs sur la richesse de ce bassin de Briey, encore mal connue de Moltke et de ses spécialistes, de ce minerai en « fer fort ». Hauchecorne, lui, est un géologue assez averti pour avoir dressé l'oreille.

Quel réconfort, en revanche, pour Laussedat, quand dans les décombres de Sainte-Marie-aux-Chênes, une brave femme dont le traité fait une Prussienne lui dit :

« Ah! monsieur... vous nous avez abandonnés bien vite, mais soyez sûr que mes trois fils serviront la France quand même. »

Ou quand Simon, Joseph-Jules, maire de Boulange, tout tranquillement, démontre sous ses yeux qu'il a déjà adopté pour son compte une attitude de résistance passive, à la paysanne.

Laussedat, finalement, marquera des points.

Il a fortement contribué à Francfort, malgré l'irrésolution des plénipotentiaires français, à dégager presque tout l'arrondissement de Belfort. A son actif encore, pour la Meurthe, la réinsertion dans la France d'Igney et de la gare d'Avricourt, 190 habitants, et de Raon-lès-Leau, 336. Et pour les Vosges — après quels démêlés sur les lignes de faîte et de partage des eaux — celle de Raon-sur-Plaine, 664. Ce vaillant Raon-sur-Plaine, traité pendant huit mois comme annexé, et dont la municipalité, recevant des ordres du sous-préfet allemand de Sarrebourg, s'obstinera à en demander à Lunéville — et finit par gagner.

Le 12 octobre, une convention additionnelle retouchera officiellement le liséré vert. En fait, il faut une loupe pour y découvrir en quoi il diffère du tracé primitif inclus dès le 21 août 1870, quinze jours après la bataille de Frœschwiller, dans l'instruction adressée par le cabinet du roi de Prusse au chancelier. Le comte de Bismarck-Bohlen était nommé « gouverneur général de l'Alsace », et son ressort s'étendait sur « le Haut-Rhin, le Bas-Rhin et le nouveau département de la Moselle, comprenant les arrondissements de Metz, Thionville, Sarreguemines, Château-Salins et Sarrebourg ». En septembre, pendant le bombardement de Strasbourg et plus d'un mois avant la capitulation de Metz, la carte avait été établie et publiée par les soins de la division géographique et statistique de l'État-Major général à Berlin. Un officier topographe, Liebenof, y avait mis la dernière main.

Laussedat, lui, sa mission accomplie — son calvaire gravi, selon son expression —, se consacrera à ses études sur La Lunette astronomique horizontale *et l'application de la photographie à l'art de lever les plans. Non sans avoir, avant de quitter les lieux, qualifié la nouvelle frontière de « maudite ». Et en emportant la consolation d'avoir retrouvé, plus d'un matin, ses pieux de la veille arrachés par les gens du pays. Comme le seront plus tard les poteaux-frontière, malgré les risques.*

Le maire de Boulange.

Le maire de Boulange a regardé s'éloigner les commissaires à cheval. Le voilà seul parmi ses 445 administrés. Difficile aujourd'hui de retrouver le bourg de Boulange de 1871 sous ces modernes cités ouvrières, dans ce dur pays empoussiéré d'ocre rouge par les usines. Tout au plus suit-on encore, à des rappels d'architecture tudesque, une façade bariolée, une tourelle insolite, l'ancienne démarcation. Toute une immigration a effacé les souvenirs, et c'est la loi du temps. Dans les champs pelés que se contestèrent Laussedat et Hauchecorne, les retraités des hauts fourneaux, à la saison, cueillent des pissenlits.

*Mais ce cultivateur du Boulange de jadis, que Laussedat prit pour un meunier, devait être le très proche cousin de cet autre meunier Christian Weber, le héros d'Erckmann-Chatrian dans l'*Histoire d'un Plébiscite. *Le 8 mai 1870, il a bien dû, comme celui-ci, donner sa voix à l'Empire « libéral », persuadé que l'Empire, c'était la paix, et qu'au surplus les armées de l'Empire étaient invincibles. Jusqu'au jour*

*où, les défilés des basses Vosges une fois forcés, après Wissembourg,
Frœschwiller, Spicheren, il s'est réveillé comme lui (« les Prussiens! les
Prussiens! ») dans une Lorraine envahie, imposable et corvéable à
merci au nom de Wilhelm der Grosse, Guillaume le Grand. Et, hélé
par un gradé arrogant, pour s'entendre ordonner des réquisitions en
nature et en argent. Comme en 1814. Et comme en 1814, car l'hiver
a été rude, les troupes, pour faire du feu, ont coupé les arbres fruitiers.*

*A la manière de Christian Weber, il a dû regarder les intrus comme
de pauvres êtres faméliques, élevés dans la soumission (on pense à la
réputation des « Lucquois » en Corse) et qui viennent essayer, vous ayant
un jour tout pris, de vous amadouer :*

*« Ah! qu'on est bien ici!... qu'on est bien ici, dans la vieille Allemagne,
avec un empereur, des rois, des princes, des ducs, des grands-ducs, des
comtes, des barons allemands! Quel honneur de combattre et de mourir
pour la patrie allemande!... L'homme allemand est le premier du
monde!...*

*— Oui... Oui... pauvres diables! répondaient les envahis. Nous
connaissons cela. C'est la chanson que vos maîtres vous ont apprise
dans leurs écoles! C'est pour le roi de Prusse et pour sa noblesse que
vous travaillez, que vous espionnez, que vous vous faites casser les os
sur les champs de bataille! Ils vous paient avec des phrases creuses
sur l'homme allemand, et quand vous ne chantez pas juste, par de grands
soufflets allemands sur vos joues allemandes!... Allez!... Allez!... Vous
avez beau dire, les Alsaciens et les Lorrains ne siffleront jamais comme
vous, ils ont appris une autre musique. »*

*Bismarck rapporte qu'un croquant des parages lui a offert à boire
— à lui, Bismarck, avec sa casquette blanche à turban jaune et ses
bottes à revers — en lui demandant simplement :*

*« Au cas où je deviendrais Allemand, aurais-je moins d'impôts à
payer? »*

*C'est bien possible. Les Mosellans de 1871 ne sont pas sans avoir
entendu parler de ces communes des cantons de Sarrelouis et de Sierck
perdues en 1814 et 1815 et restituées aux termes de la « convention des
limites » en 1827 et 1829. Mais c'étaient des rectifications à l'amiable
qui n'avaient guère modifié le genre de vie des gens. Tandis que le
maire de Boulange ne se fait nulle illusion sur ce qui l'attend.*

Le drame de l'option.

Il a encore sur le cœur l'affiche qu'il a dû apposer, la baïonnette aux reins : pour chaque homme en logement et par jour, 750 grammes de pain, 500 de viande, 250 de café, 60 de tabac ou 5 cigares, un demi-litre de vin ou un litre de bière, ou un décilitre d'eau-de-vie. Pour chaque cheval, 12 kilos d'avoine, 5 de foin et 2,5 de paille, sans compter l'empoigne, sous les gros rires des officiers.

Les Allemands ont eu beau, ces dernières semaines, au reçu d'autres ordres, changer de manières, moins ravager, moins piller, et même faire le simulacre de payer avec ces thalers *en papier qui inspirent si peu de confiance — et parler avec attendrissement de la délivrance des deux provinces par des frères retrouvés venus du fond de la Germanie pour faire le bonheur des Triboques... Les heureux voisins de Beuvillers, du même canton d'Audun-le-Roman, vont continuer à vivre comme devant, entre eux. Comme l'écrit Georges Delahache dans* Alsace-Lorraine, la carte au liséré vert, *chez eux les soldats ennemis étaient présents, mais temporairement, jusqu'à ce que les milliards fussent payés, et non comme une armée installée en maîtresse définitive :*

« Le régime politique avait changé de nom mais on restait toujours entre soi, le fond des institutions et des habitudes ne variait point. Le chef de gare était le même que deux ans plus tôt, on parlait au receveur des postes comme avant la guerre, on avait affaire au même notaire, dans la même langue et les mêmes formules, c'était la même histoire de France que les enfants apprenaient à l'école, on vendait aux mêmes clients, et les jours de marché c'était le même surveillant qui recommençait sa promenade, grogneur et bon enfant. La plante n'avait qu'à reprendre des forces au soleil; pour continuer à vivre, elle n'avait ni à se déraciner ni à s'acclimater à une atmosphère étrangère. »

Le maire de Boulange a déjà eu, lui, un avant-goût de la nouvelle souveraineté, et il sait parfaitement qu'il ne sera plus longtemps bourg-mestre de Bulligen!

Les Allemands, avant même la signature de la paix, ont tout pris en main, les services publics, la justice, l'enseignement, convoqué les fonctionnaires, les magistrats, les sergents de ville, les prêtres, les pas-

teurs, les rabbins, et placardé leurs Avis. Il faut que tout le monde obéisse, accepte de considérer l'annexion de l'Alsace-Lorraine non comme une conquête (Eroberung), mais une reprise (Zurückeroberung) que tout le monde oublie La Marseillaise *pour apprendre la* Wacht am Rhein. *Et pour conserver la nationalité française il faudra se décider, « opter » avant le 1ᵉʳ octobre 1872, et s'en aller effectivement, quitter le pays, se domicilier ailleurs, disparaître. Tout laisser, sa situation, son métier, ses biens, dont un autre aura vite fait de s'emparer, venu de l'autre rive du Rhin, tel le garde forestier au feutre vert à plumes de coq du Brigadier Frédéric. Que de problèmes et que de cas de conscience. S'affirmer Français en partant, ou s'affirmer Français en demeurant?*

Le maire de Boulange n'était pas pressé de devenir Prussien. Il le restera quarante-sept ans.

Pendant quarante-sept ans, dans cette Alsace-Lorraine devenue Reichsland, *terre d'empire, autrement dit propriété commune des États victorieux, les autorités occupantes vont s'efforcer de s'allier les populations. Mais qu'elles multiplient les avances ou les mesures de rigueur, le fait est qu'elles ne se concilieront vraiment ni les Messins de langue française, ni les Bas-Rhinois ou Haut-Rhinois qui pourtant parlent le dialecte et sont d'anciens participants de la culture germanique.*

Pour les ruraux penchés sur leurs lopins, qui ne connaîtront guère d'autres « colonisateurs » que le maître d'école, le postier, le chef de gare et le gendarme, les difficultés seront assurément moins dramatiques que pour les fonctionnaires mis en demeure de prêter serment à l'empereur de Berlin : en 1873, parmi les employés de l'État, supérieurs ou subalternes, on ne dénombrera plus que 26 pour 100 d'autochtones. Le laboureur continuera à tracer les mêmes sillons et à moissonner pour le même moulin, mais six juges seulement du tribunal de Strasbourg accepteront de rendre sentence au nom du vainqueur. Mais les facultés et les lycées se videront de la plupart de leurs professeurs. Mais les industriels de Mulhouse iront essaimer à Belfort, ceux de Bischwiller à Elbeuf. On dénombrera officiellement 164 633 options de chefs de famille dont 100 000 seront annulées, les signataires n'ayant pas réussi à s'établir à l'« intérieur » en temps voulu.

Le traité de Francfort, a-t-on dit, se réclamait de celui de 1860 qui consacra la réunion à la France de la Savoie et de Nice. Mais les Savoisiens et Niçois qui choisirent alors de rester Italiens ne furent jamais soumis qu'à une formalité : celle d'élire domicile légal au-delà des

Alpes, sans être tenus d'y résider effectivement. La clause de la résidence obligatoire en France ne fut d'ailleurs insérée qu'après coup par les autorités berlinoises, devant les résultats décevants de la campagne menée pour faire basculer les Alsaciens et les Lorrains vers l'Allemagne. Et encore faut-il ajouter aux comptes publiés les déclarations faites du côté ouest de la nouvelle frontière, à Belfort et à Nancy. L'exode continuera. De 1875 à 1880, ce sont 35 000 personnes de plus qui partiront, 60 000 encore de 1880 à 1885, 37 000 de 1885 à 1890, et 34 000 de 1890 à 1895... On ne saurait pourtant dire que ce mouvement ait été vraiment encouragé, et qualifier d'exemplaire le zèle des administrations parisiennes pour récupérer et reclasser ces compatriotes infortunés. L'Assemblée refusa aux fonctionnaires chassés par l'ennemi de leur servir leurs émoluments jusqu'au jour où leur serait offert un poste équivalent au leur, arguant que les ressources publiques « ne sauraient être détournées de leur but de délivrance et de réorganisation générale »... Et l'empressement ne fut pas toujours chaleureux, quand il s'agit, professionnellement, de se serrer pour faire place à ces survenants : tels avocats, médecins, officiers ministériels, ingénieurs, en firent tristement l'expérience.

Ce n'est pas à l'école du village que se produisent des incidents comme ceux du gymnase de Guebwiller, où un Pierre Bucher, très jeune, se voit en butte à un professeur saxon et à des condisciples d'outre-Rhin fanatiques. Dans les campagnes pourtant, l'annonce faite de la levée immédiate de la classe 1871 pour être envoyée aux casernes allemandes devait déterminer la plupart des conscrits à prendre le large. De 1871 à 1874, sur 111 152 jeunes gens escomptés, 27 937 en tout furent présents dans leurs foyers pour le recensement — dont plus de la moitié, comme par hasard, d'inaptes.

Quarante-trois ans.

Juillet 1871 : la question d'Alsace-Lorraine entre dans l'histoire.

Désormais les Français ne laisseront passer aucune occasion de rappeler — même quand, publiquement, leurs dirigeants n'en parlent pas — que leurs pensées vont toujours vers ces « pays perdus ».

Désormais les écoliers auront sous les yeux des cartes murales de la France avec l'Alsace-Lorraine teinte en violet ou en bistre, pour la distinguer de l'Allemagne et entourée d'un liséré non plus vert, mais noir. *Il part d'Esch-sur-Alzette dans le Grand-Duché, coupe la Moselle en deux, puis la Meurthe, suit le pointillé du Bas-Rhin, écorne légèrement les Vosges et contourne le Haut-Rhin jusqu'à la Suisse, respectant Belfort.*

Désormais le mot revanche *s'enseignera dès le cours élémentaire. Le livre de lecture sera* Le Tour de France par deux enfants, *récit des aventures d'André et Julien Volden, deux petits Phalsbourgeois à qui leur père, sur son lit de mort, a fait jurer fidélité à la France. Et bien que les manuels de la même époque glorifient étrangement en la personne de Thiers le « libérateur du territoire » — à deux provinces près, peuplées de plus de 1 600 000 Français! — pas un candidat au certificat d'études n'ignorera* La Dernière Classe *d'Alphonse Daudet, les adieux du maître d'école dont les vieux du village viennent entendre l'ultime leçon et qui s'en va, en larmes, en appuyant sur sa craie pour écrire au tableau noir :* Vive la France!

La Dernière Classe, *la « ligne bleue des Vosges », la statue de Strasbourg place de la Concorde... Quarante-trois ans bercés par toute une littérature écrite ou chantée, naïve, nostalgique et vengeresse — l'Alsacienne à la grande coiffe noire, la Lorraine au bonnet blanc, ouvrant leurs bras aux libérateurs attendus, sur des airs de carrefour :*

> Alsace et Lorraine,
> Les deux pauvres sœurs,
> La brute germaine
> Leur brisa le cœur
> Mais ici la France
> Travaille toujours
> A leur délivrance
> Pour de meilleurs jours.

Et la complainte du Violon *brisé par les ennemis triomphants, et* Le Clairon *de Déroulède, qui mourait en sonnant la charge, et plus tard, en pas-redoublé,* Vous n'aurez pas l'Alsace et la Lorraine... *Pas un repas de fête chez les petites gens qui se terminât alors sans l'obligatoire couplet patriotique à la gloire de Strasbourg et de Metz et à l'infamie de Bismarck. Et pas une distribution de prix qui ne comportât les albums des dessinateurs Hansi et Zislin ridiculisant la balourdise et la rapacité des Allemands « voleurs de pendules » et bassement poli-*

ciers, qui croient s'imposer aux Alsaciens et Lorrains en faisant la
guerre à tout ce qui rappelle la France : aux prénoms Jean et Louis
qu'il faut transcrire sur l'état civil Johann et Ludwig, aux enseignes
des boutiques, pas de Coiffeur, mais Friseur, et pas de Liquidation
totale mais Totale Liquidation! En 1914 encore, un marchand de
tabac strasbourgeois réussira à se faire incarcérer pour avoir placardé
ironiquement à sa devanture : Man spricht deutsch. Les services de
sûreté mirent plusieurs jours à s'aviser que dans une ville dont la
population comptait alors, selon Robert Redslob, plus d'un tiers d'immigrés, il y avait là provocation.

De 1871 à 1914.

La polémique, la caricature ont toujours leurs droits. Force est de
convenir pourtant qu'après les premières brutalités de l'implantation
(l'armée allemande, l'école allemande, la bureaucratie allemande)
Berlin fit de sérieux efforts d'apaisement, et que ces efforts furent parfois
sincères. Tandis qu'Alsaciens et Lorrains — disons : bourgeois et
intellectuels alsaciens, bourgeois et intellectuels lorrains — refusaient
d'accepter la morgue des officiers, la pédanterie des « intellectuels »,
l'esprit tourmenteur des fonctionnaires — le régime, qui se piqua, non
sans machiavélisme parfois, d'appliquer les vieilles lois françaises, et
qui en vint à autoriser le monôme des étudiants autour du monument de
Kléber, n'atteignit évidemment pas la férocité de celui qu'entre 1940 et
1945, Hitler infligea à ces départements.
Que se soit peu à peu améliorée de 1871 à 1914 la coexistence des
vainqueurs et des vaincus, tous les témoignages l'admettent. Comment,
à la longue, en aurait-il été autrement, puisque la guerre ne se rallumait
pas? Il arrivera même à des immigrés, comme le professeur hessois
Werner Wittich en 1909, d'écrire une sorte de défense et illustration de
la culture française en Alsace, ce qui scandalisa la Gazette de Westphalie. Ainsi dans Colette Baudoche, le Frédéric Asmus de Maurice
Barrès, issu de Königsberg, et venu à Metz pour y trouver un peuple
satisfait de l'annexion, finira-t-il par se laisser séduire. L'échec de
cette formule de Reichsland, de terre d'Empire, fut néanmoins patent.
Si ancienne que fût — le Moyen Age, la Renaissance — la pénétra-
tion intellectuelle allemande, on ne dénationalise pas en quelques mois,
ni en quelques années, deux provinces imprégnées de France depuis

deux siècles. *Comment oublier si vite que si les traités de Westphalie de 1648 furent surtout des faits de princes, les drapeaux tricolores déployés sur la plate-forme de la cathédrale de Strasbourg, et sur le pont de Kehl en 1790 pour la fête des gardes nationales d'Alsace, de Lorraine et de Franche-Comté, firent savoir aux Badois que la Révolution française allait tourner le cours de l'histoire? Comment oublier le* Chant de guerre de l'armée du Rhin *entonné par Rouget de Lisle en 1792, chez le maire Frédéric de Dietrich? Comment oublier Kléber, Kellermann de Strasbourg, Rapp de Colmar, Lefèbvre de Rouffach, Ney de Sarrelouis (alors en France), Lassalle, Richepanse de Metz, Molitor de Hayange, Mouton de Phalsbourg, Éblé de Saint-Jean-Rohrbach, dont les exploits contribuèrent à la gloire de la Première République et du premier Empire?*

Oh! certes, une autre littérature, scandée de refrains de guerre, répondait à celle-ci : O Strassburg, O Strassburg, du wunderschöne Stadt... *Des nostalgies parallèles s'exprimaient çà et là, venues des temps lointains, de l'Alsace des Othons et des Hohenstaufen, des magistratures strasbourgeoise et mulhousienne et des villes impériales, des princes possessionnés, des ducs et des margraves, des trois évêchés, Metz, Toul, Verdun, et du bon roi Stanislas Leczinski, dont hérita la couronne de France.*

Mais la grande Révolution, en libérant le paysan, en supprimant les privilèges et les corporations, en faisant de tous les sujets des citoyens égaux, avait réellement soudé ces provinces à la France :

« *Et lorsque l'empire germanique déclara la guerre à la Révolution,* écrira Friedrich Engels, *lorsque les Allemands, qui portaient encore leurs chaînes avec obéissance, se prêtèrent de plus à imposer à nouveau aux Français leur servitude ancienne, et aux paysans alsaciens les seigneurs féodaux qu'ils venaient de chasser, c'en fut fini du germanisme de l'Alsace et de la Lorraine : elles se mirent à haïr les Allemands... Lorsque les coalisés entrèrent en France en 1814, c'est justement en Alsace et en Lorraine qu'ils trouvèrent les ennemis les plus décidés, la résistance la plus rude, dans le peuple lui-même, car on sentait dans le peuple lui-même le danger qu'il y avait à redevenir allemand.* »

Ainsi voit-on le coauteur du Manifeste communiste *rejoindre Erckmann-Chatrian.*

Entre Rhin et Vosges.

*Soixante ans plus tard, en 1874, quand les Alsaciens et les Lorrains
redevenus malgré eux Allemands, élirent pour la première fois des
députés au Reichstag, ces députés furent tous des protestataires, et
Édouard Teutsch, de Saverne, déposa sa motion réclamant pour les
populations incorporées sans leur consentement par le traité de Francfort, le droit d'être consultées pour ratification. Il le fit en leur nom à
tous, encore que l'évêque Raess se fût au dernier moment, sur l'ordre de
Rome, singularisé :*

*« L'annexion faite sans notre consentement, signifiera Édouard
Teutsch, constitue pour nous un véritable esclavage moral... Des citoyens
ayant une âme et une intelligence ne sont pas une marchandise dont
on puisse faire commerce... Notre cœur se sent irrésistiblement attiré
vers la patrie française... Deux siècles de vie et de pensée en commun
créent entre les membres d'une même famille un lien sacré qu'aucun
argument et encore moins la violence ne sauraient détruire. »*

*La motion fut repoussée dans un tumulte d'exclamations ironiques,
et huit députés « annexés » sur quinze quittèrent le Reichstag pour n'y plus
remettre les pieds.*

*Le temps passa, éroda, usa. Les élections de 1890 envoyèrent encore
à Berlin onze protestataires sur quinze. Mais les irréductibles qui
avaient entendu canonner Strasbourg, Belfort, Phalsbourg, Bitche, et
serré les poings comme dans Erckmann-Chatrian en s'exclamant :
« Nous n'avons pas mérité, nous Alsaciens et Lorrains, les plus fidèles
enfants de la grande Révolution, non, nous n'avons pas mérité de devenir
Allemands... », ceux qui ne juraient que par la France et ne comptaient
que sur la France, firent place à une couche nouvelle. Plus encline, la
France ne revenant pas, à vivre dans la réalité présente, et sinon à
accepter en droit l'annexion, du moins à intensifier la revendication
intérieure d'une* autonomie.

*Édouard Schuré a analysé cette mentalité des jeunes Alsaciens et
Lorrains instruits des abords de 1900, découvrant peu à peu qu' « entre
le Rhin impétueux et les Vosges placides », entre les deux races, les
deux langues, les deux cultures, ils s'étaient (miraculeusement) main-
tenus intacts, et que le devoir leur dictait de préserver cette originalité*

régionale, contre l'absorption germanique, en se réclamant d'une sorte de nationalité fidèle aux souvenirs français, mais distincte. Ils ne méconnaissaient pas les progrès réalisés depuis trente ans, les moyens de communications modernisés, les villes embellies, les structures administratives renforcées, mais entendaient se défendre contre les empiétements d'une civilisation qui n'était quand même pas la leur. Ces jeunes comptaient moins sur la France et plus sur eux-mêmes et pourtant, malgré l'immigration, l'Alsace-Lorraine demeurera pour l'Allemagne un corps étranger, inassimilable. En 1905, ils se dénombraient encore, les indigènes sans mélange, au moins 1 300 000.

L'autonomisme, cette opposition atténuée, exaspéra tout autant l'administration que l'appel aux libérateurs. Il n'obtint jamais de Berlin cette constitution indépendante plus ou moins clairement promise. Au contraire, Bismarck, excédé, menacera de dépecer sommairement le Reichsland et de le partager entre la Prusse, la Bavière et Bade. Les incidents succédaient aux incidents, comme pour rappeler au-dehors qu'il existait toujours une redoutable question d'Alsace-Lorraine. L'évêque de Metz, Mgr Dupont des Loges, refusait l'ordre de la Couronne de « seconde classe avec étoile » que lui transmettait de la part de l'empereur le Statthalter Manteuffel. Des sociétés locales étaient dissoutes, des journaux interdits, pour excitations contre l' « idée allemande ». On arrêtait et on expulsait le député Antoine, de Metz; son collègue Lalance, de Mulhouse, devait s'expatrier. En 1887, la tension s'aggrava soudain à la nouvelle que le commissaire spécial de la gare de Pagny-sur-Moselle, Schnœbelé, avait été traîtreusement attiré en territoire annexé, et là, empoigné et conduit, menottes aux mains, dans une prison de Metz. Des mesures vexatoires étaient prises à l'égard des Français pour les visas de passeport et permis de séjour. La querelle rebondissait de la langue dans les écoles primaires, illustrée de poursuites et de procès à grand spectacle — comme ceux de Hansi et de l'abbé Wetterlé — passionnément suivis par un public brocardeur. Et surtout l'affaire de Saverne en 1913.

Un lieutenant, von Forstner, qui se fait fort de « dresser » ces « têtes carrées » d'Alsaciens, en exigeant au rassemblement qu'ils répètent l'un après l'autre « Ich bin ein Wackes. (Je suis un voyou) », en ajoutant : « Je crache sur le drapeau français. » Les hommes refusent. Ils sont jetés en prison à coups de crosse. Un journal de Strasbourg révèle le scandale et la paisible Saverne se déchaîne, conspue les officiers. Il faut protéger von Forstner dès qu'il quitte le mess. Des échauffourées se pro-

duisent. Le colonel von Reuter, couvert par son général, donne raison à son lieutenant. On appréhende au hasard une cinquantaine de bourgeois. Un tribunal civil ose condamner les deux militaires à une amende, mais un conseil de guerre casse le jugement, et le Kronprinz félicite le colonel. Telle est pourtant l'émotion que finalement le régiment devra, sans gloire, changer de garnison.

Obsédante pour l'opinion française, lancinante pour l'opinion allemande, la question alsacienne devait, pendant trois générations, rendre impossible tout rapprochement entre Paris et Berlin, et par là l'établissement d'un équilibre durable en Europe. Imposer de part et d'autre des budgets d'armements écrasants et un jeu d'alliances à inscrire parmi les données essentielles de la situation d'où sortit la guerre de 1914.

Ce n'était pourtant pas pour planter des poteaux-frontière sur le tracé du liséré vert, ce n'était pas pour annexer Simon, Joseph-Jules, maire de Boulange — lequel ne se rappelait guère avoir appartenu jadis au Saint Empire — que Bismarck avait voulu, froidement, celle de 1870. Il avait au départ d'autres idées en tête.

Première partie

Bismarck et son roi

Bismarck-Schönhausen (Otto-Édouard-Léopold, comte de), cinquante-cinq ans, hobereau poméranien. Études à Göttingen. Conseiller référendaire, stage d'officier. Haute stature, moustaches épaisses, rousses, visage de bois, regard globuleux et glacé. Bretteur de spectacle dans les salles d'armes universitaires. Cavalier, chasseur, nageur. Gros mangeur, gros buveur, absolutiste à outrance, alors que la mode, outre-Rhin, depuis 1848, était au libéralisme à cheveux longs. Du moins vue de l'Ouest.

Coléreux, oui. Impulsif, c'est moins sûr, car il se ressaisit vite. Conscient de sa taille et de son poids, il n'a que dédain pour les chétifs : sous les tilleuls berlinois, un soir, il a proprement désarmé un assassin qui venait de tirer sur lui. Pas de défauts en dehors de la table? Il aime ses chevaux, ses fils, craint sa femme. On lui a prêté un certain penchant pour les belles étrangères, de préférence slaves. Ce n'est pas établi. L'impression de Prosper Mérimée en 1866 : « C'est un grand Allemand, très poli. Il a l'air absolument dépourvu de *Gemüth*, mais plein d'esprit... » Mérimée complétera plus tard son jugement.

Député de bonne heure, en 1846, à la Diète prussienne, Bismarck jeune jouera les turbulents qui ne respectent surtout pas les anciens. On l'appellera *der tolle Herr*, le monsieur fou, ce qui ne lui déplaira pas.

En 1851, il représente la Prusse à la Diète confédérale de Francfort, où il ne fait pas grand mystère, déjà, de ses intentions : éliminer de l'Allemagne cette Autriche prépondérante, mais vermoulue. En 1859, il est ministre de Prusse à Saint-Pétersbourg, et en 1862 à Paris. Déjà il guette la première place à Berlin. On la lui offre. Il est ministre d'État, puis président du Conseil, avec les Affaires étrangères. A lui le jeu.

En 1870, il est l'homme qui, à la Diète prussienne, a maté la petite bourgeoisie hostile aux dépenses militaires, en imposant Moltke comme chef d'État-Major, et Roon comme ministre de la Guerre. L'homme résolu à détruire au bénéfice de la Prusse la vieille et théorique Confédération germanique demeurée sous l'hégémonie de l'Autriche. Celui qui a entraîné celle-ci, en 1864, dans le conflit des duchés danois, avant de se retourner contre elle, et de la mettre en déroute à Sadowa. Pauvre diplomatie viennoise qui s'est laissé pareillement piéger!

Voilà en 1866 la Prusse enrichie du Hanovre, de la Hesse électorale, du Nassau et de Francfort. Et la vétuste Confédération dissoute. Une autre lui succède, une confédération tout autrement centralisée de l'Allemagne du Nord, Saxe comprise, d'où sont exclus le Habsbourg et ses alliés traditionnels, les États du Sud : Bavière, Wurtemberg, Bade, Hesse-Darmstadt.

Au nord du Main, c'est la Prusse qui ordonne, une Prusse entourée de vassaux. Son roi est le chef suprême de l'armée et nomme le chancelier confédéral.

L'œuvre accomplie par Bismarck est déjà considérable, mais il voit beaucoup plus grand et plus loin. De son souverain, il entend faire celui d'une nouvelle Allemagne unifiée, sans l'Autriche, dût-il au besoin lui forcer la main, respectueusement.

« Par le fer et par le sang. »

Guillaume Ier, soixante-treize ans en 1870, visage comme absent, dans ses favoris épais, est un majestueux hésitant. Marqué par les souvenirs d'une enfance dramatique, fils de la malheureuse reine Louise, victime de Napoléon, il a connu les désastres d'Iéna et d'Auerstædt et vu démembrer le royaume de son père. Il est partagé entre des rêves de gloire casquée et des scrupules chevaleresques.

Il s'est d'abord offusqué d'entendre son président du Conseil déclarer froidement en 1862 aux députés de la nation prussienne que les problèmes ne peuvent être résolus par des discours ou des

votes de majorité, mais « par le fer et par le sang ». Il s'est offusqué,
et pourtant il a laissé faire, voire parlé d'abdiquer, si l'on contre-
carrait les projets de son chef de gouvernement. La volonté de
Bismarck, nourrie d'un dévouement féodal canin, sans défaillance,
aux Hohenzollern, s'est imposée à lui et s'imposera encore, malgré
toutes les réticences, voire les cabales de la cour berlinoise. Même
quand il s'agira, après Sadowa et à Versailles, de faire accepter de
son roi, qui, dans le succès, s'exalte parfois outre mesure, des solu-
tions d'habileté.

C'est après le coup du Schleswig, du Holstein et du Lauenbourg
— plus que discutable — que Bismarck a été fait comte, et le
gentilhomme campagnard s'est montré profondément honoré, lui
dont les ambitions, un quart de siècle plus tôt, ne visaient pas si
haut : « Quand au marché des laines on m'appellera *Monsieur le
baron*, je vendrai trois thalers moins cher. » Il conduit la politique
de la Prusse, mais avec ses yeux de faïence fixés sur le maître,
attentif au moindre signe d'approbation qu'on oubliera souvent de
lui accorder. Il souffrira jusqu'au bout de se sentir détesté par la
reine Augusta, et tenu par le Kronprinz comme par les autres
altesses pour une sorte d'intendant supérieur aux qualités
exceptionnelles, sans doute plein d'initiatives, mais à surveiller
de près, parce qu'il pourrait truquer.

Les princes allemands ne pouvaient être que ce qu'ils étaient :
des princes. Enlisés dans le passé de leurs maisons, attachés à leurs
couronnes, même contestées et dépréciées, et à leurs possessions,
même dérisoires, ils ne se départiront jamais de leur méfiance envers
ce personnage déconcertant, qui parle à tort et à travers et qui,
en se réclamant d'un roi qui n'en attend pas tant, prétend bâtir
une Allemagne inquiétante. Dans cette Allemagne, ils se demandent
(à juste titre) quelles seront finalement leurs places.

Quant à la reine, c'est simple : Augusta de Saxe-Weimar tremble
de connaître le sort de Marie-Antoinette. Elle s'est opposée tant
qu'elle a pu à la désignation de Bismarck, cet odieux progressiste
(dénoncé, il est vrai, par les autres comme un rétrograde non moins
odieux) et ne cessera, sa vie durant, de harceler son mari contre
lui. Le Kronprinz Frédéric-Guillaume partagera les appréhensions
de sa mère, et que dire de la princesse, son épouse, « Vicky » pour
les intimes, fille de la grande Victoria d'Angleterre! Si Bismarck
ne lui pardonne pas sa naissance anglaise, la Kronprinzessin lui

rend bien son aversion, lui rétorquant un jour qu'il nourrissait, lui Bismarck, l'ambition de régner : « Je suis trop gâté, répondit-il, pour devenir républicain... je remercie Dieu de ne pas être destiné à vivre comme un roi, toujours en vedette, mais de demeurer jusqu'à ma mort le fidèle sujet de Sa Majesté... » ce qui n'atténua pas pour autant l'incompatibilité des humeurs.

Quand Bismarck résolut en 1863 de gouverner sans le Parlement, le prince héritier regimba, manifesta son hostilité, se fit rappeler à l'ordre par son père, et « Vicky » se remémora, désenchantée, que son pays d'origine était un pays libre. Cet affrontement du prince Frédéric-Guillaume et de Bismarck devait se prolonger au fil des années, diviser la cour en deux : le parti réactionnaire, celui de Bismarck, et le parti libéral « anglo-Cobourg », dirigé par le couple princier. En fin de compte, le roi optera toujours pour son président du Conseil, malgré des heurts quasi quotidiens, suivis de brouilles, de démissions remises et refusées, de scènes pénibles où les nerfs de l'un ou de l'autre « craquaient ». Il arrivera que celui-là s'effondre en larmes, et celui-ci en proie à des crampes d'estomac. Mais Bismarck restera finalement le plus fort :

« Je prévois très exactement comment tout cela finira : là-bas, sur l'Obernplatz, on vous guillotinera, et moi un peu plus tard.

— Et après, Sire?

— Après? Eh bien, nous serons morts.

— Oui, alors nous serons morts, mais nous devons mourir tôt ou tard, et pourrions-nous succomber de façon plus convenable? Moi-même, en luttant pour la cause de mon seigneur et roi, et Votre Majesté en scellant de son propre sang les droits qu'elle tient par la grâce de Dieu; que ce soit sur l'échafaud ou sur le champ de bataille, cela ne change rien au glorieux sacrifice du corps et de la vie pour ces droits qui vous sont conférés par la grâce de Dieu! »

Cette référence à la légitimité divine de l'autorité monarchique sera constamment pour Bismarck l'*ultima ratio*, qui lui permettra de venir à bout de tous les cas de conscience de Guillaume Ier. En fait, aux heures des grandes résolutions, il parviendra toujours, au prix de nouveaux éclats, à l'endoctriner. Et tous deux se montreront également prompts à invoquer leur conscience et Dieu, chaque fois que Dieu et leur conscience arrangeront les affaires de la dynastie.

Aux yeux de Bismarck, rien d'autre ne compte. Il a été appelé au pouvoir pour doter la Prusse d'une armée en mesure de faire, en Allemagne d'abord, la loi. Que lui importe l'avis de ces « bavards », et de ces imbéciles du Landtag? Il ne leur mâche pas ses mots :

« La machine de l'État ne pouvant s'arrêter, les conflits de droit deviennent facilement des questions de puissance : celui qui a la force en main agit alors selon ses idées. »

Autant dire que la force prime le droit. Il ne l'a pas dit expressément, mais c'est tout comme, et tel est bien le fond de sa pensée. Ainsi a-t-il brisé toutes les résistances de Vienne, achevé la moribonde Confédération germanique et emmené dans ses bagages à la guerre contre le Danemark, les naïfs dirigeants autrichiens : ils s'apercevront trop tard, à Sadowa, en quel engrenage ils se sont laissé prendre.

La piètre diplomatie des Tuileries.

Bismarck s'est aussitôt mis en devoir de faire d'autres dupes.

Il sait depuis longtemps, et l'a confié, que la guerre avec l'Autriche est inévitable, mais qu'il va trouver, sur son chemin, la France.

Il n'a pas encore son opinion arrêtée sur Napoléon III, dont le prestige militaire donne à réfléchir. N'a-t-il pas, par les armes, vaincu la Russie puis l'Autriche, émancipé les principautés danubiennes, unifié l'Italie? Mais Bismarck l'a déjà évasivement tâté en 1862, avant d'être ministre, lors d'une courte ambassade à Paris. Au cours d'une promenade dans le parc de Fontainebleau, l'empereur l'a questionné à l'improviste :

« Croyez-vous que le roi serait disposé à conclure une alliance avec moi? »

Bismarck a répondu, circonspect :

« Les sentiments du roi à l'égard de Votre Majesté sont des plus amicaux, les préventions de l'opinion publique à l'égard de la France ont presque complètement disparu. Mais des alliances, dans les circonstances présentes, ne sont fructueuses que si elles sont utiles et nécessaires. Une alliance suppose un motif, un but.

— Ce n'est pas toujours juste. Les puissances ont des relations plus ou moins amicales; en présence d'un avenir incertain, on doit donner une direction à la confiance. »

La conversation en resta là. Bismarck en rapporta quand même l'impression que Napoléon III, imbu de son cher et aléatoire principe des nationalités, admettrait tout aussi bien la mission de la Prusse en Allemagne que celle du Piémont en Italie. Quel argument!

Après la paix conclue avec le Danemark, la santé de sa femme lui fournit un prétexte de vacances à Biarritz, et le voilà de nouveau tête à tête avec l'empereur, un empereur affaibli, malade, jauni, irrésolu. Sur la terrasse de la villa *Eugénie* on échange des propos. On parle de la neutralité éventuelle de la France devant cette autre guerre que tout le monde voit venir. Napoléon ne dit pas non, mais, en échange de ce service énorme rendu à la Prusse, fait allusion à des compensations raisonnables. C'est Bismarck qui en suggère, du côté de la Belgique ou de la Suisse romande, à la rigueur sur le Rhin, Trèves, Landau... Mais tout cela demeure flou. Une lettre du roi à l'empereur, suivie d'une démarche de l'ambassadeur Goltz, laisse encore les problèmes en suspens, bien que Napoléon ait explicitement revendiqué cette fois les frontières de 1814, Landau, Sarrelouis, Sarrebrück, plus le Luxembourg. Là-dessus, Bismarck brusque les événements, bat les Hanovriens et les Autrichiens. Le fusil Dreyse à aiguille a surclassé les armements d'en face, mais encore plus la supériorité éclatante de la préparation militaire prussienne, de la mobilisation et de la concentration prussiennes.

Après Sadowa, 3 juillet 1866, et aussi longtemps que les forces prussiennes ne se seront pas reformées sur le Rhin, on va continuer à amuser la diplomatie parisienne en lui faisant miroiter une union indépendante des États du Sud, réputés les protégés de la France. Seulement, c'est fini. Napoléon a perdu.

Trois semaines après, il peut bien venir « en clopinant », comme dira Friedrich Engels, redemander, parce qu'il est resté l'arme au pied, son pourboire, son *Trinkgeld* comme ironisera Bismarck. Trop tard. Il a oublié de se servir pendant que la guerre en Bohême laissait découvertes les places fortes du Rhin. Maintenant, on lui rit au nez.

Lui céder la Bavière et la Hesse rhénanes, avec Mayence? Le pauvre Benedetti, notre ambassadeur, voit devant lui les sourcils se dresser. Il n'y pense pas. Comment la Prusse, forte de sa victoire fulgurante, pourrait-elle prendre sur elle d'aliéner des terres allemandes? On en revient à la Belgique. Ici Bismarck dresse l'oreille :

« C'est très intéressant. Voulez-vous me mettre cela par écrit? »

Benedetti a toujours prétendu qu'il n'avait pas été si sot. Ce qui n'empêchera pas Bismarck de tirer de sa poche, pour le montrer aux ministres du Sud, un texte ainsi libellé :

ART. 1 – S.M. l'empereur des Français admet et reconnaît les acquisitions que la Prusse a faites à la suite de la dernière guerre.

ART. 2 – S.M. le roi de Prusse promet de faciliter à la France l'acquisition du Luxembourg.

ART. 3 – S.M. l'empereur des Français ne s'opposera pas à une union fédérale de la Confédération du Nord avec les États du Midi de l'Allemagne, à l'exception de l'Autriche, laquelle union pourra être basée sur un Parlement commun, tout en respectant dans une juste mesure la souveraineté desdits États.

ART. 4 – De son côté S.M. le roi de Prusse, au cas où S.M. l'empereur des Français serait amenée par les circonstances à faire entrer ses troupes en Belgique ou à la conquérir, accordera le concours de ses armes à la France.

ART. 5 – Pour assurer l'entière exécution des dispositions qui précèdent, S.M. le roi de Prusse et S.M. l'empereur des Français contractent par le présent traité une alliance offensive et défensive.

Il n'en faut pas plus pour déterminer le pays de Bade, le 17 août 1866, la Bavière le 22 et le Wurtemberg le 29 à signer avec Bismarck des alliances secrètes, offensives et défensives, plaçant leurs forces, en cas de guerre, sous le haut commandement prussien. Guillaume Ier, fort de dix-huit millions de sujets en 1860, en contrôle maintenant quarante, qu'il soumet aussitôt au service militaire obligatoire. Les vaincus s'attendaient à un tout autre traitement. Très adroitement, Bismarck a fait prévaloir une paix modérée, ouvrant sur une vaste alliance allemande.

Après cela, Napoléon III perdra encore des semaines et se discréditera encore un peu plus aux yeux de l'Europe en remettant sur le tapis la question du Luxembourg. Le roi de Hollande, propriétaire du Grand-Duché, l'eût assurément cédé sans grande difficulté, contre du bel argent, quatre ou cinq millions, et les habitants y eussent consenti sans réserve, assez pressés d'ailleurs de voir partir la garnison prussienne qui occupe toujours la forteresse, en vertu des anciens accords confédéraux. L'affaire paraît « dans le sac », quand Bismarck, qui n'a plus à ménager personne, se fait interpeller au Reichstag. Travail de compères, mais le roi de Hollande prend peur et retire son consentement. Une conférence se réunit à Londres, qui proclame la neutralité du Grand-Duché. Napoléon a encore perdu, même la face.

C'était, vers l'unité allemande, l'avant-dernière étape.

Une aspiration romantique et commerciale.

L'aspiration à l'unité allemande était double : romantique et commerciale.

Romantiques, certes, les fureurs guerrières et philosophiques soulevées par la chute de Napoléon Ier, les corporations d'étudiants, les couleurs, les gants à crispin, les épées hautes, les hallebardes, les châteaux forts, les ménestrels, l'Empire médiéval... Depuis des décennies, on chantait en vidant des chopes mousseuses la patrie allemande, couvrant la Styrie, le Tyrol, l'Autriche « riche en honneur et en victoires ». On en était au *Deutschlandlied* d'Hoffmann von Fallersleben, musique de Haydn, dont la république de Weimar devait faire un hymne national :

> *De la Meuse jusqu'à Memel*
> *De l'Adige à la Baltique*
> *Allemagne, Allemagne par-dessus tout*
> *Par-dessus tout au monde!...*

Toutefois, la consanguinité n'avait jamais empêché la Prusse de se jeter sur ses voisins allemands, et Bismarck lui-même ne s'était nullement privé de faire donner ses troupes contre les frères hanovriens, autrichiens ou autres. Frédéric II ne s'était-il pas agrandi en de franches et joyeuses batailles aux dépens des mêmes frères autrichiens et des Saxons? On se rappellera que l'Allemagne, jusqu'à la Révolution française, était une poussière d'États. La Confédération germanique issue des traités de 1815 en comprenait encore trente-neuf, dont quelques-uns aussi risibles que le Gerolstein d'Offenbach, avec autant de familles régnantes, de bureaucraties et d'antagonismes. Remembrer tout cela sous un même drapeau et les mêmes hymnes offrait, depuis des générations, un sujet de prédication pour les professeurs, idéologues et historiens « maniaques du Moyen Age », et de manifestations théâtrales dont se gaussait Heine.

Bismarck, étudiant, avait entonné les mêmes refrains que les autres lors de ces fêtes à grand spectacle « où le courage et la force flamboyaient dans les âmes allemandes », et où l'on délirait un peu en faisant sortir du tombeau, dans son armure, le spectre du grand Frédéric Barberousse. Mais on ne saurait oublier un tout autre aspect de Bismarck, l'homme d'affaires.

Unifier l'Allemagne sans l'Autriche.

Il ne négligea jamais les siennes. Vainqueur de l'Autriche, sa nomination au grade de général — honoraire — le transporta de fierté. Mais il a été en même temps sensible à la dotation de quatre cent mille thalers que lui a fait compter le roi. S'il n'avait été orienté vers le fonctionnarisme et les problèmes d'État, il eût fait un très remarquable capitaine d'industrie ou un manieur d'argent du style américain des Vanderbilt ou des Jay Gould. Il était beaucoup plus à son aise avec les intérêts qu'avec les idées pures. Et il avait « réalisé » de bonne heure que cette dispersion politique périmée interdisait à l'Allemagne de devenir une grande puissance économique. Or, il voulait qu'elle fût cette grande puissance.

Autour d'elle, l'essor du machinisme se traduisait en une véritable révolution industrielle. Elle-même, sur les bords du Rhin, en Saxe, en Silésie, à Berlin développait sa production, construisait des routes et des chemins de fer, lançait même une ligne transatlantique, tout de suite utilisée par des immigrants avides d'employer leur activité dans des cadres moins étroits que ceux de leurs pays d'origine.

Friedrich Engels a analysé les effets de ce cloisonnement en royaumes, principautés, grands-duchés et villes libres perpétué par les traités de Vienne. Non seulement l'Autriche demeurait cadenassée dans des barrières douanières datant de Joseph II, mais dans le reste de l'Allemagne, à quelques lieues de distance, des codes de commerce différents, des règlements différents de l'exercice d'un même métier, toutes sortes de chausse-trapes administratives, fiscales, corporatives, empêchaient les capitalistes de mettre en œuvre les moyens nécessaires sur les points où le minerai, le charbon, la force hydraulique s'offraient à des entreprises nouvelles. Un droit civil allemand, l'entière liberté domiciliaire pour tous les citoyens allemands, une législation professionnelle unique, « ce n'étaient plus là des rêveries patriotiques d'étudiants exaltés, c'étaient désormais les conditions d'existence nécessaires à l'industrie ».

Pareillement indispensable apparaissait au jeune dynamisme des manufactures la création d'un système monétaire et d'un système de poids et mesures reconnus dans tous les États. Ils ne supportaient plus ces gulden et ces thalers, ces marks-banque, ces marks courants qui changeaient de valeur à chaque frontière, et la frontière c'était partout. Pas plus qu'ils ne supportaient, dès qu'ils se risquaient sur le marché mondial — et ils avaient furieusement envie de s'y risquer — de se sentir abandonnés à eux-mêmes, faute d'une représentation diplomatique et consulaire à la hauteur.

Le commerçant anglais, français ou américain pouvait se permettre plus encore au-dehors que chez lui. La délégation de son pays intervenait pour lui, et s'il le fallait, quelques navires de guerre intervenaient aussi... Mais lorsque à l'étranger un commerçant prussien se plaignait d'une injustice, on lui répondait presque toujours : « C'est bien fait, qu'avez-vous à faire ici, pourquoi ne restez-vous pas tranquillement chez vous?... » Les consuls et les ambassadeurs allemands étaient traités outre-mer comme des cireurs de bottes.

Bismarck avait compris tout cela. Ce n'était pas seulement dans les beuveries estudiantines que l'on s'enflammait pour l'unité allemande. Ni seulement dans les états-majors que l'on combinait des plans de nouvelles campagnes conquérantes. La bourgeoisie industrielle, commerçante et banquière exigeait de plus en plus une structure nationale aux dimensions de la production nouvelle et des échanges nouveaux. Sinon, on ne tarderait pas à voir les liens confédéraux se rompre, et les gens de Cologne, par exemple, loucher du côté de la prospérité française.

L'Autriche réactionnaire refusant d'ouvrir son marché intérieur et s'illusionnant encore en 1863 à Francfort en de vaines tentatives d'acclamation impériale du Habsbourg — il suffit que le roi de Berlin s'abstînt de venir, et le projet tomba à l'eau —, il n'y avait d'autre issue pour les Allemands « sérieux » que la Prusse.

Non qu'elle fût aimée pour elle-même, loin de là. On détestait au contraire, on persiflait son caporalisme, sa lourdeur, sa suffisance. Mais elle apparaissait comme l'État le plus entreprenant, celui qui avait eu l'audace d'un commencement d'union douanière, le *Zollverein*. Elle conservait sur les autres l'avantage de deux institutions alors révolutionnaires : le service militaire et l'instruction obligatoire.

Sa neutralité pusillanime lors des guerres de Crimée et d'Italie avait été effacée par ses victoires sur le Danemark et sur l'Autriche. Et puis, maintenant, la Prusse possédait Bismarck, dont on avait, à la ronde, apprécié la poigne.

Bismarck inscrivait tout de suite, dans le cadre de la Confédération du Nord, la plupart des réformes juridiques élémentaires réclamées par l'industrie, le commerce et la banque : droit civil commun, circulation et établissement libres, monnaies et mesures alignées, impôts ajustés, protection des intérêts à l'étranger. L'industrie, le commerce et la banque respirèrent, et Bismarck fut leur homme.

Pourtant il ne lui échappait pas que cette adhésion à la Prusse n'était pas totale. Si les États du Sud, vaincus de la veille, avaient accepté l'alliance militaire, ils étaient encore loin d'accepter ce qui pouvait ressembler à une incorporation politique. Il fallait, de toute évidence, leur administrer deux preuves :

1º que la Prusse était trop puissante pour leur laisser leurs chances d'indépendance;

2º qu'elle était assez puissante aussi pour les protéger, — d'où l'idée d'une troisième guerre inéluctable, d'une guerre faite par tous les Allemands ensemble, qui parachèverait l'œuvre et cimenterait l'union.

Entre sa deuxième et sa troisième guerre, Bismarck avait déjà répondu à un ministre du Sud :

« En dépit de tous les discours, la Confédération sera brisée, et l'Autriche rejetée hors de l'Allemagne.

— Et les États moyens, croyez-vous qu'ils assisteront à cela sans réagir?

— Vous, les États moyens, vous ne ferez rien du tout.

— Et que feront les Allemands?

— Je les mène ensuite à Paris, et là je les unis. »

Il brûlait déjà de revêtir sa tenue de campagne et de se gausser à table de l'effroi semé par son seul nom : « Les gens doivent me prendre pour un chien sanguinaire, les vieilles femmes, dès qu'elles entendent parler de moi, se prosternent à genoux et supplient qu'on leur laisse la vie; Attila était un agneau à côté de moi... »

On n'allait pas tarder à l'entendre confier aussi ce qu'il pensait en vérité des Français, « nation de barbares avec un vernis insuffisant de civilisation ». Le cher Mérimée, après lui avoir reconnu beaucoup d'esprit, eut assez raison d'ajouter, en 1867 : « Nous aurons encore pas mal d'ennuis à avaler à cause de lui. »

Napoléon III et ses illusions

L'admirable, c'est qu'à Paris, en ce temps-là, on restait fort entiché de la Prusse et de l'Allemagne.

Cette grande et digne Allemagne, dont Lamartine avait célébré les nobles fils, cette noble et pure Germanie chère à Balzac... On la plaignait sincèrement d'avoir été, en 1815, victime de Metternich — le chancelier — et de Talleyrand, et par eux maintenue morcelée, au mépris de ses droits nationaux à l'unité. L'Allemagne, pour les Français de l'époque Napoléon III, c'était celle des petites cours décrépites, empêtrées dans des étiquettes ridicules, mais si attendrissantes. *La Grande-Duchesse de Gerolstein* avait triomphé sur ce thème. On n'oubliait pas pour autant ces penseurs issus du XVIIIe siècle et ces despotes éclairés d'outre-Rhin, les plus éclairés d'Europe. Ni ces universités prestigieuses, et les noms de Gœthe et de Hegel inspiraient chez nous un sincère respect.

Chez les libéraux français, c'était pour les patriotes de l'autre côté un engouement quasi général. Ils n'imaginaient absolument pas que ces patriotes pussent ne pas être « de gauche », comme on dirait aujourd'hui. Et le bon peuple lui-même, dont la spontanéité n'est pas si accueillante à l'ordinaire, ouvrait largement ses bras à ces pauvres hères de réfugiés germaniques, tous supposés victimes de l'oppression, et qui, arrivés sans sou ni maille, enseignants, musiciens, secrétaires à tout faire, s'offraient à prendre au rabais les emplois des Français... « Cet Allemand, relit-on dans Erckmann-Chatrian, cet Allemand était républicain, socialiste, communiste, etc. — Il s'était sauvé de Cologne ou d'ailleurs, à la suite des événements de 48... Il parlait de ses sacrifices à la République universelle, de sa campagne terrible du pays de Bade contre les Prussiens... » Et l'empereur lui-même ne se targuait-il pas d'être libéral? Ledit Allemand démocrate reviendra, un jour proche, sous la tenue de la *Landwehr*, le teint beaucoup plus fleuri et le verbe beaucoup plus haut, mais qui pouvait le supposer?

Sans doute était-il difficile de ne pas percevoir quand même, proférées par les intellectuels et les meneurs étudiants de là-bas, des clameurs qui résonnaient moins fraternellement. Des sortes d'appels à la guerre, à la guerre pour la grande Allemagne. Mais on n'en avait cure. Le Rhin allemand? Musset avait répondu à Becker qu'il avait, ce Rhin-là, tenu dans notre verre, et il y avait de cela déjà belle lurette.

Alors toutes ces agitations conquérantes, ces droits revendiqués, à tue-tête, après boire, de l'Allemagne sur tout ce qui parle allemand, *so weit die deutsche Zunge klingt...* et sur ses dépendances historiques danoises, vénitiennes, voire ardennaises et vosgiennes? Bah! Des mots, rien que des mots, qui faisaient sourire nos politiques avertis. Quel danger pouvaient représenter des poètes et des professeurs? Même lorsque, en 1867, au plus fort de l'incident luxembourgeois, les étudiants de Strasbourg exhortèrent ceux d'Allemagne à défendre avec eux la cause de la paix, et qu'ils s'entendirent traiter par la *Burschenschaft* berlinoise de renégats, de transfuges et de bâtards, personne, sauf en Alsace peut-être, ne parut s'émouvoir.

La *Burschenschaft*, pourtant, mettait les points sur les i, et *Le Courrier de Strasbourg* avait publié la motion traduite. Elle proclamait sans ambages que le cas du Luxembourg était celui du Sleswig-Holstein, et celui de l'Alsace, « autrefois pays allemand, propriété imprescriptible ». La pacifique Allemagne ne veut que son bien, mais pas de concession aux « voleurs ». Et tant pis pour ces Alsaciens, fils des Alamans, si en deux siècles ils ont oublié ces mille ans d'histoire où ils étaient forteresse avancée de l'Allemagne « devant le peuple voisin, ces Welches, qui ne peuvent rester en repos ». Tant pis pour eux s'ils ont oublié « comment l'Alsace, comment Metz, Toul et Verdun, comment Nancy sont devenus français ».

Et l'on souriait à Paris.

Ces braves Allemands, toujours des songe-creux! On les laissait à leurs mirages, on les laissait revendiquer par surcroît la Franche-Comté et Montbéliard : quelle importance?

L'ancien *carbonaro* qui habite les Tuileries n'est toujours pas guéri — malgré diverses déconvenues cuisantes — de sa politique des nationalités. Il s'entête à rêver d'une unité ibérique, d'une unité scandinave. Comment, après l'unité italienne, l'unité allemande n'irait-elle pas de soi? Élevé en Bavière, il n'a pas éprouvé tout de suite pour la Prusse des sentiments filiaux. Mais très vite, au nom de ses idées « avancées », il l'a admise comme la suzeraine désignée de l'Allemagne nouvelle.

Il n'était encore que Prince-Président, en 1850, quand il demandait : la France et la Prusse n'ont-elles pas toutes les deux « la même culture, le même idéal de libéralisme éclairé, le même intérêt à unir les nations, les races? »

Au fil des ans, les menues avanies qu'il a pu essuyer de la part du voisin de l'Est ne l'ont pas pour autant découragé. Même la mobilisation contre nous de six corps d'armée qui l'a contraint, après Magenta, à arrêter les frais, et à laisser l'Italie insatisfaite, bientôt haineuse. Tout pour ses chers Prussiens, qui font pièce à ces horribles Autrichiens absolutistes, ennemis des Napoléonides. Sans doute existera-t-il aux Tuileries un parti habsbourgeois, Drouyn de Lhuys, Walewski, l'impératrice elle-même, mais non : Napoléon, si faible à tant d'égards, n'en démordra pas. Il lui faudra Sadowa — et encore! Même après Sadowa, il persistera à penser, comme Mérimée, que la Prusse aura besoin de repos pour digérer ce qu'elle vient de dévorer, et que s'il fallait un jour en découdre, nous aurions avec nous toute l'Allemagne du Sud... C'était vouloir, outre mesure, se complaire dans l'illusion.

Une incroyable arrogance militaire.

La grande excuse de ce piètre pouvoir personnel du Second Empire, c'est qu'il vivait encore — et l'opinion avec lui, privée de toute information sérieuse — sur cette idée que, militairement, la France était invincible.

Waterloo? Tant de victoires l'avaient effacé. La France avait

battu la Russie en Crimée. Elle avait délivré l'Italie du joug autrichien, montré sa force en Afrique, en Chine, au Mexique, à Rome.
De quoi n'était-elle pas capable? Aussi tenait-on volontiers pour
péripéties mineures la Pologne, étranglée par le tsar, les duchés
danois abandonnés au plus fort, et Sadowa... La France, lors de
Sadowa, avait pourtant perdu de son autorité en demeurant spec-
tatrice. N'avait-on pas vu les Parisiens pousser la naïveté jusqu'à
pavoiser et illuminer en l'honneur des sympathiques Prussiens?

Certes, tels dirigeants gardaient la tête plus froide que la bourgeoisie repue. Certes Drouyn de Lhuys avait parlé de contrer Bismarck après Sadowa, en massant quelques divisions à l'Est. Et
Bismarck devait convenir dans la suite : « Si les pantalons rouges
avaient paru sur le Rhin, je ne sais même pas si nous aurions pu
couvrir Berlin... » Seulement, en 1866, Napoléon III, souffrant de
plus en plus de la gravelle, répugnait à partir en guerre, se persuadait
sottement qu'il pourrait toujours faire accepter sa médiation armée.

Armée?

L'armée impériale avait fait ses preuves en Algérie, à Sébastopol,
à Solférino. Même si au Mexique elle avait eu droit à des déboires, il
ne s'agissait que d'une entreprise lointaine, à deux mille lieues de
chez nous. En Europe et en Afrique, elle se sentait aussi sûre d'elle-
même que jamais. Zola, dans *La Débâcle*, fait parler son lieutenant
Rochas comme parlaient presque tous les officiers à moustaches et à
mouche, qui ne craignaient personne :

Oui, à Mazagran, j'avais dix-neuf ans à peine, et nous étions cent
vingt-trois hommes, pas un de plus, et nous avons tenu quatre jours
contre douze mille Arabes... Ah! oui, pendant des années et des années
là-bas, en Afrique, à Mascara, à Biskra, à Dellys, plus tard dans la
grande Kabylie, plus tard à Laghouat (...), vous auriez vu tous ces
sales moricauds filer comme des lièvres, dès que nous paraissions...
Et à Sébastopol, monsieur, fichtre! on ne peut pas dire que ç'a été
commode. Des tempêtes à vous déraciner les cheveux, un froid de loup,
toujours des alertes, puis ces sauvages qui, à la fin, ont tout fait sauter!
N'empêche pas que nous les avons fait sauter eux-mêmes, oh! en
musique et dans la grande poêle à frire!... Et à Solférino (...) oui, à
Solférino, où il a fait si chaud, bien qu'il ait tombé ce jour-là plus
d'eau que vous n'en avez peut-être jamais vu dans votre vie! à Solférino, la grande brossée aux Autrichiens, il fallait les voir, devant nos
baïonnettes, galoper, se culbuter, pour courir plus vite, comme s'ils
avaient eu le feu au derrière!

Vaillants officiers, au demeurant, ardents pour la plupart à renou-
veler, l'arme à la main, les exploits de leurs aînés. Mal payés, c'est
une tradition. Mécontents du favoritisme et des lenteurs de l'avancement, c'en est une autre. Prêts quand même à se faire tuer correctement pour l'empereur, pour la France, pour l'honneur de l'armée.

Les généraux de l'époque étaient souvent populaires, et les
refrains des chasseurs à pied claironnaient joyeusement leurs noms,
du temps où Mac-Mahon, Canrobert, Clinchant, Cambriels, comman-
daient des bataillons. Bazaine avait une réputation d'intrépidité à
toute épreuve, on croyait aux talents de Le Bœuf, on estimait Frossard un stratège incomparable, et Failly, depuis Solférino, passait
pour imbattable.

Au-dessous, il est vrai, lieutenants et capitaines sortis du rang, s'ils
connaissaient bien la routine du métier, se révélaient parfois incroyablement ignares, et le Kronprinz Frédéric-Guillaume ne fut pas peu
stupéfait d'en rencontrer un — des zouaves — qui ne savait pas
écrire! Et en vérité, du haut en bas de la hiérarchie, tous s'étaient
habitués aux opérations faciles d'Afrique, contre des tribus à sagaies
ou à pétoires, où l'on « enfle les bulletins » pour fournir aux grands
chefs de la gloire à bon compte. Quand on ne guerroie pas outre-mer,
la vie de garnison égrène ses journées insipides, de désœuvrement,
de bals, de café, de piano à quatre mains et de whist. S'instruire? Ce
n'était pas si bien vu, et Mac-Mahon ne proposait jamais pour le
grade supérieur celui dont il avait vu le nom sur la couverture d'un
livre. Le travail professionnel consistait surtout à apprendre l'*Instruction sommaire pour les combats*, de 1867, et à l'apprendre par
cœur. Les plus doués étonnaient leurs camarades en récitant le
règlement à l'envers. On cite l'anecdote, légendaire à Saumur, du
général-inspecteur interrogeant un élève : « Quel est le mot qui ne
se trouve qu'une fois dans la théorie? » Et qui fait lui-même la
réponse : « C'est le mot *nonobstant*, à l'article II de l'école d'escadron,
qui est ainsi conçu : « Lorsque la marche oblique doit s'exécuter du
« côté opposé au guide, les serre-file conservent leur place, *nonobstant*
« le changement du guide. » Quel temps serait-il resté, en fin de
journée, pour la lecture de la carte? On apprendra, il est vrai, en
juillet 1870, qu'il n'y a pas de cartes pour tout le monde, tout
au plus des cartes de Bavière ou de Poméranie, de France non. Le
général de Failly répond par un large rire, à quelques mois de la
guerre, quand des civils lui font observer, au retour de manœuvres

à la frontière, qu'il a confondu la Sarre et la Blies. S'il fallait s'embarrasser de pareils détails!

Malgré cela, l'armée française demeure, aux yeux de tous, redoutable. Elle s'est un peu reposée, certes, sur ses lauriers. En Crimée, en Italie, force a été d'admettre que l'État-Major, le service de santé, l'intendance, laissaient grandement à désirer. Le matériel de même. Mais c'est aussi une tradition que les armées victorieuses s'endorment volontiers.

Le coup de tonnerre de Sadowa a réveillé, malgré tout, le monde militaire. On s'est avisé que les déjà vieux canons rayés de 4 et de 12 en bronze étaient surclassés, en portée et en précision, par les pièces prussiennes en acier, chargées par la culasse. Mais on s'est aussitôt consolé en invoquant la supériorité — indiscutable — du fusil inventé par Chassepot et que la ténacité de l'empereur a réussi à imposer, finalement, au mauvais vouloir du ministre Randon et des bureaux : on en possède près d'un million à l'entrée en campagne.

On ne voit pas le danger.

La tendance est toujours, il est vrai, de professer que la bravoure, la *furia* remplacent tout, qu'il suffit de faire confiance aux « vertus de nos pères... » — sous condition, toutefois, de pouvoir mettre en ligne des effectifs suffisants, Dieu étant toujours, de préférence, avec les « gros bataillons ».

Les a-t-on ces effectifs? L'organisation militaire date de 1832. C'est l'inique système du tirage au sort. Les bons numéros sont exemptés. Mais le riche peut se faire remplacer par un pauvre. Cela s'appelle acheter un homme : c'est 3 000 ou 4 000 francs. Moyennant quoi, la France a une bonne armée de métier, mais appuyée sur des contingents annuels beaucoup trop faibles pour figurer devant les 900 000 soldats, dont 600 000 exercés, que peuvent masser, avec leurs réserves, la Prusse et ses alliés. On a découvert, sur le tard, que des 640 000 hommes de l'active, il en fallait retrancher 200 000, employés en Afrique, à Rome et dans les dépôts.

De toute urgence, il s'agit de lever des classes plus nombreuses. L'empereur, plus clairvoyant que ses ministres et que ses généraux, y consacre les derniers mois de 1866. Il voudrait le service obligatoire « universel » comme en Prusse, mais autour de lui on ne le suit pas. Les uns, comme Vaillant, parce que craignant un vote hostile du Corps législatif. D'autres, comme Rouher et Fould, parce qu'une pareille mesure serait, paraît-il, inconstitutionnelle. Trochu l'estime chimérique, et La Valette dangereusement impopulaire. A la longue, Napoléon III perd patience, et fait sien le projet Niel : service de six ans, 824 000 hommes d'active et de réserve, plus en temps de guerre une garde mobile territoriale de 400 000. Tel est son dernier mot et, en janvier 1867, il appelle le maréchal à la Guerre à la place de Randon.

Ce n'est pas un mauvais choix que Niel, quand on pense aux autres. Il n'a toutefois pas l'énergie qu'il faudrait. Il se heurte à l'opposition républicaine, montée contre les armées permanentes, à la bourgeoisie, qui voit ses fils menacés d'enrôlement, comme les autres, — intolérable égalité —, aux officiers eux-mêmes, dont les habitudes s'insurgent contre toute nouveauté, et qui font confiance à la baïonnette. Le Corps législatif émascule le texte, exige de déterminer chaque année, lui-même, le chiffre des appelés sous les drapeaux et commence par le réduire à 90 000; il rétablit le tirage au sort et le remplacement, ne concède que cinq ans.

Thiers lui-même — qui sera un des premiers à recouvrer une vue lucide de la situation — en est toujours à traiter de fantasmagories les armements de la Prusse, malgré les avertissements adressés à Paris par les Alsaciens voyageant sur l'autre bord du Rhin, et même par des Bavarois hostiles à Berlin... On ne les croit pas, on croit qu'ils exagèrent. Des radicaux comme Allain-Targé se félicitent d'avoir mené une campagne sans merci contre la conscription, et préconisent l'instruction à domicile des deux — ou trois? — millions de militaires...

Une armée permanente ne peut pas être de plus de 400 000 hommes avec une réserve d'autant. Or, 800 000 hommes, ce n'est rien en face de l'alliance prusso-italo-russo-américaine (en cette année 1867, nous étions au plus mal avec les États-Unis qui ne souffraient absolument pas notre ingérence au Mexique), et de l'Angleterre neutre, et nous nous trouverons ruinés, exsangues avant la guerre, à la merci d'une bataille. Voilà l'évidence. Il faut pour nous tirer de là un changement de politique, la politique de non-intervention, la République à Paris, et l'armement de la Nation. Alors on cessera de nous regarder comme le danger des peuples, et nous ne serons plus sans cesse en présence d'un *casus belli* en Orient, sur le Rhin, sur la Baltique, sur le Danube, partout; et on saura que nous sommes prêts à nous jeter à nombre égal sur les deux millions d'envahisseurs qui nous menaceraient...

Jules Simon est persuadé que ce n'est pas le nombre qui fait la force des armées, c'est la cause à défendre, celle de la liberté. Garnier-Pagès aussi. Et Jules Favre se penche vers le ministre : « Vous voulez donc faire de la France une caserne?

— Et vous, grommelle le maréchal, prenez garde d'en faire un cimetière! »

Pourtant, il affecte de se montrer satisfait, assurant qu'il sera, de toute façon, en mesure de porter 500 000 hommes en première ligne. Il n'insiste pas pour avoir une garde mobile réellement disponible, réellement en état de porter le fusil. Il s'accommode des chiffres, et les accommode quelque peu.

Il ne peut pas ne pas savoir qu'il truque. Mais au fond, pas plus qu'Émile Ollivier, il ne prend le danger au sérieux. Lui qui passe pour le militaire le plus intelligent, il certifiera au Sénat le 6 avril 1869 qu'il ne manque rien à l'armée, et qu'il n'est pas possible d'investir Paris : « C'est l'assiégeant qui serait pris de tous les côtés! »

1867. Le grand feu d'artifice du règne.

Ils ne voient pas le danger, au fond, parce qu'ils tablent encore, dur comme fer, sur le jeu des alliances « naturelles » qui, ils n'en doutent pas, feront réfléchir la Prusse. L'alliance autrichienne, l'alliance italienne.

Vienne ne demanderait pas mieux que de venger Sadowa, et s'est mise en devoir de refaire ses forces pour, un jour, détacher les États du Sud. Les pourparlers sont poussés très loin par notre ambassadeur Gramont. De son côté Florence envoie à Paris le général Türr, très favorable à la France. S'il n'y avait pas cette question de Rome, de Rome occupée depuis le 30 octobre 1867 par nos troupes qui, par surcroît, jointes aux pontificales, ont remporté sur Garibaldi, à Mentana, une victoire sans lustre... Oui, s'il n'y avait pas cette affaire romaine qui exaspère la maison de Savoie comme les patriotes de la péninsule, on fût allé très vite au-delà de cet échange de lettres autographes entre Napoléon III, François-Joseph et Victor-Emmanuel. Ce qui est en projet, c'est bien une alliance à trois pour établir une « puissante barrière » devant d' « injustes prétentions ». Seulement, Napoléon III se considère comme lié par sa parole envers le pape — et au surplus le parti ultramontain de l'impératrice l'empêchera jusqu'au bout de reprendre sa liberté. L'année 1869 s'écoulera sans que rien ait été conclu. Eugénie a tout contrecarré; lier partie avec l'Italie contre le Vatican, répète-t-elle, ce serait attirer le malheur sur l'Empire. Elle a ruiné de la sorte tous les espoirs qui pouvaient être fondés sur une triplice de taille et de poids à faire réfléchir Bismarck. « Si les Français sont un jour vaincus, dira Türr avec amertume, en repartant sur un échec, si la France est défaite et ruinée, ils sauront ce qu'ils doivent au pape. » L'influence d'Eugénie aura été aussi catastrophique à cet égard que dans le déclenchement de la folle aventure mexicaine. La France n'a pas toujours eu de chance avec ses souveraines d'importation.

Mais comment l'opinion publique, en France, aurait-elle soupçonné que les événements se précipitaient?

Il est impossible de lui dissimuler les difficultés intérieures qui s'aggravent, mais l'année 1867, celle de l'Exposition universelle, avait été celle des souverains venus des quatre coins de l'Europe et du Proche-Orient pour admirer Paris. Ce fut le grand feu d'artifice du règne. Douze empereurs et rois, six princes régnants, un vice-roi, neuf héritiers et des dizaines d'altesses accueillies par Napoléon III, la poitrine barrée du grand cordon rouge, Eugénie en ses crinolines suaves, sa chevelure rousse couronnée de violettes, et le petit prince en officier. Six mois de banquets, bals, concerts, parades et cavalcades. Au Champ-de-Mars, les témoignages de la prospérité industrielle française ont éclipsé tous les autres — sauf peut-être le nouveau canon géant sorti des usines Krupp. C'est le carnaval des rois et la grande foire internationale des viveurs. On s'écrase aux Tuileries, aux Variétés et sous les rampes à gaz des restaurants à la mode. Un triomphe quelque peu « mêlé », auquel participent tout aussi bien les ambassadrices et les « lionnes » du Boulevard, le monde et le demi-monde, et ces étrangers de toutes catégories dont les couplets d'Offenbach dans *La Vie parisienne* ont évoqué la ruée joyeuse :

Par la terre et par l'onde,
Italiens, Brésiliens, Japonais, Hollandais,

> *Espagnols, Romagnols, Égyptiens, Brésiliens,*
> *La vapeur nous emmène.*
> *Nous allons envahir*
> *La cité souveraine,*
> *Le séjour du plaisir,*
> *Pour connaître, ô Paris,*
> *Pour connaître l'ivresse*
> *De tes jours, de tes nuits...*

Un triomphe où le ton fut donné par une cour cosmopolite animée par la très remuante Pauline de Metternich, mais aussi par les entraîneurs et entraîneuses d'une haute société parisienne assez faisandée. Le spectacle révolta un peu plus encore les révoltés comme Eugène Pottier, déchaînés contre la Babylone moderne « des catins et des empereurs », et aussi des républicains irréductibles comme Allain-Targé, déjà cité, qui persifle, le 6 juin :

La fête est troublée. Il y a une archiduchesse qui expire dans l'agonie, mourant de ses brûlures (Mathilde à Vienne). Ils dansaient toujours! Il y a une archiduchesse impératrice qui agonise dans la folie (Charlotte qui, après avoir supplié en vain Napoléon III de sauver Maximilien, avait perdu la raison). Ils dansaient toujours! Il y a un enfant, prince héritier d'un empire, qui crève de scrofules (le prince impérial, de santé alors très délicate). Ils dansaient toujours! Il y a un de leurs frères, beaux-frères, neveux, cousins ou protégés, empereur, qui pourrit sur la terre du Mexique, fusillé ou pendu (Maximilien, capturé par les juaristes le 15 mai). Ils dansaient toujours. Ah! Ah! Voilà qu'un enfant de la Pologne (Berezowski) achète une méchante arme de pacotille, un pistolet de neuf francs qui lui éclate dans la main, et les chiens prennent le galop, ils fuient comme des lièvres! ... Ah! misérables bavards, aubergistes, courtisanes et courtisans. Vous voilà dérangés dans vos plaisirs et dans vos lâchetés. Ce tsar arrivé depuis trois jours, le premier soir à la *Grande-Duchesse*, dans sa loge retenue d'Aix-la-Chapelle, de la ville de Charlemagne, le second jour à l'Opéra, et le troisième à *La Vie parisienne*. Ce tsar qui couche la première nuit avec la Schneider, la seconde avec Fiocre, la troisième avec la Montalend, ce tsar à votre image... vous plaisait et vous alliez lui faire fête. Mais la Pologne ne pardonne pas! Elle intervient. Allez-vous-en, gens de la noce, allez-vous-en chacun chez vous... Assez de galas et de mascarades!

Mais le bon peuple, malgré la misère de son sort, a battu des mains devant la cavalcade. Le bon peuple, ignorant tout des petits drames diplomatiques, et de la pente savonnée sur laquelle le régime commençait de glisser, a crié sa joie ébahie devant les calèches à quatre et les laquais poudrés, devant le fier dandysme de Georges Ier de Grèce, la simplicité débonnaire des Belges, la somptuosité incomparable des Metternich à l'ambassade d'Autriche. Il a salué de ses vivats les majestés espagnole, portugaise, suédoise, autrichienne, et la pompe exotique du sultan Abdul-Aziz. Comment eût-il discerné l'envers du décor?

Le protocole eût bien préféré que ne se rencontrassent point Guillaume Ier de Prusse et Alexandre de Russie, l'oncle et le neveu. Or, ils s'étaient précisément donné rendez-vous. Et puis, on joua de malheur. Napoléon III aurait voulu engager avec le tsar des conversations un peu moins mondaines, il allait, certain matin, aborder les sujets sérieux dans un salon des Tuileries, quand l'impératrice, à l'étourdie, comme il lui arrivait si souvent, fit irruption, froufroutante, et rompit le tête-à-tête pour bavarder de futilités : l'occasion ne se recréera plus. Après le cri de « vive la Pologne, monsieur » parti d'un groupe de jeunes avocats en robe, lors de la visite de la Sainte-Chapelle, et surtout après l'attentat du bois de Boulogne, il fut impossible d'apaiser l'irritation du Romanov. Les circonstances atténuantes accordées par la suite à Berezowski devaient l'exaspérer définitivement et le rejeter vers le Hohenzollern.

Le pesant Guillaume Ier se montra jovial, flatté de voir à l'Exposition sa statue équestre destinée au pont de Cologne. Bismarck, qui l'accompagnait, joua les personnages bourrus, si « mal léchés » que la moindre politesse de leur part devient une condescendance précieuse. Le champagne aidant, il se permit même dans les embrasures de fenêtres divers propos déplaisants sur la politique de Napoléon III, qu'il avait déjà appelé après Biarritz, « une grande incapacité méconnue ». Napoléon III avait pris les devants en le décrivant comme « peu sérieux ». Aucun effort ne fut fait pour une explication d'homme à homme.

Avec le Habsbourg, le climat se prêtait encore moins à des effusions. Le 31 juillet, la nouvelle était parvenue à Paris de la fin de Maximilien, lâché par la France malgré la démarche désespérée de la pauvre Charlotte, et passé par les armes le 19 juin à Queretaro : la cour de Vienne ne le pardonnerait pas de si tôt à Napoléon III.

La visite qui suivit du couple impérial à Salzbourg, malgré toute la bonne volonté du chancelier Beust, ne fit pas avancer les affaires franco-autrichiennes.

Au total, des magnificences de l'Exposition, de cet extraordinaire défilé de monarques et de ministres à Paris, il ne resta politiquement rien, que des jalousies allumées par l'étalage imprudent de nos richesses. Avec des commentaires déplaisants sur certains de nos dirigeants et leur suffisance de parvenus. Le souvenir aussi des impairs d'Eugénie. Elle en a commis quelques-uns. N'alla-t-elle pas jusqu'à dire à la reine Augusta : « Nous vous ferons la guerre »? Comment reprocher à Bismarck de s'être, du tac au tac, adressé à Mme de Pourtalès, aux attaches alsaciennes, comme à une future ressortissante de la grande patrie allemande?

Napoléon III devait remporter néanmoins un réel succès personnel le 6 juin, lors de la grande revue de Longchamp, à laquelle participèrent soixante mille hommes en grande tenue, les vétérans superbes de Malakoff, de Solférino et de Puebla derrière leurs drapeaux déchirés par les balles, et qui se termina par une charge de toute la cavalerie fonçant sur les tribunes pour s'immobiliser soudain, le sabre haut, clamant : « Vive l'empereur! »

Le roi de Prusse, félicitant Canrobert, lui dit :

« Je suis un soldat, et quand j'ai vu ces magnifiques troupes, j'ai ressenti une joie immense... »

Exceptionnel était encore le prestige de nos uniformes : la jeune armée américaine n'avait-elle pas demandé, pour en doter ses fusiliers, un équipement complet de chasseur à pied? Aucune autre ne pouvait offrir un tel choix de brandebourgs, d'aiguillettes et de chamarrures.

On peut supposer que Bismarck, au côté de son souverain, dénombrait les régiments d'un regard plus connaisseur et, derrière les cuirassiers à crinières, les lanciers aux chapskas polonaises, les hauts bonnets de police des grenadiers de la garde, les zouaves farouches aux culottes bouffantes et les alertes « vitriers », dévorant la piste à cent quarante pas à la minute, soupesait l'artillerie de cuivre, désuète... Pourvu que ces Français « frivoles », alarmés enfin par les rapports de leur attaché militaire, le colonel Stoffel, ne donnent pas suite aux offres de la maison Krupp! Car la maison Krupp, en toute indifférence commerciale, était disposée à livrer à la France ses pièces à tir rapide.

Mais non. Bismarck pouvait être rassuré : on ne voudra pas à Paris acheter ces canons-là. Le maréchal Le Bœuf, le 11 mars 1868, réglera la question : « Rien à faire, classer. »

Les invités de Longchamp.

Peut-être Bismarck sourit-il dans sa moustache en pensant à la caricature épinglée chez les libraires de Berlin : Napoléon III revient de la chasse, fourbu et le carnier vide. A l'étalage d'un marchand de gibier, on voit un sanglier étiqueté « Frontière du Rhin », un cerf étiqueté « Bavière », un chevreuil « Belgique », un lièvre « Vallée de la Sarre » : sur toutes ces pièces, l'indication « retenu par le roi de Prusse ». Reste par terre un maigre lapin dont Napoléon III se contenterait. C'est le « Luxembourg ». Mais le marchand lui arrache le lapin en lui disant : « Ni pour or ni pour argent, vous n'aurez rien. » Pauvre Napoléon III!

Mais au fond, Bismarck ne le plaint pas. Napoléon III n'est pas comme Guillaume 1er, un vrai monarque, de ceux dont la légitimité ancienne impose le respect. Pas plus qu'Eugénie, selon son « amie » Pauline de Metternich, n'est une impératrice à l'égal de l'impératrice de Vienne. Ce sont des aventuriers qui auront le sort qu'ils méritent.

Et tandis que les invités de Longchamp redisent à Canrobert combien cette revue les a transportés, Bismarck regarde le général, futur maréchal et futur ministre Le Bœuf, enchanté de lui-même et sans doute raillant intérieurement ce colonel Stoffel, prophète de malheur qui, attaché militaire à Berlin, s'évertue à signaler l'infériorité flagrante de notre État-Major. Attention, attention! écrit Stoffel sans relâche, la victoire de la Prusse à Sadowa a été due au fusil Dreyse, soit; mais bien plus encore à la promptitude de ses décisions stratégiques dès l'entrée en campagne. Prenons-y garde, nous n'avons pas d'État-Major à la hauteur. Ils ont, eux, des gens qui combinent et qui calculent; ils ont Moltke, qui travaille sur ses cartes, le prince Frédéric-Charles, sorte de Blücher implacable, le vieux Steinmetz, qui bout d'impatience, Manteuffel, vainqueur du Hanovre, Werder, capable de tout. Ils ont surtout une mécanique d'horlogerie permettant de lancer des corps d'armée par voie ferrée, et de les regrouper à proximité du champ de bataille. Et Stoffel d'insister, dans tous ses rapports, sur l'état d'esprit de cette caste militaire qui ne nous a pardonné ni le Palatinat ravagé par Louvois ni Iéna : « La guerre est inévitable, écrivait-il, elle est à la merci d'un incident. »

Quel naïf, ce Stoffel! pense Le Bœuf sous les vivats. Quel rabat-joie, quel fâcheux, alors que la fête impériale continue... Et l'on haussera encore les épaules, en février 1870, quand un autre rapport parviendra : « La Prusse n'est pas un pays qui a une armée, c'est une armée qui a un pays...la sagesse, c'est de s'armer jusqu'aux dents... »

Pour peu, on l'eût accusé, cet Alsacien, avec ses avertissements, d'animosité envers ces bons Allemands, si populaires à Paris.

3

La dépêche d'Ems
et le sabre de Bourbaki

Le dîner, chez Bismarck, manquait d'entrain. Le maître de maison, ce 13 juillet 1870, tirait sur son cigare entre ses deux convives, le ministre de la Guerre Albert de Roon, et le chef d'État-Major Helmuth de Moltke : donnons-leur à l'un et à l'autre du *de* au lieu du *von*, puisque l'usage a prévalu. Il venait de lire la dépêche chiffrée, datée d'Ems, et signée par le conseiller intime Abeken. Tous trois étaient au bord du découragement. Que faudrait-il donc pour le décider, leur auguste souverain, à tenir à ces Français le langage qui convenait? Depuis que traînait en longueur cette affaire de la succession d'Espagne, que n'avait-il pas accepté, subi?

Pourtant, elle était apparue tout de suite, cette affaire, comme l'occasion inespérée pour la Prusse de jouer sa très grande partie. Et de la jouer avant que l'Autriche épuisée ne fût redevenue dangereuse.

Les Espagnols, après avoir chassé leur reine Isabelle, demandaient un roi. Prim, dictateur à Madrid, avait dès l'automne précédent pressenti Léopold de Hohenzollern, de la branche latérale des Sigmaringen, dont le frère Charles était déjà nanti du trône de Roumanie. Ces princes catholiques descendaient à la fois de la maison de Prusse, et de deux grands-mères Beauharnais et Murat.

Léopold se montre d'abord peu tenté par une couronne si peu sûre. Seulement, derrière cette intrigue, il y a Bismarck, qui agit sur l'ambition du père, Antoine de Hohenzollern, et de l'épouse, Antoinette. Il parvient à faire rencontrer les deux princes, au château royal de Berlin, avec Guillaume 1er, Moltke, Roon et lui-même. Trois autres ministres assistent à la conférence. Tous les arguments prussiens ne parviennent pourtant pas à décider l'intéressé, qui se dérobe encore. Le roi, en vérité peu pressé de s'engager dans une aventure dont il n'attendait rien de bon, féru en outre de légitimité dynastique, considère que le point final est mis.

Mais Bismarck ne se tient pas si facilement pour battu.

Prim, travaillé par lui, renouvelle son offre : Léopold finit par consentir et Guillaume 1er, consulté non plus comme souverain mais comme chef de la famille, donne, le 21 juin, son autorisation.

Toutes ces tractations se déroulent dans le plus grand secret, jusqu'au jour où une indiscrétion de *La Epoca* fait éclater la nouvelle, et c'est dans les chancelleries tout un branle-bas.

Trop évidente est la machination pour prendre la France entre deux Hohenzollern. En apprenant brutalement que tout est prêt, que les Cortès n'ont plus qu'à passer au vote, tous les partis à Paris tombent d'accord pour proclamer : intolérable. L'opposition prend feu : Jules Simon, Jules Favre, Thiers, Gambetta, Cassagnac, Delescluze. C'est ce dernier, le jacobin tant de fois condamné, qui dans son *Rappel* proteste le plus fort : « La Prusse derrière le Rhin, la Prusse derrière les Alpes, la Prusse derrière les Pyrénées!... Si c'est cela la revanche de Sadowa, elle est complète!... »

Des demandes d'information à Madrid et à Berlin apportent des réponses dilatoires. Le duc de Gramont, ministre des Affaires étrangères, ne peut que s'associer à l'émotion unanime. Lord Lyons, ambassadeur d'Angleterre, s'entend notifier au Quai d'Orsay, afin que nul n'en ignore : à aucun prix la France ne laissera s'accomplir une opération qui l'obligerait à immobiliser un corps d'armée sur sa frontière méridionale. Au besoin, apprend à son tour Metternich, ce serait la guerre.

La guerre? Question d'Émile Ollivier, chef du gouvernement, au Conseil du 6 juillet réuni à Saint-Cloud :

« Sommes-nous prêts? »

Si nous sommes prêts! Niel a été terrassé par la maladie de la pierre — la maladie de l'empereur — et c'est son successeur, Edmond Le Bœuf, qui répond, exultant : admirable armée. Le fusil Chassepot nettement supérieur au fusil Dreyse. Artillerie d'élite. Et l'offensive, sitôt rassemblés les 300 000 hommes qu'il promet dans les quinze jours, sans compter les 100 000 du premier ban de la garde mobile! Sur le pied de paix comme sur le pied de guerre, nous sommes plus forts que les Prussiens, fonçons!

Comment ce militaire de soixante et un ans, maréchal de France depuis mars, peut-il afficher une telle assurance, lui qui, trois mois avant, avait avancé le chiffre de 1 140 000 Allemands exercés et disciplinés? Mais — stupéfiant — personne ne réclame plus de détails. Tant on est persuadé qu'il suffira de franchir le Rhin pour entraîner avec nous Badois, Wurtembergeois, Bavarois, trop heureux de se libérer de la tutelle de la Prusse. Et l'empereur n'a-t-il pas dans un tiroir les lettres de François-Joseph et de Victor-Emmanuel de septembre 1869, qu'il tient pour des engagements fermes d'intervention à nos côtés « sans se faire prier »? Il se croit, le malheureux, les mains « pleines d'alliances »!

Et c'est la déclaration tapageuse de Gramont, l'après-midi même, à la tribune du Corps législatif à propos d'une interpellation Cochery :

Nous ne croyons pas que le respect des droits d'un peuple voisin nous oblige à souffrir qu'une puissance étrangère, en plaçant un de ses princes sur le trône de Charles Quint, puisse déranger à notre détriment l'équilibre actuel des forces en Europe et mettre en péril les intérêts et l'honneur de la France. Cette éventualité, nous en avons le ferme espoir, ne se réalisera pas.

Pour l'empêcher, nous comptons à la fois sur la sagesse du peuple allemand et sur l'amitié du peuple espagnol.

S'il en était autrement, forts de votre appui, messieurs, et de celui de la nation, nous saurions remplir notre devoir sans hésitation et sans faiblesse.

Tout au plus relève-t-on, à gauche, du côté de Crémieux et d'Emmanuel Arago, des interruptions. Mais la majorité applaudit à tout rompre cette « manière de sommation », et la plus grande partie de la presse entre dans le bal, brusquement retournée contre cette même Prusse, qu'on avait si longtemps ménagée, voire encouragée.

Elle dénonce à l'envi la provocation, somme le gouvernement de se montrer intraitable. Pas de compromis sur les « Pyrénées prussiennes » *(Le Figaro)*, sur l' « Espagne prussienne » *(La Presse)*. En dehors du *Temps*, qui se tient en retrait, c'est un concert pour que l'on donne enfin du poing sur la table : « Ont-ils été assez joués, nos hommes d'État? assez moqués, assez bernés? Sont-ils assez ridicules aux yeux de l'Europe? » Et *La Presse* de reprendre : « Ô

France! nation généreuse, fille de la parole et de l'épée, lève-toi maintenant! Ramasse le tronçon de tes armes brisées à Waterloo! » Plus carrément encore, Émile de Girardin demandera le 8, dans *La Liberté :* « Plutôt que de compromettre l'œuvre de M. de Bismarck, la Prusse refusera-t-elle de se battre? Eh bien! à coups de crosse dans le dos nous la contraindrons de passer le Rhin, et de vider la rive gauche. » Gambetta, dans la surexcitation générale, ne se réconcilierait-il pas avec l'Empire pour aller « laver le Deux Décembre dans l'eau du Rhin » et écraser la Prusse féodale?

A Saint-Cloud, le maréchal Vaillant fait à l'empereur une visite théâtrale :

« Jamais vous ne pourriez retrouver une plus belle occasion, il faut en profiter... Vous avez envoyé vos conditions : en garde maintenant! »

L'empereur, moins intrépide, ne néglige quand même pas d'adresser un message personnel à Serrano, régent d'Espagne, et charge Stratt, diplomate roumain, de se rendre à Sigmaringen pour engager Léopold à se retirer, cependant que notre ambassadeur Vincent Benedetti se met en route pour Ems, où Guillaume prend les eaux.

Le difficile métier de l'ambassadeur Benedetti.

Bien qu'il ait reçu mission du Quai d'Orsay d'exiger que le roi « révoque » l'acceptation de son parent Hohenzollern, on voit Benedetti, homme de métier, y mettre des formes. Guillaume, de son côté, commence seulement à découvrir où en sont les choses, car Bismarck, une fois encore, a tout pris sur lui, le sachant plus soucieux de sa cure que de nouveaux lauriers. Cette entrevue du 9 juillet est plus que courtoise, et l'ambassadeur sera même retenu à dîner. Mais le souverain refuse d'intervenir dans une affaire qui n'est pas d'État et la déclaration de Gramont au Corps législatif lui semble « mal fondée ». Ajoute-t-il ou non qu'il n'a pas attendu cette démarche pour faire prévaloir un arrangement? On sait maintenant que la veille, le 8, il avait écrit au prince Antoine : « Des préparatifs de guerre sont en cours en France... De même que je n'ai pu ordonner à ton fils d'accepter la couronne, de même je ne puis maintenant lui ordonner de revenir sur sa décision. Si pourtant il prend cette

résolution, une fois encore mon assentiment ne lui manquera pas. »
Le conseil est clair. Même si le texte de la lettre n'est pas communiqué à Benedetti, le désir personnel du roi de Prusse est de voir l'incident au plus tôt classé.

C'est l'évidence. Seulement, à Paris, la température a étrangement monté. La rue gronde et l'Empire ne serait pas l'Empire si sa police ne s'y prêtait. On s'arrache les journaux où s'étalent, contre la Prusse, des attaques d'une rare violence. Émile de Girardin, dans *La Liberté*, embouche de plus belle la trompette guerrière : « La Prusse est une nation de proie, traitons-la en nation de proie... Ne perdons pas notre temps à chercher des alliances... »

Dans ce tumulte, Gramont durcit encore le 10 ses instructions à Benedetti. Il décrit le gouvernement « débordé » par l'opinion. On compte les heures. Il faut que le roi conseille à Léopold de renoncer, ou bien c'est la guerre « et dans quelques jours nous sommes au Rhin ».

Benedetti s'acquitte de son mieux, le 11, de cette deuxième démarche, que ne facilite guère la nouvelle des mesures militaires arrêtées à Saint-Cloud : rappel des permissionnaires, mise sur pied du quatrième bataillon dans les régiments. Il trouve le roi plus nerveux. Il est ici pour se soigner, ses ministres sont loin. Bismarck a invoqué sa mauvaise santé pour quitter momentanément le devant de la scène, mais de sa lointaine propriété de Varzin, en Poméranie, entre deux régals de brochet, de mouton et d'asperges, il ne cesse de harceler Guillaume, l'incitant à éconduire l'ambassadeur français.

Guillaume, néanmoins, explique très calmement qu'il entend laisser à Léopold son entière liberté et que, dès la décision prise, il la fera savoir à Paris. Mais qu'on lui laisse le temps d'y « contribuer utilement ».

Et soudain, c'est de tous côtés que la combinaison de Bismarck s'effondre. Prim a fini par s'effrayer, le cabinet de Madrid a dépêché à Sigmaringen un général pour faire comprendre à Léopold que le projet est abandonné. Ce n'est pas si simple, car maintenant le couple Hohenzollern a pris goût à l'idée d'un sceptre. Il faut le faire chapitrer par Stratt, qui met Antoine dans son jeu en lui représentant les périls que l'aventure espagnole ferait courir à son fils aîné à Bucarest. Quoique ulcéré, le cadet finit par céder, et le 12, c'est le père lui-même qui communique aux agences : « Le prince héritier de Hohenzollern, pour rendre à l'Espagne la liberté de son initiative, décline la candidature au trône, fermement résolu à ne pas laisser sortir une possibilité de guerre d'une affaire de famille, secondaire à ses yeux. »

Pour la seconde fois, Léopold a retiré sa candidature.

Voilà pour la diplomatie française un indiscutable et retentissant succès.

Voilà aussi pour Guillaume, ainsi qu'il écrit à sa femme, « une pierre qu'on lui ôte du cœur ». Et il s'empresse de faire notifier le désistement à Benedetti par son aide de camp, le prince Radziwill :

Sa Majesté reçoit une communication du prince de Hohenzollern-Sigmaringen. Elle contient confirmation expresse de l'information communiquée la veille. Le roi a donné son acquiescement comme chef de famille et comme souverain. Par là, Sa Majesté considère l'affaire comme terminée.

Le même jour, à Ems, Guillaume reçoit la menace de démission d'un Bismarck fou de rage.

Tout un parti belliqueux.

Le même jour, à Saint-Cloud, devant l'empereur et l'impératrice, Bourbaki décroche son sabre et le jette sur le billard criant que s'il en est ainsi, il refuse de servir.

Bourbaki, aide de camp de Napoléon, n'est pas de ces généraux qui ont fait carrière dans les écuries, les chasses ou les logis de la cour. C'est un « dur à cuire » qui a illustré son nom en Algérie, en Crimée, en Italie. Une tête chaude et un franc-parleur, dont le discernement n'est pas la qualité dominante. Comme tant d'autres, qui rongent leur frein dans l'inaction, depuis qu'on a décommandé la guerre mexicaine, il a vu venir la prussienne avec exaltation. En découdre enfin. Retourner en Allemagne comme sous l'Autre, y promener les aigles. Quelle consternation devant l'écroulement de ces rêves de gloire — cet écroulement qui a fait monter la rente de trois francs!

C'est tout un parti belliqueux que la satisfaction d'Émile Ollivier pique au vif. Cet orateur « éloquent et disert », comme on traduit dans les versions latines, s'est exclamé, rayonnant, dans les couloirs du Palais-Bourbon : « Nous tenons la paix, nous ne la laisserons pas échapper! » Pour les bonapartistes à tous crins, il s'agit bien de paix, quand on a tant besoin de victoires, si l'on veut assurer la couronne du petit prince!

L'Empire « libéral », malgré ses concessions, n'a pas entraîné derrière Émile Ollivier le large ralliement souhaité. Eugénie boude les séances du Conseil. L'Internationale, les blanquistes manifestent à tout instant, sur les Boulevards, à Belleville, leur présence agressive, guettant la moindre faute du pouvoir. Le recours au plébiscite est dénoncé — à juste titre — comme la négation même du système parlementaire promis. C'est la forme la plus grossière de la démocratie, une démocratie pour peuplades. N'est-il pas exorbitant que la nation directement consultée, le soit sur les seules questions posées par le souverain?

Là-dessus, malgré le scandale du meurtre de Victor Noir, ce journaliste abattu d'une balle de pistolet par le cousin Pierre Bonaparte, malgré le marasme qui a suivi l'Exposition, malgré les bandes de sans-travail qui dans certaines campagnes se font menaçantes et obligent George Sand et Flaubert, en leurs propriétés berrichonne et normande, à fermer peureusement leurs grilles, malgré toutes ces hostilités et ces pessimismes, malgré même les affronts que doit accepter, de temps à autre, la famille impériale, le pays, le 8 mai, a massivement (et passivement) répondu *oui*.

On ne s'est pas fait faute de l'y aider. D'abord par le procédé — il resservira — qui consiste à faire approuver à la fois d'un même *oui*, et les réformes libérales « opérées » depuis dix ans, et le maintien du régime. En usant aussi de tous les moyens dont peuvent disposer les préfets, sous-préfets, fonctionnaires, magistrats, chefs de corps, policiers. Les ruraux ont moins bien résisté que les citadins, à cette pression assez éhontée. La Seine, avec Paris, a donné 184 000 *non*, contre 138 000 *oui* et 83 000 abstentions. Forte majorité de *non*, également, à Marseille, Lyon, Bordeaux, Toulouse. Mais le poids des campagnes a fait basculer le scrutin, et on a proclamé 7 538 000 *oui*, contre 1 572 000 *non* et 1 894 000 abstentions. Nul n'aurait osé, la veille, articuler de tels chiffres qui signifiaient la consolidation de la dynastie. Les résultats médiocres des élections législatives de 1869 ont été, de la sorte, effacés. « Mon enfant, a dit Napoléon à son fils, tu es sacré par ce plébiscite. » Et personne, à la ronde, ne l'a contesté. Ni Gambetta, ni Jules Favre, ni Jules Grévy : c'était **un nouveau bail.**

Deux mois après, les triomphants de l' « entourage » se rengorgeaient encore. L'Empire était désormais trop sûrement assis pour se laisser émouvoir par les manigances d'une Prusse. D'autant moins que la Prusse « caponnait » en Espagne. Quelles heureuses circonstances pour renforcer encore son prestige, en exigeant que la Prusse continue à « caponner »!

Alors, tandis que Napoléon (comme Guillaume) confie son « soulagement » et ordonne à Le Bœuf de suspendre ses préparatifs, c'est une sorte de conjuration qui s'ourdit à Saint-Cloud. Il faut faire comprendre que la France est désappointée, mécontente, qu'elle condamnera la faiblesse d'un pouvoir satisfait de si peu. Eugénie pense et dit, comme Bourbaki, que cette attitude est une honte, et bientôt survient Gramont, lui aussi sorti de ses gonds. Il vient déjà de suggérer à l'ambassadeur von Werther une lettre d'excuses à faire signer par son maître Guillaume : celui-ci déclarerait qu'il n'avait jamais cru porter atteinte aux intérêts ni à la dignité de la nation française, et exprimerait le désir que toute cause de mésintelligence disparût désormais. Ce qui serait un aveu d'ignorance ou d'incompétence, une lettre « impossible ». Mais au point où en sont les événements, tout paraît possible à l' « entourage », que stimule l'impératrice, émoustillée par un propos de Bourbaki : « J'aurais tant voulu conduire l'empereur à Berlin à la tête de ma garde. »

La situation étant telle, ce serait un crime que de ne pas l'exploiter au maximum, pour que l'Europe reconnaisse, cette fois, la pure et simple suprématie de la France. Et Gramont acquiesce. Mais parbleu, il faut obtenir du roi de Prusse une garantie! C'est cela : une garantie. Et formelle. Il faut qu'il s'engage, pour l'avenir, à ne plus autoriser aucune candidature Hohenzollern. Quand on tiendra ce papier, alors oui, on pourra parler de succès diplomatique.

Napoléon, troublé par les rumeurs du Boulevard qui exerce sa verve à bon marché sur le dos du « père Antoine », Napoléon, assailli par tous ses intimes, balance, puis cède. Il est décidément affaibli, à la merci de volontés plus fermes que la sienne. Il laisse aller, sans mesurer l'énormité de la nouvelle relance commandée à Benedetti, et sans consulter aucun ministre, pas même Émile Ollivier. Il prend, en somme, tout sur lui, et donne carte blanche à Gramont. Pour son malheur.

Rien n'était pourtant rompu.

Infortuné Benedetti! Le 13 juillet, au matin, le voilà de nouveau dans le parc d'Ems, sur le passage du roi, à l'heure de la promenade. Il est d'abord accueilli aimablement, la main tendue. Le retrait de Léopold, n'est-ce pas la fin, l'heureuse fin de l'incident? Mais peu à peu Guillaume fronce le sourcil. Benedetti, exécutant les instructions de Paris, demande la permission d'annoncer officiellement que Léopold ne sera plus jamais autorisé à poser sa candidature. C'en est évidemment trop pour Guillaume qui, à son tour, s'impatiente, et refuse. Affaire terminée, estime-t-il : il suffit. Il s'est expliqué avec assez de clarté et n'a plus rien à ajouter. Sur quoi il ôte son chapeau et s'en va.

Mais le roi n'avait pas eu connaissance du texte, transmis par von Werther, de la lettre suggérée par Gramont. Sa bile s'échauffe : « A-t-on jamais vu pareille insolence? » Du coup, il décide d'aller à Coblence voir la reine, et de regagner Berlin, après avoir fait confirmer à Benedetti, par Radziwill, qu'il approuve le retrait de la candidature Léopold, mais que pour l'avenir il n'a rien à ajouter — ce qui ne l'empêche pas le lendemain de remercier fort courtoisement l'ambassadeur français venu le saluer à la gare : il n'avait nullement pensé à rompre avec lui.

Seulement, la veille au soir, l'irréparable s'est produit à Berlin, dans la salle à manger de Bismarck.

L'irréparable.

Nous avons laissé Bismarck broyant du noir, à table, avec Roon et Moltke, devant la dépêche d'Abeken.

Expédiée d'Ems à trois heures cinquante de l'après-midi, elle est arrivée à Berlin à cinq heures neuf. Ils la relisent :

Sa Majesté m'écrit : « Le comte Benedetti m'a arrêté au passage à la promenade pour me demander finalement, d'une manière très indiscrète, de l'autoriser à télégraphier aussitôt à l'empereur que je m'engageais pour l'avenir à ne jamais plus donner mon consentement si les Hohenzollern revenaient sur cette candidature. Je finis par refuser assez sévèrement, attendu qu'on ne devait ni ne pouvait prendre de pareils engagements à tout jamais. Je lui dis naturellement que je n'avais encore rien reçu, et puisqu'il était, par la voie de Paris et de Madrid, informé plus tôt que moi, il voyait bien que mon gouvernement était de nouveau hors de cause. » Sa Majesté a depuis reçu une lettre du prince. Comme Sa Majesté avait dit au comte Benedetti qu'elle attendait des nouvelles du prince, elle a résolu, sur la proposition du comte Eulenbourg et la mienne, de ne plus recevoir le comte Benedetti à cause de sa prétention, et de lui faire dire simplement par un aide de camp que Sa Majesté avait reçu du prince confirmation de la nouvelle que Benedetti avait déjà eue de Paris, et qu'elle n'avait plus rien à dire à l'ambassadeur. Sa Majesté laisse à Votre Excellence le soin de décider si la nouvelle exigence de Benedetti et le refus qui lui a été opposé ne doivent pas être aussitôt communiqués tant à nos ambassadeurs qu'aux journaux.

C'est-à-dire, traduisent-ils tous les trois, que Bismarck a perdu, même la face. Et ce, malgré sa démission, qui n'a pas été prise au sérieux. Toute son opération se démonte. La guerre qu'il appelle de toutes ses forces pour bâtir la grande Allemagne prussienne, cette guerre n'aura pas lieu. Le voilà, devant l'Europe qui ne l'aime pas, humilié et piteux. Tout cela parce que le roi... Quelle reculade, quelle chamade! Avec le beau rôle pour la France, à qui on a l'air d'avoir cherché une mauvaise querelle! Et comme Moltke et Roon ne s'indignent pas aussi fort que lui, c'est à eux qu'il s'en prend : « Vous êtes deux soldats, vous n'êtes pas libres de vos déterminations... Moi, je ne peux pas sacrifier à la politique mon sentiment de l'honneur! »

Il reprend la dépêche, la relit encore à haute voix, et Moltke et Roon le voient se pencher de plus près sur le papier, épelant les dernières lignes : *Sa Majesté laisse à Votre Excellence...*

« Avons-nous intérêt, demande-t-il, à retarder le conflit? »

Ils sont l'un et l'autre catégoriques :

« Si l'on doit faire la guerre, il n'y a aucun avantage à l'ajourner. Même s'il y avait le risque d'une attaque française sur le Rhin, la Prusse entrerait en campagne avec des forces très vite supérieures à celles de l'ennemi. Par la suite, cet avantage diminuerait. »

Alors Bismarck se lève, va s'asseoir à un guéridon, s'arme d'un énorme crayon, et posément, froidement, se met en devoir de « condenser » la dépêche d'Ems. Ce qui donne ceci :

Après que la nouvelle de la renonciation du prince de Hohenzollern eut été communiquée officiellement par le gouvernement royal espagnol au gouvernement impérial français, l'ambassadeur de France a encore demandé à Ems à S.M. le roi de l'autoriser à télégraphier à Paris que Sa Majesté s'engage pour toujours à ne jamais plus donner son consentement, si les Hohenzollern posaient de nouveau leur candidature. Là-dessus Sa Majesté a refusé de recevoir encore l'ambassadeur et lui a fait savoir, par son aide de camp de service, qu'elle n'avait plus rien à lui communiquer.

Plus tard, Bismarck devait expliquer dans ses *Mémoires :* « Sans ajouter ni changer au texte, j'y fis quelques suppressions. »

Mais quelles suppressions! Roon et Moltke crient leur admiration. Devant une dépêche ainsi tronquée, comment les Prussiens ne se sentiraient-ils pas outragés en la personne de leur roi, qu'un ambassadeur traite insolemment, et les Français en la personne de leur ambassadeur victime d'un affront et congédié?

Un véritable chef-d'œuvre de provocation. La rédaction d'Abeken insérait les faits dans une négociation encore en suspens. Celle de Bismarck les présente comme une cassure définitive. Les deux généraux poussent des *hoch!*

« Auparavant, dira Moltke, on aurait pu entendre battre la chamade. Maintenant, c'est comme une fanfare en réponse à une provocation! »

Et Bismarck :

« Voilà qui produira sur le taureau gaulois l'effet d'une étoffe rouge... Il est essentiel que nous soyons les attaqués : la présomption et la susceptibilité gauloises nous donneront ce rôle. »

C'est en effet supérieurement joué. Bismarck, son crayonnage terminé, peut bien se remettre à table, et manger et boire. Cependant que Moltke, ragaillardi, se frappe la poitrine, emphatique :

« S'il m'est donné de vivre assez pour conduire nos armées dans une pareille guerre, que le diable emporte aussitôt cette vieille carcasse! »

Ils ont leur guerre. Dans quelques heures la dépêche d'Ems, version Bismarck, sera publiée par la *Gazette de l'Allemagne du Nord* et diffusée par l'agence télégraphique Wolf. Aussitôt dans Berlin retentira la clameur vengeresse *Nach Paris!* tandis qu'à Paris, étudiants et ouvriers surexcités, encouragés aussi par la police, hurleront : « A Berlin! »

Ils ont leur guerre, Eugénie aussi a la sienne.

Eugénie et sa coterie l'emportent.

Eugénie et sa coterie — Gramont, Le Bœuf, en tête, avec Rouher dans la coulisse — se sont employés sans relâche à surexciter les esprits. Elle a soudainement cessé de bouder le Conseil. D'autorité, elle entre, prend la parole, malmène ceux qui voudraient réfléchir. Pour elle il n'y a plus de problème, et la seule issue, c'est la guerre, la guerre qui redressera ce trône si discuté en rendant à l'empereur sa gloire d'*imperator*. Elle ne pense qu'au *Te Deum* et aux bravos qui accueilleront les troupes, à leur retour de Berlin. Son fils Eugène-Louis aura sa part du triomphe. Elle s'est assez morfondue dans l'impopularité, elle a assez souffert des attaques de l'opposition contre l' « Espagnole de malheur », dépensière et frivole, des pamphlets contre le luxe ruineux de la cour, ses prodigalités, ses favorites, ses équipages, ses soirées travesties et ses tableaux vivants. Ces méchancetés ne pourront plus avoir cours, quand l'Empire aura réduit à merci cette Prusse insolente, et repris en Europe sa véritable place, la première. Les inimitiés seront désarmées, on ne lira plus *La Lanterne;* le fils Cavaignac, à la distribution des prix du concours général, ne refusera plus de recevoir le sien des mains du petit prince; la populace, de malveillante, se fera chaleureuse, et viendra l'acclamer aux Tuileries. On en profitera pour revenir sur cette exécrable liberté de la presse et sur le droit de réunion. Quant aux autres souveraines qui témoignent des égards si distants à Mlle de Montijo, elles seront bien forcées, cette fois, de la traiter en égale, comme une des leurs, comme leur sœur, comme Élisabeth d'Autriche ou Victoria d'Angleterre.

Comme elle les déteste, ces ministres qui voudraient encore chercher des biais. Ce Plichon, ce Louvet, ce Segris, ce Chevandier de Valdrome, qui objectent, qui objectent... S'ils veulent partir, ceux-là, qu'on ne les retienne pas. Place nette, mieux vaudra.

L'empereur préside toujours le Conseil des ministres, Émile Ollivier détenant théoriquement les portefeuilles de la Justice et des Cultes. Mais il est bien Émile Ollivier, le porte-parole du gouvernement, et Émile Ollivier vit dans une certitude, celle de la France invincible, complètement dominé par Gramont et par Le Bœuf.

L'empereur serait peut-être le moins aveugle. Mais il est de plus en plus rongé par son mal de vessie avec, dans son esprit, comme des passages à vide. Et encore, on ne sait pas autour de lui l'extrême gravité du rapport rédigé deux semaines avant par le docteur Germain Sée, à l'issue de la consultation Nélaton-Ricord-Fauvel-Corvisart : hématuries purulaires, dysurie, cystite d'origine calculeuse, sondages, inapte à faire campagne... Conneau a reçu le rapport, l'impératrice ne l'a pas divulgué. Question : si le mal de l'empereur avait été connu, aurait-on déclaré la guerre?

Mais il n'y a pas eu d'indiscrétion, et tout se passe comme si Napoléon et l'armée de Le Bœuf étaient capables de courir à l'ennemi. Toutes les objections doivent être balayées. On n'attendra même pas que Benedetti vienne s'expliquer sur l'offense reçue. On n'écoutera pas Esquirou de Parien, président du Conseil d'État, qui essaie d'en savoir davantage. L'idée, un moment retenue, de proposer un congrès européen pour interdire à tous les membres des familles régnantes de monter sur un trône étranger, n'est pas retenue. Il est trop tard, beaucoup trop tard. Les deux capitales — sinon les deux pays, car les provinces sont plus réservées — sont en délire, en proie aux cortèges, aux drapeaux et aux chœurs patriotiques. Eugénie n'a que les mots d'honneur et de lâcheté à la bouche. Tout Paris chante *La Marseillaise*, depuis vingt ans interdite, et le petit prince lui-même, à Saint-Cloud, reprend le refrain avec des camarades. Dès le 6 juillet, Persigny a félicité l'empereur, l'assurant que la France entière le suivra.

C'est fini. C'est la guerre. Il ne reste plus qu'à annoncer aux Chambres la rupture des relations diplomatiques : « Nous n'avons rien négligé pour éviter la guerre, proclame Émile Ollivier. Nous allons nous préparer à soutenir celle qu'on nous offre en laissant à chacun la part de responsabilité qui lui revient. »

Unanimité au Sénat pour les quatre projets de loi d'urgence. Au Corps législatif, droite et centre droit sont pour; mutisme au centre, agitation à gauche. Thiers, devant un hémicycle déchaîné, saute à la tribune pour protester encore, comme il l'a fait dans les couloirs depuis deux jours. Il veut comprendre : comment se peut-il que le roi de Prusse, ayant cédé sur le fond — le retrait de la candidature Hohenzollern — ait voulu outrager la France? Il faut y regarder de plus près. Il y a tromperie : « J'étais sûr, expliquera-t-il à la commission d'enquête, j'étais sûr que si nous gagnions vingt-quatre heures, tout serait expliqué, et la paix sauvée. »

On ne le laisse pas parler. Cinquante poings se tendent vers lui.

Il est traité de vendu, d'antifrançais, de Prussien... Mais Émile Ollivier, marchand de mots, n'a-t-il pas déjà proféré :

« De ce jour, commence pour mes collègues et moi une grande responsabilité. Nous l'acceptons d'un cœur léger! »

Il eût mieux fait, comme il affirmera plus tard en avoir eu l'intention, de démissionner à temps. Mais Le Bœuf, maréchal de France depuis mars, n'a-t-il pas été péremptoire : « Quand la guerre durerait un an, nous n'aurions pas à acheter un bouton de guêtre »? Et ce sont malheureusement de tels cerveaux, infantiles, qui, à l'heure du drame emportent la décision.

Elle est prise. Insulté par Paul de Cassagnac, par le marquis de Piré, par le comte de Leusse, par le baron Jérôme David, à peu près seul contre le délire général, Thiers s'égosille, on ne perçoit de son discours que des bouts de phrases hachées :

« Est-il vrai que votre réclamation a été écoutée sur le fond et que vous rompez sur une question de susceptibilité? Voulez-vous que l'on dise que sur une question de forme vous êtes décidés à verser des torrents de sang? [...] Je regarde cette guerre comme souverainement imprudente! »

Émile Ollivier n'a pas peur de riposter :

« Notre cause est juste, parce qu'elle est confiée à l'armée française.

— Oui, enchaîne Thiers, oui, il fallait réparer Sadowa. Mais il fallait attendre que les fautes politiques de la Prusse vous fournissent une occasion légitime... On ne peut plus faire la guerre capricieusement. Il faut que les nations, qui assistent comme témoins à un duel, vous approuvent, vous appuient de leur estime et de leurs vœux... Il faut avoir l'opinion du monde avec soi!... L'intérêt de la France étant sauf, on a fait naître une question de susceptibilité qui devait entraîner la guerre! »

Les interruptions fusent à droite :

« Plus que personne, reprend Thiers, je désire la réparation des événements de 1866, mais je trouve l'occasion détestablement choisie... Il y aura des jours où vous regretterez votre précipitation...

LE MARQUIS DE PIRÉ : Vous êtes la trompette antipatriotique du désastre. Allez à Coblence!

THIERS : Offensez-moi, insultez-moi... Je suis prêt à tout subir pour défendre le sang de mes concitoyens que vous êtes prêt à verser si imprudemment!... Je décline quant à moi la responsabilité d'une guerre aussi peu justifiée! »

Mais les arguments de Thiers sont balayés. Il sera pris à partie encore, sur le chemin de son domicile, par des militaires et des ouvriers — suspects ceux-là, en blouses blanches. Thiers n'a plus que la ressource de confier le soir à ses amis : « Je connais l'état de la France et celui de la Prusse; nous sommes perdus. »

D'inutiles avertissements.

La roue tourne de plus en plus vite, et qui pourrait désormais la freiner? La commission des crédits de guerre n'a plus qu'à entériner. Octave Aubry résume : « *Lebœuf* (ou Le Bœuf) assure qu'il est prêt, qu'il a même une avance sur l'ennemi. Gramont affirme que les demandes de la France n'ont pas varié depuis le début de la crise (ce qui est faux). Benedetti est à Paris depuis le matin; son témoignage éclairerait l'effrayant malentendu et percerait à jour l'imposture de Bismarck. Nul ne songe à l'entendre. Comme on s'enquiert des alliances, Gramont, avantageux, dit qu'il vient de quitter les ambassadeurs d'Autriche et d'Italie. « J'espère, ajoute-t-il, que la « commission ne m'en demandera pas davantage. » En effet, la commission se contente de ce vague propos et dépose un rapport « inexact et satisfait ». »

On n'écoute pas Gambetta. Avec Jules Ferry, Ernest Picard, Jules Simon, il finira par voter comme la majorité, mais en avertissant : « Vous ne pourrez compter sur les sympathies de l'Europe, sur l'assentiment de la France, que s'il résulte de vos explications que vous avez été réellement et profondément outragés. »

Gramont élude le débat, refuse de communiquer les textes, refuse d'en discuter. Et pourtant la dépêche d'Ems, reproduite par Havas d'après Wolf, pourrait être contestée comme une simple information de presse, sans caractère officiel. On pourrait demander une mise au point. En outre est tenu étrangement pour négligeable cet additif publié partout à la suite de la dépêche : « D'après d'autres informations d'Ems, le roi aurait fait dire à M. Benedetti qu'il avait hautement approuvé la renonciation de son cousin au trône d'Espagne et qu'il considérait dès lors tout sujet de conflit comme étant écarté. »

Les crédits sont votés, avec l'appel de la garde mobile, à l'unanimité moins onze voix (dont Jules Favre et Grévy) et cinq abstentions. C'est la revanche de Rouher, le « vice-empereur » débarqué voilà un an. Au nom du Sénat, qu'il préside, il va remercier l'empereur d'avoir su attendre « pour élever à toute sa puissance l'organisation de ses forces vives ».

Napoléon, qui n'est plus que l'ombre de lui-même, rappelle que ce sera « long et difficile ». Mais Eugénie revient, Eugénie qui n'a pas voulu entendre les avis de Mérimée lui-même, Eugénie qui a écarté Thiers quand il était peut-être temps encore, Eugénie qui a rabroué Émile Ollivier quand il a semblé hésiter, Eugénie qui surgit à nouveau, plus altière que jamais, pour faire taire les pusillanimes : « Nous avons toutes les chances qu'on peut mettre de son côté dans une entreprise humaine, cela ira très bien. »

Cependant que Paris, littéralement grisé, retentit, plus frénétiquement encore de manifestations belliqueuses. Ce ne sont que *Marseillaise* et que *Chant du Départ*.

Ardant du Picq, cet officier hors série qui se fera tuer à Gravelotte, mais dont on publiera dix ans après le posthume et cruel *Combat moderne*, avait déjà montré les Français capables, par gloriole, de toutes les légèretés : « On commence par une expédition sans motifs suffisants, et les bons Français, qui ne savent pourquoi la chose se fait, désapprouvent; mais bientôt il y a sang versé, le bon sens, la justice disent que le sang versé doit retomber sur les auteurs de l'entreprise, puisqu'elle est injuste. Mais le chauvinisme! le sang français a coulé, l'*honneur* est engagé! Et l'on sacrifie à une gloriole ridicule! »

Le 19 juillet, la France déclare la guerre. Bismarck, dont tous les vœux sont comblés, montre au Reichstag un visage « baigné de joie ». Le taureau gaulois a foncé sur l'étoffe rouge.

La France n'a pas le beau rôle.

Du coup, ce n'est plus la France qui a le beau rôle. C'est la Prusse. La France a assumé, stupidement, celui de l'agresseur, ce qui détermine les États allemands du Sud à se placer, en vertu des accords passés, sous le commandement de Berlin.

Bismarck a magistralement trouvé, avec sa dépêche, comme écrit Émile Ludwig, le moyen « d'enflammer jusqu'au dernier des Bavarois francophiles, et jusqu'au dernier des Wurtembourgeois prussophobes, et de les amener à la commune colère dont ils avaient besoin. Trois jours plus tard on parlait dans le peuple de la promenade du vieux roi pacifique, et du méchant Welsche qui l'attendait, caché dans un bosquet, comme pour attenter à ses jours ». De même que la publication — par ses soins — dans le *Times* du projet de traité rédigé pendant l'affaire luxembourgeoise, au sujet de la Belgique, provoque un *tollé* diplomatique. Benedetti a beau répondre dans la presse que l'idée venait de Bismarck, que Bismarck avait dicté le document, c'est Bismarck que l'on croit.

L'Italie, le 8 juillet, a déjà fait savoir qu'elle ne se rangerait certainement pas contre la France, c'est tout ce qu'on obtiendra du ministre Visconti-Venosta. Des pourparlers engagés alors traîneront en longueur jusqu'à l'arrivée à Florence des nouvelles de nos premiers revers : « Pauvre empereur! compatira Victor-Emmanuel. Mais foutre, je l'ai échappé belle! » L'Autriche, à son tour, se défile : après tout, aucune alliance véritable n'a été signée, et au besoin, la Russie lui interdirait toute velléité d'action.

La Russie n'a pas oublié cette guerre insensée de 1854 que Napoléon lui a faite en Crimée, ni les sympathies exprimées pour les Polonais insurgés de 1862. En juin, le tsar et le roi de Prusse se sont revus, intimement. Le 15 juillet, l'Autriche a été avisée que, si elle s'alliait à la France, elle prendrait de gros risques.

Dans les autres chancelleries, c'est l'Angleterre qui donne le ton, l'Angleterre dont une offre polie de médiation n'a pas même été écoutée.

L'avis général, c'est que la protestation de la France contre la candidature Hohenzollern était parfaitement fondée, mais que, cette candidature ayant été retirée, c'est la France qui, depuis, a endossé toutes les responsabilités. Lord Lyons l'a clairement signifié à Gramont. Son ministre, Lord Granville, a qualifié d'injustifiable l'insistance de Benedetti. Le piquant, c'est que les Anglais, très mal informés, furent alors enclins, sportivement, à soutenir les chances de cette pauvre Allemagne, contrainte d'engager contre sa belliqueuse voisine une lutte inégale.

Il faut lire à ce sujet la correspondance de celle qui serait, un jour, mère du futur Guillaume II, l'impératrice Frédéric.

Fille aînée de la grande *queen* Victoria et du prince consort, Albert, elle a épousé en 1858 l'héritier Frédéric-Guillaume de Prusse. Habituée à respirer, en son pays d'origine, un air de liberté, elle a eu beaucoup de mal à s'adapter à l'Allemagne compassée, maussade et policière, et plus encore à accepter le comportement despotique de Bismarck, foulant aux pieds la Constitution pour imposer sa réforme de l'armée. Son mari partageait ses idées; pour avoir fait un éclat public à Dantzig en 1863, ils ont même vécu longtemps en demi-disgrâce. Pourtant, elle s'est peu à peu germanisée au point de se dire « aussi fière, maintenant, d'être Prussienne qu'elle l'était d'être Anglaise ». Ce qui ne l'a jamais empêchée, dans ses lettres à sa mère, de se plaindre de sa bête noire, Bismarck, qui ne laisse pas passer un jour « sans s'emparer du plus léger incident afin de l'interpréter habilement, le défigurer et s'en servir à des fins personnelles ».

Dans ces dispositions, elle a été « bouleversée » par la candidature de Léopold, qui a mis au désespoir, écrit-elle, le roi et la reine de Prusse. Et puis, très vite, on assiste à un revirement. La candidature une fois annulée, elle constate qu'à Berlin tout le monde prêche la paix, mais que les « invectives » des Français redoublent de plus belle. Bientôt plus de doute pour elle, les Français veulent attaquer, et elle adresse à Victoria une sorte d'appel au secours :

Si les Français sont décidés à nous chercher querelle, ils ne peuvent pas trouver de meilleur moment pour eux ni de plus mauvais pour nous, et je suis convaincue qu'ils pousseront l'audace jusqu'à vouloir le Rhin. L'Angleterre seule peut empêcher cela... *(13 juillet).* Il n'y a plus rien à espérer, et nous allons connaître la guerre la plus terrible que l'Europe ait jamais vue... Nous avons été honteusement forcés de nous battre; devant une telle injustice, le cri universel est « au Rhin! ». Nous remercions la Providence de vous avoir placée sur le trône d'Angleterre, d'avoir intercédé pour la paix, et essayé de rappeler les Français à la raison *(16 juillet).* Oh! si l'Angleterre pouvait nous aider! Songez à notre beau Rhin, à nos ports! Songez à la moisson manquée et aux milliers de gens sans travail et sans pain! *(18 juillet).* Lorsque je vois nos beaux jeunes gens se grouper autour de leur vieux souverain, ils me semblent appartenir à la « noble phalange des martyrs ». Combien d'entre eux reviendront?... Nous nous attendons à toutes sortes de revers et de **malheurs**... *(22 juillet).*

Évidemment la Kronprinzessin ignore tout du « tripatouillage » de la dépêche d'Ems. Sa mère aussi qui, le 20 juillet, condamne la « guerre injuste » et la « conduite indigne » des Français. Bientôt, il n'y aura plus guère de francophile en Angleterre que le prince de Galles, futur Édouard VII.

Mais par quelle aberration a-t-on refusé à Paris d'entendre Benedetti, de produire les textes, de faire la part du vrai et du faux, d'élucider la machination de Bismarck, qui n'avait pas que des amis, loin de là, dans les cours de Berlin, de Munich, de Dresde, de Stuttgart et de Carlsruhe? Peut-être l'ambassadeur français aurait-il créé quelque salutaire sensation en déclarant alors, comme il le fera devant la commission d'enquête sur le 4 septembre :

« Je n'ai reçu aucune offense à Ems, et ma correspondance établira que je ne me suis jamais plaint d'aucun mauvais procédé. »

Par quelle aberration a-t-on suivi, les 14, 15, 16, 17, 18 et 19 juillet, le parti de l'impératrice, le parti de la folle guerre?

4

Des généraux surclassés

Aux temps où l'infanterie était la reine des batailles, le grand art de la guerre n'avait rien de sorcier. Il consistait, le vrai Napoléon l'avait suffisamment enseigné, à disposer ses forces de manière à pouvoir, au moment choisi, faire bloc et fondre, par surprise si possible, sur l'un des corps ennemis, se retourner contre un autre, et les battre séparément.

Son neveu ne peut espérer surprendre personne. Le plan a été suffisamment claironné de franchir le Rhin, d'isoler et intimider les États du Sud, et de briser d'un coup la coalition bismarckienne. Les Allemands s'attendent à cette offensive et la redoutent. Fébrilement, ils renforcent les défenses d'Ulm. Le 29 juillet, comme l'empereur descend du train à Metz pour s'installer à la préfecture, son Grand Quartier général, rien ne s'est encore produit, et cette inaction des Français leur paraît suspecte, alarmante. S'ils savaient...

Voilà dix jours que la guerre est déclarée, et au dernier moment le dispositif d'entrée en campagne a été modifié. Aux trois armées initialement prévues, d'Alsace (Mac-Mahon), de Lorraine (Bazaine) et de réserve à Châlons-sur-Marne (Canrobert) on a substitué une seule masse de manœuvre, l'armée du Rhin, répartie en huit corps d'armée. Pourquoi? Parce que, politiquement, il est apparu que l'empereur devait prendre lui-même le commandement, avec, à son côté, son fils Eugène-Louis, quatorze ans, en uniforme de sous-lieutenant. Comme major-général, le nouveau maréchal Le Bœuf, l'intérim du ministère revenant au général Dejean.

Ainsi l'a voulu l'impératrice. Mais l'empereur ne s'est-il pas montré, à Magenta, à Solférino, un assez piètre chef, plutôt enclin à perdre la tête? Personne n'ose l'objecter à Eugénie. L'empereur, miné par la maladie, est-il seulement en état de monter à cheval? Eugénie passe outre. Il faut. Il faut qu'il remporte en personne la victoire, et revienne couronné de lauriers, s'asseoir sur un trône raffermi. En attendant, comme en 1859, pendant la guerre d'Italie, et en 1865 pendant le voyage de Napoléon en Algérie, elle assumera la régence.

Il serait même parti bien plus tôt pour Metz, si des problèmes diplomatiques d'urgence n'avaient exigé sa présence à Paris. *Quid* des alliances, ces alliances dont Gramont s'était porté fort? *Quid* des interventions escomptées de l'Autriche et de l'Italie?

Gramont, très vite, a déchanté. En fait aucun engagement formel et positif n'avait été pris ni par Florence ni par Vienne en cas de conflit franco-prussien. Victor-Emmanuel biaise. Le chancelier Beust, naguère si empressé auprès de la souveraine des Français, tergiverse et joue sur les mots. Il a d'autres raisons que ses insuffisances militaires : il sait que le tsar Alexandre, au premier mouvement des Autrichiens, a promis à son oncle Guillaume d'entrer en Galicie. Le 20 juillet, un conseil présidé par François-Joseph s'est prononcé pour la neutralité. Malgré cela, Beust continuera à entretenir à Paris, par le truchement de Metternich, de tenaces illusions. Le parti d'Eugénie persiste à croire en ces alliances, quand les deux capitales « fidèles » sont déjà d'accord pour se tenir en dehors du conflit jusqu'au moment où elles seront prêtes, et sous réserve de l'abandon de Rome. Bismarck avait grandement raison de ne pas prendre ces « alliances » au sérieux.

Il s'était, par contre, inquiété du Danemark, qui eût pu nous faciliter une attaque contre les ports allemands de la Baltique. Une opération d'envergure avait été mise au point, que rendait réalisable malgré la faible proportion de bâtiments en état de prendre la mer, notre supériorité navale. Le vice-amiral Bouët-Willaumetz était parti de Cherbourg, son pavillon arboré sur la frégate cuirassée *La Surveillante*, pour franchir les passes du Cattégat et entrer dans la Baltique, afin d'alarmer les Prussiens et de retenir un corps d'armée ou deux sur leur littoral menacé. Ce qui fut fait, mais on en resta là.

Le vice-amiral de La Roncière Le Noury devait suivre avec 30 000 hommes à jeter sur les côtes du Hanovre. Ainsi espérait-on entraîner les Danois, bouillants encore des souvenirs de 1866. Mais c'était compter sans les rivalités. Le prince Napoléon revendiquant le commandement supérieur de l'expédition, le ministre de la Marine Rigault de Genouilly a refusé, avec hauteur, de lui subordonner une escadre. A la suite d'un Conseil orageux, où l'impératrice — encore elle — s'est interposée pour récuser le cousin détesté, le projet de débarquement a donc été classé. Et Copenhague, devant l'apparition des 120 000 hommes de Vogel von Falkenstein, s'est déclarée neutre.

Neutre également l'Angleterre, après une vague initiative de médiation. Victoria, sur la révélation du projet d'annexion de la Belgique, tient Napoléon pour l'indiscutable agresseur, chargé de toutes les responsabilités.

Neutre l'Espagne — c'est une déception pour Bismarck — et neutre la Roumanie, ni Prim ni le roi Charles ne s'estimant en mesure d'aider effectivement la Prusse. Neutres la Belgique, la Hollande, la Suisse, que les visées annexionnistes de Napoléon ont détournées de la France. L'Europe désavoue les Tuileries. Tout compte fait, les seules amitiés qui s'expriment sont celles, lointaines, de la Suède et de la Turquie.

Rarement la France, dans son histoire, aura vu tant de nations se détourner d'elle.

L'effervescence belliqueuse, à Paris, ne s'est pas apaisée pour autant. « Vous avez vu, écrivait Flaubert le 20 juillet, qu'un monsieur a proposé à la Chambre le pillage du duché de Bade ? » Effectivement : Kératry. « Mesure que le public trouve très juste », ajoutait l'estivant de Croisset.

Les adieux de Napoléon à ses ministres et à ses dignitaires ont pourtant été mornes, dans la petite gare de Saint-Cloud :

« Dans quinze jours, lui dit un flatteur, Votre Majesté sera à Berlin !

— Non, n'espérez pas cela, même si nous sommes heureux. »

Il fait bonne contenance, malgré sa vessie qui le lancine. Eugénie le serre, avec le petit prince, dans ses bras :

« Adieu, Louis, fais ton devoir.

— Nous le ferons tous. »

Quelques vivats. Deux képis, à la portière, qui s'agitent. Ils sont partis.

Incurie, désordre, inaction.

En débarquant à Metz, l'empereur adresse une proclamation à l'armée. Il vient se mettre à sa tête. Il lui montre au-delà des frontières « les traces glorieuses de nos pères ». Il fait toutefois allusion à une guerre « longue et pénible, car elle aura pour théâtre des lieux hérissés d'obstacles et de forteresses ». Sans doute avait-il été alarmé déjà par les télégrammes.

Mais la situation est pire qu'on ne l'imaginait à Paris.

L'impréparation est indescriptible. Mobilisation et concentration se sont déroulées dans des conditions désastreuses. Certains réservistes affectés à des unités de zouaves, dans le Nord, ont traversé la France, pour s'embarquer à Marseille et se faire équiper à Oran et à Philippeville avant de revenir à leur point de départ : c'est le général Vinoy qui le note. L'intendant militaire baron Schmitz, désigné pour un corps de cavalerie, n'a jamais pu retrouver ce corps, et pour cause, il n'a jamais existé : témoignage de l'intendant général Blondeau. Le général Michel, arrivé à Belfort, demande où sont ses régiments. Mieux : c'est Le Bœuf lui-même, le major-général qui, le 27 juillet, appelait Paris pour s'enquérir de ses divisions!

Partout des masses de soldats, à la recherche de leurs unités, errent sur les routes, encombrent les gares, subsistant au petit bonheur de la charité publique ou se servant eux-mêmes en pillant les wagons et les dépôts. Pour se débarrasser d'eux, certains grands chefs trouvent plus expédient de les expédier sur Toulon, et ils se retrouvent en Algérie.

On manque de tout, de moyens de transports, de matériel sanitaire, d'approvisionnements, de munitions. Le 3e corps a quitté Metz le 25 sans infirmiers, ni ouvriers d'administration, ni ambulances, ni fours de campagne.

On réclame de tous côtés des millions de rations de sucre, du café, de l'eau-de-vie, du sel, du lard, des biscuits... Lorsque Ducrot arrive à Sedan, les magasins sont vides, quelques pièces ont trente coups à tirer, d'autres six, la plupart sont dépourvues d'écouvillons! Télégramme du général de Failly, le 18 juillet, à la Guerre : « Envoyez-nous argent pour faire vivre les troupes; rien dans les caisses publiques, rien dans celles des corps. »

« Jamais incurie pareille ne pouvait être soupçonnée, écrira Allain-

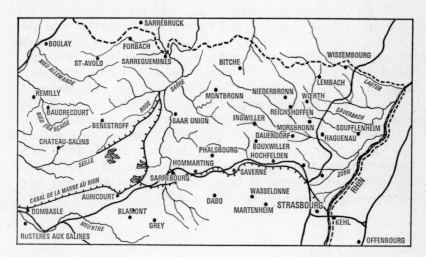

L'invasion de l'Alsace.

Targé : pas de fusils! pas de matériel! pas de comptabilité! pas d'ordres! rien! rien! rien! Segris, Ollivier, Louvet, Le Bœuf méritent d'être fusillés. »

C'est en s'appuyant sur les déclarations de Vinoy, de Ladmirault et de Canrobert que le duc d'Audiffet-Pasquier exposera, plus tard : « Aux premiers jours, la seule préoccupation des généraux est de ne pas rencontrer l'ennemi, parce qu'ils n'ont pas de cartouches! Comment penserait-on à envahir le pays de Bade, ou le Palatinat? » Le 30 juillet, Eugénie reçoit de l'empereur une lettre navrée qui « lui casse bras et jambes ». Il n'a trouvé au quartier général que rivalités, indiscipline, déficit. Il ne peut être question d'attaquer, de pousser une armée irrésistible sur le Main, pour couper la Prusse des États du Sud. Hélas! on aura assez de mal déjà, dans ce tohu-bohu, à étaler l'armée en cordon, de Thionville à Belfort, défensivement.

L'ennemi s'y trompe quelque temps. Le feld-maréchal de Moltke s'attend toujours à l'irruption d'une armée « bien encadrée, pourvue d'artillerie et de cavalerie, et qui pourra compter de 130 000 à 150 000 hommes ». Il s'est estimé fort heureux, grâce à une mobilisation méticuleusement préparée dans les dépôts, et l'incorporation sur place des réserves de la *Landwehr*, d'avoir pu acheminer sans encombre les trois siennes vers les frontières.

Trois armées d'invasion.

Le 2 août, elles seront en place, venues par Coblence, par Mayence, et par Landau.

A droite la Ire, sous les ordres de von Steinmetz, 7e et 8e corps, 60 000 hommes. Au centre la IIe, celle du prince Frédéric-Charles de Prusse, neveu du roi, avec la garde prussienne, les 3e, 4e, 9e, 10e et 12e corps, 190 000 hommes. A gauche la IIIe, celle du prince royal de Prusse, Frédéric-Guillaume (le gendre de la reine d'Angleterre), 5e et 11e corps prussiens, et les contingents bavarois, wurtembergeois et badois, 130 000 hommes. Trois corps d'armée restent en réserve.

Du côté français, l'empereur a pris conscience de l'éparpillement dangereux de ses forces et ordonné un regroupement en Lorraine qui amène devant Steinmetz le général Ladmirault, avec le 4e corps,

27 000 hommes; devant Frédéric-Charles, les généraux Frossard :
2e corps, Bazaine : 3e corps, de Failly : 5e corps, Bourbaki, avec la
garde et Canrobert en réserve, soit 140 000 hommes. Devant le
prince royal, Mac-Mahon, avec les 1er et 7e corps, 63 000 hommes.

La disproportion numérique saute aux yeux, mais les Prussiens
se méfient toujours. La tenue des unités du Sud les soucie : « Elles
sont molles et indisciplinées, écrit la princesse héritière, le 22 juillet,
et leurs chefs sont plus encombrants qu'utiles »; son mari s'étonnera
presque d'avoir été « salué » par les alliés placés sous son commandement. Les troupes ont besoin de faire connaissance, il y a des
méprises : l'uniforme des artilleurs bavarois rappelle fâcheusement
celui des Français, ne devrait-on pas les munir d'un brassard?

Mais que peuvent donc ruminer les Français? Leur inaction
étonne de plus en plus. Que cache-t-elle? Le 26, le comte Zeppelin,
qui sert chez les Wurtembergeois, s'énerve, et pousse une reconnaissance assez téméraire dans la vallée de la Lauter. Il parvient à
Schinlenhof, où ses dragons, surpris par les chasseurs à pied sont
tués ou capturés : lui-même ne s'échappera qu'à grand-peine. C'est
la première escarmouche retenue dans les souvenirs du prince
royal.

Napoléon se laisse conseiller de faire quelque chose. De Paris,
Émile Ollivier traduit le sentiment général en pressant Le Bœuf
d'agir : « Qu'attend-on? Que fait-on? s'impatiente un journal : nous
ne serons jamais à Berlin pour le 15 août! » A Paris, ils n'en savent
guère plus que les Allemands sur les vraies raisons de ces hésitations.
Faire quelque chose, mais quoi? Napoléon, sur l'avis de Frossard,
décide une attaque sur Sarrebruck, alors petite ville ouverte à peu
de kilomètres de la frontière.

Le 2 août, Frossard envoie trois divisions, occupe Sarrebruck,
bien sûr, que les Allemands n'ont pas eu la prétention de défendre
devant un tel déploiement, avec un bataillon d'infanterie et un
régiment de cavalerie. Il fallait, pour le communiqué, une victoire.
Ce sera celle de Sarrebruck. Napoléon, assez sottement, télégraphie
à l'impératrice que le petit prince a assisté à l'engagement, qu'il a
conservé une balle tombée près de lui, et que « des hommes ont
pleuré en le voyant si calme ». Eugénie, encore plus sottement, la
publie. Paris s'esclaffe, méchamment.

Sarrebruck, une affaire de « rien du tout ». Avec ses trois divisions,
Frossard aurait pu exploiter cette surprise, et — vieux principe

napoléonien — tomber sur l'armée de Steinmetz, inférieure en nombre.

Il n'y pense pas, on n'y pense pas pour lui. Pour les observateurs étrangers — les Anglais notamment, informés par la princesse héritière de Prusse — Sarrebruck s'inscrira comme une opération « honteuse » contre une localité sans défense.

Wissembourg, Frœschwiller.

Le coup de main sur Sarrebruck a brusquement donné à penser à Moltke que les Français — enfin — vont prendre leurs risques dans la Sarre, et qu'il est urgent de prévenir leur attaque, en allant de l'avant, en Basse-Alsace.

Le 3 août, la IIIe armée, sous le prince royal, se met en marche. Elle a, en face d'elle, Mac-Mahon, soixante-deux ans, duc de Magenta, brave général, homme de devoir, mais dont la stratégie ne s'est guère modernisée depuis Sébastopol. Comme tous les militaires de l'Empire, il préférerait fort recevoir des ordres, et le voilà livré à lui-même, avec ses deux corps d'armée, 1er et 7e, bientôt renforcés du 5e, étirés de Sarreguemines à la frontière suisse.

Les seuls renseignements qu'il possède sur l'ennemi lui sont fournis par le préfet de Wissembourg : de fortes concentrations signalées au nord de la Lauter. A tout hasard, il fait remonter en pointe la division Abel Douay, cantonnée à Haguenau. C'est une maigre division, réduite à 4 900 hommes, 18 bouches à feu, 6 escadrons. Elle se garde mal. Peut-être même, après tout, est-elle de ces unités qui n'ont pas touché de cartes, du moins qui n'ont touché que des cartes des Allemagnes à conquérir. Au matin du 4, à travers la bruine, les Bavarois éberlués voient les Français faire la soupe, ou laver leur linge à la rivière, comme si ce n'était pas la guerre. Aussitôt des hauteurs de Schweigen, qui dominent Wissembourg, 96 canons ouvrent un feu terrible. C'est la première grande surprise, ce ne sera pas la dernière, et le dédain de nos généraux pour les précautions élémentaires à prendre en rase campagne fera d'autres fois l'ébahissement des Allemands, tout autrement instruits et entraînés.

La division Abel Douay se ressaisit et le prince royal lui rendra hommage. Elle infligera aux assaillants de lourdes pertes. Le prince royal accusera les turcos de se comporter en sauvages, et les habitants — ah! ces Alsaciens! — d'avoir fait le coup de feu contre ses soldats. Il est vrai qu'à Sarrebruck la même accusation avait été émise par les Français contre les membres des sociétés de tir, en civil.

Mais les Français sont un contre cinq. Ils perdent 2 000 hommes, dont leur général, en tuent 1 550. Et finalement se retirent, protégés par une défense vaillante du château de Geisberg.

Infortunée ville de Wissembourg dont la municipalité, à la mobilisation, avait, comme tant d'autres, toutes affaires cessantes, voté des félicitations à l'empereur, et dont l'adresse de fidélité fut une des premières reçues aux Tuileries!

Victoire sanglante pour les Allemands, mais victoire hautement symbolique. Ils ont pris les « lignes historiques » de Wissembourg, ces retranchements plusieurs fois retournés depuis deux siècles, qui datent de la guerre de Succession (déjà) d'Espagne, et que Villars enlèvera aux Impériaux en 1705. Détruites, relevées par Cormontaigne puis par Custine, elles furent franchies par Würmser en 1793. Elles ont fermé tour à tour aux Français la route de Landau, aux Allemands celle de Haguenau.

Le 6, c'est Frœschwiller. Mac-Mahon, qui maintenant commande officiellement les trois corps d'armée, a rassemblé le 1er derrière ce contrefort montueux, sur la rive droite de la Sauer. La position est bonne. Il s'installe à Elsasshausen, voudrait appeler à lui le 5e et le 7e pour interdire les routes des basses Vosges, en menaçant le flanc droit du prince royal qui descend vers Strasbourg. Mais les ordres sont mal transmis. Seules viennent à lui la division Conseil-Dumesnil et la division de cuirassiers de Bonnemains. Ce sont 45 000 hommes à opposer à trois fois plus.

Le paysage vallonné, toujours semé de vergers, de vignes et de houblonnières, est meublé aujourd'hui de monuments commémoratifs parmi lesquels se détache un clocher de faïences vertes. C'est Wœrth. C'est aussi le nom que les Allemands donneront à cette bataille, pour les Français bataille de Frœschwiller.

Le prince royal, paraît-il, n'avait prévu le choc que pour le lendemain. Un accrochage fortuit déclenche le feu des batteries bavaroises, et en fin de matinée, c'est un affrontement rangé qui met aux prises Frédéric-Guillaume et la division Raoult au centre, devant Wœrth, à droite Lartigue, à gauche Ducrot.

Un affrontement du style Premier Empire, avec des poussées et des reculs, les rafales de l'artillerie prussienne qui surclasse et disperse la française — elle porte à 2 500 mètres, la française à 1 500 —, des mêlées furieuses d'infanterie et de cavalerie, des pertes affreuses de part et d'autre.

Notre histoire militaire se consolera de nos 15 800 combattants tués ou faits prisonniers, dont 760 officiers, de nos 28 canons perdus, en dénombrant les 10 642 Allemands, dont 489 officiers, qui, en fin de journée, joncheront le sol. Mais le sort de la lutte pouvait-il être douteux, quand cinq corps d'armée, énergiquement commandés, se ruaient contre cinq divisions? Les images d'Épinal immortaliseront les prouesses des chasseurs des 8e et 13e bataillons dans le bois de Frœschwiller, celles des Algériens du 2e tirailleurs qui, accablés sous le nombre, réussissent à conserver leur drapeau, qu'un sergent indigène ira remettre au gouverneur de Strasbourg, celles des 36e et 96e de ligne, du 3e zouaves. Mais surtout la double charge de cavalerie.

Le front français a cédé, les Allemands ne cessent d'envoyer des renforts, et atteignent Morsbronn, plaçant Lartigue en grand péril, s'il n'ordonne la retraite. C'est l'heure des cuirassiers dits de Reichshoffen.

En réalité, Reichshoffen, aimable village accolé à Niederbronn, où une auberge réconcilie de nos jours en deux langues les escargots et les harengs à la crème, n'a jamais été le théâtre de cet exploit légendaire. L'affaire s'est située à Morsbronn quand le général de Lartigue, ne sachant comment dégager ce qui lui restait de troupes, demanda à la division de cavalerie Duhesme de protéger sa retraite.

Alors la brigade Michel, 8e cuirassiers, colonel Guyot de La Rochère, et 9e cuirassiers, colonel Waternau, avec deux escadrons du 6e lanciers, s'ébranle au galop d'Eberbach sur Morsbronn, d'où l'ennemi débouche. Général en tête, la lame haute, en colonnes de peloton, les lourds cavaliers traversent le terrain comme dans le tableau d'Aimé Morot, sous les obus et les balles, pour aller s'écraser dans un affreux pêle-mêle, sur les barricades dressées dans le village. Très peu en revinrent, mais — récits français et allemands concordent — la charge permit du moins de dégager le 56e de ligne et les débris de la division Lartigue.

Peu après, dans l'après-midi, au secours des derniers survivants défendant encore Elsasshausen et Frœschwiller, c'était le tour de la division de Bonnemains, 1er, 2e, 3e et 4e cuirassiers, de se faire massacrer — elle, inutilement — à la demande de Mac-Mahon, pour essayer d'arrêter les batteries allemandes accourant au galop. C'est là que l'on vit, ou que l'on crut voir, le colonel Lafutsun de Lacarre, commandant le 3e, la tête emportée par un obus, rester en selle et charger encore sur son cheval emballé.

Le Grand État-Major allemand rendit hommage à ces braves. Jusqu'au soir, le prince royal — selon son propre témoignage — avait douté de ses chances et, à plusieurs reprises, pensé à rétrograder. Il n'a pas confiance en ses alliés bavarois, et il lui a fallu les voir revenir maintes fois à l'assaut pour dissiper ses préventions à leur égard. Avant de commander le défilé, les hourras et la musique, sur le champ de bataille, il aura éprouvé des hauts et des bas, et l'avoue. Les mitrailleuses à manivelle lui ont tué beaucoup de monde, les turcos aussi. Il concède que les Français, pas plus qu'à Wissembourg, n'ont pu se déployer. Quant à ses régiments, exténués, ils ont renoncé à poursuivre les vaincus en retraite vers Saverne lorsque est apparue devant eux, débouchant des Vosges, une division fraîche, celle de Guyot de Lespart, enfin détachée par le corps de Failly.

Goguenard, il fait inventorier le contenu des bagages de Mac-Mahon, et de ses officiers d'état-major, ravi d'y découvrir des toilettes de femmes. Déjà les avant-gardes allemandes se répandent dans la plaine de l'Ill, direction Strasbourg.

Quand ils refirent « leur » guerre pour l'histoire, les stratèges français ne manquèrent pas de souligner qu'à Frœschwiller, il avait fallu se battre à un contre cinq, et que tel sera presque toujours le lot des Français. Étonnante défense quand on pense à ces forces de Failly immobiles de Bitche à Niederbronn et à Sarreguemines, et si l'on veut bien se rappeler que le secret de la victoire, c'est de savoir se trouver là où il faut et quand il faut, à plusieurs contre un.

Forbach, Spicheren.

Une exception pourtant : ce même 6 août à Forbach-Spicheren, la défaite de Frossard ne sera pas due au « nombre l'accablant », mais bien à l'incapacité flagrante, et sans circonstances atténuantes, du commandement français.

Le long de la frontière du Palatinat bavarois où sont concentrées les armées de Steinmetz et du prince Frédéric-Charles, trois corps, le 4e, le 3e et le 2e — depuis que le 5e a été détaché à la disposition de

Mac-Mahon — sont en position entre Boulay et Sarreguemines, de gauche à droite : Ladmirault, Bazaine, Frossard. En réserve, Canrobert avec la garde impériale.

Le corps de Frossard est en flèche, en avant de Forbach, entre Stiring et Spicheren. C'est lui qui, le 2 août, sans beaucoup de mérite, a enlevé Sarrebruck pour les besoins du communiqué. Il jouit, Charles Frossard, d'une forte réputation comme technicien du génie. Gouverneur du petit prince par surcroît. Qu'est-il venu faire à un tel poste avancé?

Bien entendu, Sarrebruck a été évacué, comme intenable. On a toutefois négligé d'y détruire les ponts, de sorte que le général Kamecke, le 6 au matin, peut sans difficulté s'avancer et reconnaître la route de Forbach. Et très vite, l'offensive se développe. Précédés par une avant-garde emmenée par von François, trois corps d'armée, 70 000 hommes, avec 132 canons, marchent contre les 28 000 hommes et les 50 canons de Frossard. Mais celui-ci est fortement établi sur ses hauteurs, et il suffirait que Bazaine, de Saint-Avold, eût l'idée de marcher au canon, Bazaine qui, depuis la veille, a sous ses ordres les trois corps d'armée de Lorraine.

Bazaine, sourd aux appels de Frossard, reste à Saint-Avold, alors que le chemin de fer pourrait le conduire en peu de temps au centre même de la bataille. Tout au plus envoie-t-il, mollement, les divisions Metman, Castagny, Montaudon. Une irruption massive du 3e corps aurait pu renverser la situation. A-t-il dit de Frossard : « Qu'il gagne son bâton de maréchal tout seul »...? Toujours est-il qu'il le laisse décimer sous le pilonnage d'une artillerie supérieure. Spicheren est perdu, puis le Forbacher Berg, puis Stiring.

En péril d'être tourné par une nouvelle division prussienne qui a descendu la vallée de la Sarre pour remonter par la Rosselle, Frossard fait sonner la retraite. Au cours de la nuit, il gagnera Sarreguemines et Puttelange : deux escadrons de dragons du 12e et une compagnie du génie, 225 hommes en tout, avec 200 réservistes du 2e de ligne à peine débarqués en gare résisteront pourtant dans Forbach pendant plusieurs heures.

Les Français ont 4 078 hommes hors de combat. Les Allemands davantage, 4 871, dont le général von François. Mais le champ de bataille demeure à eux. Le même soir, l'Alsace est submergée, la Lorraine largement entamée.

Dans son rapport au conseil de guerre de 1873, le général de

La marche de Mac-Mahon.

Rivière, chargé de l'instruction du procès Bazaine, écrira sans détours que le 6 août, « parce qu'il ne donna pas les ordres nécessaires, parce qu'il resta éloigné de l'action, parce qu'il n'indiqua même pas de point de ralliement, Bazaine assuma « pleinement » la responsabilité de la bataille de Spicheren, du désordre qui marqua les journées suivantes, du découragement profond qui en résulta pour nos troupes, et de l'exaltation extraordinaire que ces événements inspirèrent à l'ennemi ». Sa défense sera : il attendait les ordres du Quartier général!

Tous les renforts prussiens, même de quarante-huit kilomètres de là, accoururent à la rescousse. Ni de Saint-Avold, ni de Sarreguemines, ni de Puttelange, ni de Marienthal, les Français ne jugèrent opportun de se déplacer : ils avaient pourtant moins de vingt kilomètres à faire.

En quarante-huit heures, les Français ont déjà vu tomber quatre généraux. La bravoure personnelle des « chapeaux à plumes » n'a jamais été contestée. Hélas! le métier de conduire de grandes unités à la guerre ne consiste pas seulement à payer de sa personne au premier rang. Mieux eussent valu de grands chefs moins prodigues de leur vie, et plus ménagers de celle de leurs soldats. De grands chefs instruits de la stratégie berlinoise, habitués à travailler sur la carte et à manœuvrer sur le terrain avec de gros effectifs. D'un esprit plus offensif, plus solidaire aussi, et plus prompt à soutenir les camarades en danger. Beaucoup trop, comme Bazaine, s'ingénient à tirer leur épingle du jeu. Les Allemands non plus ne sont pas exempts de certaines défaillances et incartades, et Steinmetz lui-même sera disgracié pour s'être montré trop « personnel » : mais ils feront preuve, dans l'ensemble, d'une tout autre cohésion.

A l'échelon des compagnies, des bataillons et escadrons, des régiments, les cadres éprouvés des vieilles troupes ont fort bien tenu. C'est beaucoup plus haut, à celui des corps d'armée qu'a éclaté l'insuffisance. Et que s'est effondré le prestige militaire français.

Hébété, Napoléon n'a suivi les opérations que de loin. Dans l'après-midi du 6 août, quand tout était perdu à Frœschwiller, et tout compromis à Forbach, il télégraphiait à Saint-Cloud qu'il était sans nouvelles de Mac-Mahon, et qu'il venait seulement d'apprendre que quelque chose se passait du côté de Frossard! Quand il apprendra la vérité, il accusera lourdement ce double coup dur.

Son état de santé a encore empiré, malgré les soins du docteur Auger, que lui a laissé Nélaton. Il n'a plus en tête que de sauver la dynastie, pour cela de rameuter toutes les troupes possibles et de les conduire *via* Saverne à Châlons, afin de barrer la route de Paris. Tel est son délabrement physique et moral, que Castelnau, Lebrun lui suggèrent de retourner aux Tuileries. Mais Eugénie, au télégraphe, s'insurge : à aucun prix, ce serait la fin de tout. Et Napoléon se résout à rester.

Non sans tergiversations, il est décidé que les 1er, 5e et 7e corps feront mouvement direct vers Châlons pour constituer le noyau d'une nouvelle armée sous les ordres de Mac-Mahon — mais que tous les autres seront d'abord dirigés sur Metz. Sous le commandement de qui? Bazaine. On n'a guère le choix, et l'impératrice, malgré Forbach, ne voit que lui.

Émile Ollivier renversé : Palikao le remplace.

Paris fiévreux, haletant, traversé de courants contradictoires, est prêt à accueillir par des clameurs les nouvelles les plus extravagantes. A les rejeter de même, aussi vite. Le ridicule bulletin de Sarrebruck a mis les nerfs à vif. Toute une fraction de l'opinion, à gauche, refuse de lier le sort de la nation à celui de l'armée impériale. Si celle-ci est battue, les révolutionnaires, voire nombre de républicains, n'hésiteront pas à dire : bien mérité! Le régime en a trop fait depuis le Deux Décembre, ses préfets, ses magistrats, ses fonctionnaires, ses militaires, son clergé, sa police en ont pris trop à leur aise avec les libertés publiques et individuelles, pour qu'on lui accorde, à l'heure où il flageole, la moindre compassion. Pourtant les partis « avancés » n'affrontent que prudemment cette foule qui continue à crier : à Berlin. Le 6 août, l'affichage d'un faux à la Bourse : « Grande victoire de Mac-Mahon, 25 000 prisonniers, dont le prince royal de Prusse », déchaîne un fol enthousiasme. On croit à la prise de Landau, on pavoise. On fait chanter *La Marseillaise* par les ténors de l'Opéra. Hélas! il faut ensuite subir le démenti, et la rue de gronder.

Les ministres, au moins, sont-ils informés? Ils n'ont reçu rien de précis, ou peut-être gardent-ils pour eux telles dépêches trop pessimistes. Chevandier de Valdrome semble avoir été, à l'Intérieur, le premier avisé d'une défaite. Puis c'est, à minuit, un télégramme de l'empereur parvenu à Saint-Cloud qui révèle la terrible situation : « Mac-Mahon a perdu une bataille. Frossard en retraite. Tout peut se rétablir. Il faut déclarer l'état de siège et se préparer à défendre la capitale. »

C'est tomber de très haut. L'impératrice, affolée, part pour les Tuileries, bizarrement accompagnée de Metternich. Elle trouve tout naturel, en de telles heures, de prendre pour confident un ambassadeur étranger, qui ne manquera pas de faire son profit de ce qu'il aura vu et entendu : ce ne sera probablement pas pour inciter son souverain à embrasser notre cause.

Un Conseil des ministres, élargi — plus le Conseil privé, plus les présidents des deux Chambres, plus le général Trochu — siège à trois heures du matin. Lugubrement. Les témoignages rendent à la régente cet hommage que s'étant maîtrisée, elle se révèle dans l'adversité capable d'une sorte de grandeur. Elle fait décréter l'état de siège, l'appel des citoyens valides de trente à quarante ans, la convocation des Chambres pour le 9 août. Une proclamation signée Eugénie placardée sur les murs apprend les sombres nouvelles aux Parisiens bouleversés, et, eux aussi, tombent de très haut.

Les Boulevards, à nouveau, s'emplissent de manifestants. « Levée en masse! » réclament Jules Favre et la gauche. « A bas Ollivier, vive Trochu! » rétorquent les bonapartistes. Et Émile Ollivier de préconiser les grands moyens, l'arrestation des agitateurs, Gambetta, Arago, Jules Favre, Jules Ferry, Pelletan, Dorian, Kératry sous réserve que, premièrement, l'empereur soit rappelé à Paris.

« Impossible! réplique Eugénie : la seule place de l'empereur est à l'armée, il ne peut revenir à Paris qu'après une victoire! »

Et longtemps, longtemps, refusant d'accepter le désastre, elle résiste. Elle résiste à Émile Ollivier. Elle résiste à Chevandier de Valdrome, à Joseph-Marie Piétri, préfet de Police. Jusqu'au moment où elle « craque ». Elle va consentir, et consentirait si ne se dressaient Persigny, Rouher, Baroche :

« La place de l'empereur est à la tête de son armée qui va prendre sa revanche. Ces revers ne sont dus qu'à une mauvaise stratégie qui l'a morcelée sur quatre-vingts lieues. Demain, regroupée, reprise en main, elle vaincra. Comment l'empereur pourrait-il la quitter »?

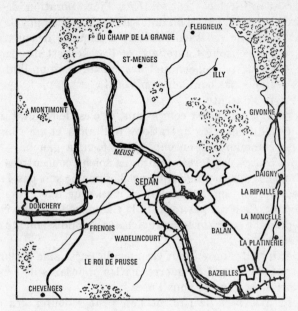

Sedan.

Le Conseil se déclare de cet avis. Il ne reste plus à Émile Ollivier qu'à se rendre devant le Corps législatif, pour se faire renverser.

Il tente, sans grande conviction, de remonter le courant en parlant de l'armée, dont la plus grande partie n'a été ni vaincue ni même engagée, de nos défenses, de nos ressources, qui sont intactes. Il annonce l'appel de la classe 1870, l'incorporation de la garde mobile dans l'active... Mais on doit savoir dans l'hémicycle l'équipée de la garde mobile parisienne laissée à Châlons désœuvrée, quasi mutinée, qui a conspué Canrobert, et l'accueil est de glace. Émile Ollivier perd contenance, commet des maladresses, on l'interrompt :

« Nous n'avons pas confiance en vous! »

Jules Favre l'exécute :

« Le sort de la patrie est compromis, et c'est le résultat des fautes de ceux qui dirigent les opérations militaires et de l'insuffisance absolue du commandant en chef (*Très bien!* à gauche — bruit)... Il faut que toutes nos forces militaires soient concentrées entre les mains d'un seul homme, mais que cet homme ne soit pas l'empereur (nouvelle approbation à gauche). L'empereur a été malheureux, il doit revenir. Ce n'est pas tout. Si la Chambre veut sauver le pays, elle doit prendre en main le pouvoir! » (Applaudissements à gauche — rumeurs.)

Dans le tumulte, on entend Granier de Cassagnac réclamer pour les opposants le conseil de guerre. Et les opposants de s'exclamer :

« Fusillez-nous donc si vous l'osez. »

Gramont a le tort de rire, et l'on peut redouter des coups de poing. Tout se termine par l'adoption « à une grande majorité » d'un ordre du jour de Clément Duvernois : « La Chambre, décidée à soutenir un cabinet capable d'organiser la défense du pays, passe à l'ordre du jour. »

Émile Ollivier n'a plus qu'à disparaître. L'impératrice n'a même pas attendu le vote pour convoquer Palikao.

Militaire dévoué, le général Cousin-Montauban, comte de Palikao, soixante-quatorze ans, doit son titre à la guerre de Chine. Il forme son ministère rondement, malgré les refus essuyés. Le prince de la Tour d'Auvergne est sommairement nommé aux Affaires étrangères, Magne aux Finances, Henri Chevreau à l'Intérieur, avec l'amiral Rigault de Genouilly maintenu à la Marine, comme le maréchal Vaillant, pour mémoire, à la Maison de l'empereur. C'est Eugénie qui signe, en date du 9 août.

Ce n'est pas constitutionnel, la signature n'appartenant qu'à l'empereur. Mais de l'empereur absent, qu'on imagine errant dans l'Est parmi ses divisions vaincues, que peut-on sérieusement attendre? Et qui ne sait, comme se permettra de lui dire à Metz le capitaine de vaisseau Duperré, envoyé par l'impératrice, qui ne sait que s'il se montrait on lui jetterait à la face « plus que de la boue »? Il ne compte plus.

5

Gravelotte, Saint-Privat

Le 2 septembre, tard dans la nuit, deux hommes qui venaient de quitter ensemble le Palais-Bourbon faisaient les cent pas sur le pont de Solférino :

« Monsieur Thiers, dit l'un, ce soir, au Comité de défense, vous souteniez à nouveau, avec tout votre talent et toute votre chaleur, la nécessité de rappeler l'armée Mac-Mahon sous les murs de Paris...

— Et vous m'avez dit à voix basse : « Monsieur Thiers, n'insistez « pas, je vous parlerai tout à l'heure... »

Alors Jérôme David, ministre des Travaux publics, se soulagea de son dramatique secret.

En fin d'après-midi, il avait reçu d'un de ses fonctionnaires, un télégramme chiffré, dont il lut, d'une voix blanche, le texte : « Grand désastre, Mac-Mahon tué, l'empereur prisonnier, je ne sais où est le prince héritier. »

Maintenant Thiers se taisait, « perdu en réflexions désolantes ». Il voyait son pays perdu, et la chute de l'Empire « était loin de le consoler de la chute de la France ».

Et comme Jérôme David lui demandait de mettre son autorité au service de la patrie, il répondit, accablé :

« Je ne suis plus rien. De tels désastres ne se réparent pas, et je ne sais où nous serons tous dans huit jours. »

Depuis le 9 août les événements ont crépité.

Bazaine eut pourtant ses chances.

Un changement de ministère, à la guerre, ne touche que médiocrement le troupier. D'abord parce qu'on prend rarement la peine de l'en informer. Surtout, parce qu'il a mieux à faire que de commenter ce qu'il connaît mal. Se battre, et quand on ne se bat pas, dormir, nettoyer ses armes, son linge, et si possible, manger sont des préoccupations quotidiennement suffisantes.

L'éviction d'Émile Ollivier, l'arrivée au pouvoir de Palikao n'ont soulevé aucune émotion. En revanche, l'accession de Bazaine au commandement en chef, le 12 août, a été très favorablement accueillie.

Bazaine, François-Achille, a l'opinion pour lui. Parce qu'il sort du rang. Parce qu'au feu, cet engagé volontaire, lignard puis légionnaire, ne craint pas de payer de sa personne, il l'a montré devant les Arabes, devant les Autrichiens, devant les juaristes. Aussi parce que, voilà trois ans, à son retour du Mexique, on lui a refusé à Marseille les honneurs dus à son rang. On a bien entendu dire, vaguement, que dans l'éphémère empire de Maximilien, il s'est comporté en soudard cupide, qu'il a nourri l'ambition de se faire couronner lui-même, qu'on a dû mettre fin à ses abus en lui envoyant le général Castelnau avec pleins pouvoirs. Il n'importe : bien que nommé sénateur, il passe pour une victime des injustices de la cour. Et la cour, cette fois, ne peut faire autrement, car tout le monde le réclame, que de désigner pour les responsabilités suprêmes, le « héros de Puebla, de Mexico et d'Oajaca ».

Il n'a pourtant mis en valeur sa stratégie que dans des opérations coloniales, ou de guérilla. A cinquante-neuf ans, tard remarié, ce gros homme, amateur de billard, apparaît essoufflé, avec des colères de vieil adjudant, et aussi la propension qu'ont les vieux adjudants à attendre les ordres, et quand les ordres se font attendre, à ne pas bouger. Malheureusement, ce sont des responsabilités considérables que l'empereur vient à contrecœur de lui léguer. Toute l'autorité militaire. Quatre corps d'armée, 2e, 3e, 4e, 6e, la garde, six divisions de cavalerie, la réserve générale d'artillerie : 178 000 hommes, 39 500 chevaux, 446 canons, 84 mitrailleuses. Une pareille force rejoignant Mac-Mahon et Vinoy, c'était une armée de plus de 300 000 hommes qui aurait couvert Paris, et les choses pouvaient être renversées. D'autant plus qu'un apport d'officiers expérimentés et de soldats chevronnés aurait encadré les jeunes troupes levées à la hâte. Plus de 500 000 vrais combattants pouvaient être dès lors opposés à l'ennemi.

Mais nous sommes au 14 août. Tandis que la IIIe armée allemande (prince royal de Prusse) avance sur les traces de Mac-Mahon, à travers la Lorraine, vers Châlons, la Ire (Steinmetz) et la IIe (Frédéric-Charles) surveillent — de loin — Bazaine en marche vers Metz, d'où il doit franchir la Moselle pour gagner à son tour la Champagne.

Le landau de l'empereur est prêt à partir, précédé par les cent-gardes, par Gravelotte, Rezonville et Mars-la-Tour. L'armée suivra.

L'affaire de Borny.

Le maréchal préférerait sûrement demeurer sous la protection des forts, aux abords de Saint-Julien, Mey, Colombey, Borny, Queuleu où ses divisions ont campé la veille. Mais les ordres sont les ordres. Le passage de la Moselle, commencé le 12, se poursuit. Les 2e et 6e corps, plus une partie du 4e sont sur la rive gauche, quand des obus tombent sur Borny, où le 3e corps du général Decaen attend son tour. C'est von der Goltz, de l'armée Steinmetz, qui sort des bois de Colombey, et attaque.

Aussitôt le 4e corps de Ladmirault revient au pas de charge sur la rive droite, avec les divisions Cissey, Lorencez et Grenier. La bataille se livre sur les rebords du plateau. Bataille classique, avec tambours, clairons, drapeaux, clameurs, charges à la baïonnette. Mey est perdu, puis repris; les Allemands sont délogés de Servigny. Bazaine pourrait avoir la partie belle, avec 50 000 hommes contre 30 000. Mais il est légèrement blessé à l'épaule par un éclat, et se retire sans avoir laissé de consignes. On se contentera de coucher sur le champ de bataille, sans chercher à exploiter l'avantage repris.

L'ennemi a perdu 4 906 hommes, dont 222 officiers, et les Français 3 608, dont 200 officiers, parmi lesquels le général Decaen, que va remplacer Le Bœuf. Celui-ci, « libéré » de ses fonctions de major général, s'offre à reprendre du service actif. A la tête d'un corps d'armée, il ne sera pas pire qu'un autre.

« Enfin, Bazaine, vous avez rompu le charme », dira l'empereur qui s'est arrêté à Longeville.

Borny a été un succès. La retraite sur Châlons a toutefois été retardée de douze heures.

Là dessus, pourquoi Bazaine, qui disposait de deux autres

itinéraires possibles par Etain et par Briey, a-t-il jeté tous ses
effectifs et ses convois sur la seule route de Mars-la-Tour, au milieu
d'un encombrement sans exemple? Et pourquoi, toute la matinée du 15, avoir arrêté l'écoulement de part et d'autre de Rezonville, sous prétexte de faire serrer les 3e et 4e corps demeurés en
arrière? Il n'ignore pourtant pas que la IIe armée prussienne de
Frédéric-Charles est allée passer la rivière beaucoup plus au sud,
à Pont-à-Mousson, pour remonter par la rive gauche et se rabattre
sur lui : les chasseurs d'Afrique du général Margueritte, depuis trois
jours, ont ramené des prisonniers, les maires lui ont signalé dans
leurs communes la présence des Prussiens... Il ne tient compte de
rien. A-t-il réellement en tête de ne pas obéir, et de trouver de
bonnes ou mauvaises raisons pour rebrousser chemin vers Metz?
En tout cas, il omettra de couper les ponts, celui de Pont-à-Mousson
comme celui d'Ars.

Les Français encore surpris.

Alors l'inévitable se produit. Ce sera le 16 au matin. Dès l'aube,
Napoléon III, sire triste, est parti au galop avec tout son train.
A neuf heures, parce que les Français lambinent, la cavalerie prussienne surprend à l'abreuvoir les dragons de Forton. Les chevaux
sont au piquet et dessellés; le prince Murat qui commande la brigade
déjeune et sort de sa tente une serviette à la main. Une fois de plus
on s'est mal gardé. Une fois de plus on se laisse manœuvrer, de telle
sorte que Frossard, n'ayant avec lui qu'une partie du 2e corps, subit
tout le poids du 3e corps prussien, général Alvensleben, une artillerie de 114 pièces appuyant 25 000 fantassins. En fin de matinée,
la position de Frossard est dramatique et Bazaine ne pense pas ou
n'arrive pas à déplacer à temps des divisions inemployées ailleurs.
Pour dégager Rezonville, Flavigny et Vionville, on fait appel au
3e lanciers, dont la charge se brise sur une infanterie imperturbable,
puis les cuirassiers de la garde, entraînés par la voix de stentor de
leur colonel, Dupressoir, qui se font eux aussi fusiller à bout portant,
comme leurs camarades de Morsbronn; les rescapés, dispersés dans
la plaine, sont poursuivis par les hussards. Enfin la déroute du
2e corps est arrêtée par une contre-attaque des grenadiers de la
garde. Et devant Canrobert entré dans la fournaise, c'est Alvensle-

ben, à son tour, qui doit jeter la brigade de cavalerie Bredow dans cette *Todtenritt*, cette chevauchée de la mort dont le monument de Rezonville inscrit les pertes : 18 officiers, 409 chevaux.

A ce tournant de la bataille, tous les espoirs redeviennent permis aux Français. Ladmirault survient avec le 4e corps et débouche à l'extrême-droite, vers Mars-la-Tour, devant le bois de Tronville. Il sent que l'infanterie adverse, exténuée, est à sa main. Il voudrait foncer. Changarnier, qui assiste à l'affaire en connaisseur, demande si on ne va pas « les » déloger. Ce peut être la victoire.

Seulement, Canrobert, comme tous les autres, voudrait avoir reçu des ordres. Seulement, les renforts allemands accourent les premiers. La division de Cissey s'est égarée et se fait attendre. Frédéric-Charles, à quatre heures, a pris lui-même la direction des opérations et ordonne une attaque générale contre le front français, qui s'est complété. Ce sont trois corps d'armée déployés face à face, plus les cavaleries.

Cissey enfin! Tout de suite, dans un ravin, un sauvage corps-à-corps met aux prises sa division et la brigade westphalienne Wedel. Celle-ci, qui comptait 95 officiers, et 4 546 hommes, finit par se débander, laissant 72 officiers, 2 542 hommes, 400 prisonniers et le drapeau du 16e régiment, pris par le lieutenant Chabal, du 57e de ligne.

Pour sauver la situation, le général allemand de Voigts-Rheetz — il ne recevra pas que des compliments — lance encore la cavalerie. Les dragons de la garde prussienne se heurtent à la division de Cissey qui les laisse pénétrer dans ses rangs et les extermine. Suit une rencontre en ligne au sabre et à la lance entre cuirassiers, uhlans, dragons, lanciers, chasseurs d'Afrique, où chaque parti essaie de prendre l'autre de flanc, où la fraîcheur ou la fatigue des chevaux compte autant que l'intrépidité des cavaliers. Puis dans un épais nuage de poussière, les combattants se séparent. La confusion, toute cette journée, aura été telle qu'on a peine à recoudre les témoignages. Quand on y remet de l'ordre, le récit se fait artificiel, conventionnel. Des yeux ont vu, en un éclair, le 9e de ligne à Rezonville, transporté d'enthousiasme par le tir dévastateur des pièces de 12 du 13e d'artillerie, foncer sans ordre, traverser la batterie et s'installer imbécilement devant elle, l'empêchant de continuer — des servants cloués sur leurs coffres parce qu'on n'avait pas pensé à faire charger leurs mousquetons — des corps-à-corps, au sens propre, à l'arme blanche et au revolver.

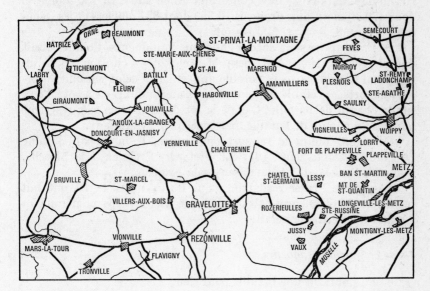

Les batailles de Lorraine.

Au soir du 16, les Français restent maîtres de la route. Vers huit heures, une ultime tentative de Frédéric-Charles sur le bois des Ognons, Gorze et Ars-sur-Moselle s'écroule sous les mitrailleuses. Vient la nuit. Le feu cesse. Les deux armées bivouaquent à quelques centaines de mètres l'une de l'autre. La bataille de Gravelotte-Rezonville-Mars-la-Tour a coûté aux Allemands 15 790 hommes dont 470 officiers, aux Français 16 959 dont 837 officiers et les généraux Legrand, Brayer, Marguenat.

Les Français se sont encore endormis vainqueurs. Comme disait dans le temps, le général russe Mentchikov — citation chère au maréchal Canrobert — la bataille appartient à celui qui doit enterrer les morts, et celui-là doit enterrer les morts qui reste à côté d'eux sur le champ de bataille. C'était le lot des Français : ils restaient maîtres du champ de bataille, par conséquent victorieux.

Victorieux, redira le rapport de Rivière, le maréchal Bazaine l'est incontestablement : « Il peut rejeter les Prussiens à la Moselle, rejoindre l'armée de Châlons, sauver la France... »

Et le roi de Prusse reconnaîtra que les Français, le 16, ont fait reculer ses 7e et 8e corps et que seul « le vieux corps poméranien » a évité une véritable défaite.

Ils se croyaient vainqueurs.

Ce sera pourtant une bataille pour rien.

Au lever du soleil, quand les Français, tout joyeux, se réveillent et se reforment, attendant, l'arme au pied ou la bride du cheval passée au bras droit, le signal de repartir en avant, quand une invraisemblable nouvelle se répand : on se replie vers Metz!

C'est une stupeur totale. Quoi? L'avoir emporté la veille de pareille façon et se retirer en vaincus? Abandonner Gravelotte et les positions maintenues au prix de tels sacrifices? Ladmirault, persuadé que les Allemands décimés ne peuvent plus tenir et qu'avec ses bataillons intacts il va les culbuter, Ladmirault a beau tempêter, Bazaine, le visage fermé, a pris son parti. L'aile droite, de Mars-la-Tour, doit se porter à quatre lieues vers le nord, la gauche, de Gravelotte, à deux lieues vers l'est, et l'on s'établira sur les lignes d'Amanvillers, c'est-à-dire entre le village de Roncourt et le plateau de Longeville. La raison? Pour se ravitailler en vivres et en munitions.

Bazaine n'est guère intervenu la veille en tant que commandant en chef, si ce n'est pour empêcher que l'on pousse à fond. Pendant les douze heures de la tuerie, les régiments se sont battus au petit bonheur, selon l'inspiration de leurs colonels, ceux-ci se hélant les uns les autres sur le terrain, dans le fracas des détonations.

Au lieu d'écouter ses officiers, qui voient l'ennemi jeté dans la Moselle, pourquoi rétrograde-t-il en refusant de prendre sa chance? Il a pourtant, lui aussi, entrevu la victoire, puisqu'à dix heures du soir, en demandant des munitions au gouverneur de la place, Coffinières de Nordeck, il lui parlait d'une « bataille heureuse pour nous ». Le lendemain, à deux reprises, il télégraphie à Paris qu'il a eu le dessus. Quand il invoquera plus tard le manque de cartouches et d'obus, et de vivres, ces arguments ne résisteront guère aux audiences du procès : le 17 au matin, les coffres étaient encore garnis de 80 000 obus et de 16 millions de cartouches, on n'avait consommé depuis le départ de Metz que le quart des munitions d'artillerie et le dixième des munitions d'infanterie. Quant aux vivres, on fit brûler sur place un convoi de 2 063 000 rations. Force est de comprendre — car il n'y a pas d'autre explication — que son arrière-pensée secrète était bien de ne pas se rendre à Châlons, et d'attendre tranquillement à Metz, au milieu de son armée, le moment propice de peser de sa personne sur les déroulements politiques à venir.

Il est juste de rappeler ici que, s'il roule en sa tête d'assez louches desseins, l'homme n'est pas sans vaillance guerrière. On l'a même aperçu en avant de Rezonville, après la charge des cuirassiers de la garde, disposant lui-même une batterie, et, attaqué par les hussards, dégainer et se battre. Reconnaissable de loin à son couvre-nuque blanc, on le voit séparé de son escorte, ferraillant comme un sous-lieutenant avec un officier ennemi. A quelques secondes près, il serait pris, si les chasseurs du 3e bataillon ne se précipitaient au pas gymnastique pour le dégager.

Que fût-il arrivé si Bazaine était tombé aux mains de Frédéric-Charles? Le commandement en chef revenait par droit d'ancienneté à Canrobert. Peut-être, au lieu d'un hésitant, d'un défaitiste et d'un ambitieux, la France aurait-elle eu droit à un soldat loyal et résolu, de tous le plus capable de battre les Allemands, et qui, en tout cas, eût accompli son devoir en allant donner la main à Mac-Mahon... Mais la fatalité voulut que Bazaine échappât.

Et c'est le repli sous Metz.

Il n'avise pas l'empereur qu'il rentre sous Metz, mais au contraire qu'il va tenter de le rejoindre par Briey. Façon de dire évidemment, car, au petit jour, Frédéric-Charles, qui s'attend à des coups très durs, n'en croit pas sa longue-vue, quand il aperçoit Bazaine refluant vers Gravelotte, Verneville, Amanvillers et Saint-Privat. C'est pour lui inespéré. Et comme les Prussiens ont du réflexe militaire, Moltke prescrit d'accompagner le mouvement des Français en se rabattant à droite.

Une opinion — prudente — sur ce qui vient de se passer, celle de Canrobert. Les Français avaient-ils une chance de l'emporter en attaquant le 17? « Pour moi je le crois, répond-il; mais je suis loin d'en être sûr. Nous n'étions pas démoralisés, la garde avait été magnifique; à notre gauche mon corps tenait parfaitement; le corps du maréchal Le Bœuf était reconstitué, c'était celui qui avait le moins souffert; celui du général de Ladmirault avait eu un succès très réel. Je crois qu'il eût été possible de marcher de l'avant, mais je le répète, je suis loin de l'affirmer... Non seulement le soldat n'avait ni pain ni biscuit, mais il n'avait pas d'eau... Tout cela me fait supposer que le mouvement en avant aurait rencontré des retards, des difficultés. Cependant, je crois qu'on aurait pu l'exécuter; mais encore une fois, je ne l'affirme pas. » Ladmirault sera plus catégorique : « Attaquer? Je n'aurais pas hésité à le faire. »

Mais on n'attaque pas, il n'est pas question d'attaquer. Le 17 au soir, 140 000 Français sont en position défensive face à l'ouest, sur une ligne de hauteurs, à huit ou dix kilomètres de Metz. Le 2e corps (Frossard) est à gauche; au centre les 3e (Le Bœuf) et 4e (Ladmirault); le 6e (Canrobert) à droite dans le village de Saint-Privat. La gauche est loin derrière, avec Bazaine, à Plappeville.

Le lendemain 18, à midi, les Allemands ont déployé devant eux les 250 000 hommes des armées Frédéric-Charles et Steinmetz, et leur artillerie prend à partie le 4e corps dans Amanvillers. Sans succès d'abord : elle est vigoureusement contrebattue, et perd même deux canons enlevés par le chasseur Hamoniaux, du 5e, et le lieutenant Palle. Très vite, le combat gagne de proche en proche, mais les assaillants n'entament pas les défenses. Guillaume et Moltke ont été conviés un peu tôt par Steinmetz, à voir tomber la gauche du dispositif français. Les 2e et 3e corps retranchés au nord de Rozerieulles, dans les fermes du Point-du-Jour, de Saint-Hubert et de Moscou, repoussent tout, et l'état-major du roi de Prusse, entraîné vers Gravelotte dans une sorte de panique, pense à retraiter d'urgence par les ponts de la Moselle. Si Bazaine faisait donner ses réserves, s'il faisait donner Bourbaki et la garde...

Mais Bazaine demeure inerte. Dans la matinée, il a indiqué aux chefs de corps ce qu'il attend d'eux : tenir. S'ils subissent une trop forte pression, se retirer en arrière, sur les positions indiquées, et voilà tout. En somme, il a tout prévu, sauf la victoire.

Et toute la journée, dite de Saint-Privat, il s'en tiendra là. Malgré les rapports de ses généraux lui rendant compte des successives attaques dont ils sont l'objet. Et quoique prévenu à midi et demi par le colonel Lewal que l'action s'est étendue sur tout le front. Malgré la canonnade. Malgré le spectacle des blessés qu'on évacue. Malgré ses officiers d'état-major qui crèvent leurs montures pour l'avertir :

« Votre général, leur répond-il à tous, a de très bonnes positions, qu'il les défende... »

Confortablement installé à Plappeville, dans une maison de campagne, au milieu d'un parc, il semble n'éprouver aucun besoin de donner des ordres, laissant les chefs de corps s'arranger à leur guise. On s'aperçoit à la longue que l'habite seulement le souci de n'être pas coupé de Metz. Aussi le voit-on une seule fois monter à cheval, et c'est pour se rendre sur sa gauche, craignant que du ravin de Vaux les Allemands ne visent sa cavalerie massée à Longeau. Mais il n'ira pas plus loin que le mont Saint-Quentin. De là, il s'amuse à pointer lui-même trois pièces de 12 sur l'infanterie prussienne qui se déplace en avant d'Ars, oubliant que le destin de la France se joue, tout près de là, entre Sainte-Marie-aux-Chênes et Amanvillers.

Dix mille hommes sont déjà à terre, écrit Dick de Lonlay, le sol est littéralement jonché de morts et de mourants. A certains endroits, il y a de véritables monceaux de cadavres prussiens en avant de nos positions de Saint-Hubert, de Moscou, de la Folie et Sainte-Marie-aux-Chênes... Le moment est venu de prendre un parti, de se rendre compte, de décider ce que l'on veut, et au milieu de cet écrasement, devant ces villages qui brûlent, ces soldats qui meurent par milliers, le maréchal juge inutile de paraître sur le champ de bataille. Ses soldats le surnommeront : « L'as-tu vu? »

Tous les princes, tous les généraux allemands sont au feu, Bazaine, lui, demeure, obstiné, à côté des 5e et 8e batteries du 13e d'artillerie, se refusant à entendre la canonnade qui se rapproche menaçante, les demandes de secours, les avis enfin, précurseurs de défaite!

Le même auteur accuse Bazaine d'avoir, ce jour-là, joué au billard à Plappeville, tandis que mouraient ses soldats, mais peut-être récusera-t-on sa partialité. Retenons plutôt le mot de Canrobert lui-même, du prudent Canrobert : « M. le maréchal (Bazaine) n'a jamais cru que Saint-Privat fût une bataille. »

Frédéric-Charles connaît son métier.

Pendant qu'il observe les feintes ennemies à son extrême droite, les Allemands, eux, manœuvrent. Quelquefois mal, mais ils manœuvrent. Tous les spécialistes ont apprécié : ce mouvement de Frédéric-Charles, qui dura des heures le 18, pour barrer à Bazaine la route de Briey en remontant vers le nord à moins de 2 500 mètres de notre ligne par le chemin d'Ars, Gravelotte, Vernéville et Sainte-Marie-aux-Chênes, fut effectué au mépris des règles les plus élémentaires de la tactique. Ce déploiement se déroula sous les yeux des Français qui, incroyablement, laissèrent faire. « Les tirailleurs de la droite du 3e corps occupant le bois de Génivaux ont assisté à cette marche depuis midi; le 4e et le 6e corps l'ont vu ouvertement toute la soirée, jusqu'au moment où ils ont été accablés... Les Prussiens attaqués pendant cette marche de flanc, soit à Gravelotte, soit plutôt à Vernéville ou à Habonville eussent été vaincus, à la honte de leur général. » Louis Rossel en tirera ce jugement que les généraux prussiens étaient « assez ordinaires » et capables de fautes graves. Sans doute, mais que dire de leurs adversaires, figés dans la sempiternelle attente des ordres et, parce que Bazaine n'est pas là, incapables de prendre une initiative, pas même celle de tirer un coup de canon sur ces troupes qui se promènent devant eux?

Cette bizarrerie n'a d'égale que celle de l'armistice du 15, demandé par Manteuffel et accordé par Coffinières pour enterrer les morts et recueillir les blessés. Il permit surtout, après Borny, à l'armée Steinmetz de rejoindre au plus vite, malgré les forts de Queuleu et de Saint-Julien, celle de Frédéric-Charles, qui franchissait alors la Moselle à Ars et à Novéant. Il ne fut même pas possible au procès Bazaine d'élucider ce détail : l'armistice fut-il, ou non, prolongé de vingt-quatre heures? Coffinières ne se souviendra plus. On reste confondu devant cette amnésie.

Toujours est-il que les Allemands réussissent le 17 à porter devant les lignes d'Amanvillers 250 000 hommes. « Ces colonnes ennemies, dira placidement Coffinières, tout le monde pouvait les voir. On n'a pas besoin d'observatoire ni de lunettes pour voir une armée de 250 000 à 300 000 hommes qui traversent une vallée. Je n'avais pas besoin de prévenir le maréchal! » Il aurait même pu faire tirer le canon de la place, ou faire sortir les 15 000 hommes de la garnison pour jeter la panique dans les troupes en mouvement!

Mais revenons à Saint-Privat.

La garde royale, aux ordres du prince Auguste de Wurtemberg et les Saxons engagent l'action contre la droite française. Une action par masses épaisses, sans cesse renouvelées, pour submerger Canrobert. Mais les chassepots, bien ajustés, font des ravages. Tirailleurs et grenadiers de la garde prussienne s'écroulent ou se dispersent. On dénombrera entre Sainte-Marie-aux-Chênes et Saint-Privat 6 500 cadavres allemands, dont 240 officiers. Imaginons que Bazaine ne soit pas resté sourd aux appels de Canrobert, qu'il ait envoyé des renforts — il avait sous la main à Plappeville toute la garde impériale et 96 bouches à feu — et sans doute, dans un grand rugissement, l'armée française aurait, sur tout le front, contre-attaqué. Mais Bazaine ne bouge pas. « De même qu'à Forbach il a laissé battre le général Frossard, de même à Saint-Privat il laisse écraser le maréchal Canrobert. »

L'encerclement va donc se poursuivre. De Sainte-Marie-aux-Chênes, 210 canons martèlent Saint-Privat, où les Saxons par le nord, les Prussiens par le sud, finissent par pénétrer au sifflement des fifres. Les derniers défenseurs se battent à la baïonnette au pied de l'église, puis dans le cimetière :

Saint-Privat était en feu, exposera en 1873, devant le conseil de guerre de Trianon, le doyen des maréchaux; cet endroit était le point de mire de toutes les batteries qui convergeaient de la gauche du front et de la droite : l'armée saxonne avait fait son mouvement vers Roncourt, que je n'avais pu fortifier...

A ce moment arrive ce vaillant officier qui a été tué depuis devant Paris et qu'on appelait le général Péchot... Il arrive à Saint-Privat avec le 9ᵉ bataillon de chasseurs, le 4ᵉ et le 10ᵉ de ligne. Ils se précipitent pour arrêter l'ennemi; mais comme l'ennemi envoyait des masses de fer et ne venait pas lui-même, que c'étaient des obus qui arrivaient, ils ne purent tenir.

[...] Nous effectuâmes notre retraite par échelons au centre, et nous gagnâmes en bon ordre — je souligne le mot — les hauteurs qui se trouvent du côté du bois de Saulny, où une batterie de mon corps d'armée commença un feu soutenu en s'alimentant de ce qui nous restait, c'est-à-dire quatre ou cinq coups par pièce...

Je montais tout doucement en m'arrêtant toutes les dix minutes : j'espérais toujours recevoir des renforts. Enfin voyant que je ne recevais rien, j'envoyai un officier de mon état-major rendre compte à M. le maréchal commandant en chef de l'obligation où j'avais été de battre en retraite.

Quiconque a la moindre expérience personnelle d'une guerre ne peut lire qu'avec scepticisme les récits officiels de combats. L'histoire, après coup, peigne, lustre et remet en logique et en chronologie, quand ils n'ont été qu'enchevêtrements aveugles, coups de boutoir désordonnés et réflexes de peur, la plupart des participants ne sachant bientôt plus où ils sont, ni où en sont les choses. Il est pourtant indéniable que Sainte-Marie-aux-Chênes a été appelé par Guillaume le « champ de deuil de la garde royale prussienne », que les Allemands, de leur propre témoignage, furent « cruellement éprouvés », que le prince Frédéric-Charles, tard dans la nuit, ne se croyait pas encore vainqueur et que Moltke se disposait à subir le 19 un nouveau choc, après avoir laissé sur le terrain plus de monde : 20 159 tués (dont le général Craushaar) et blessés (dont les généraux Pape, Medem, Blumenthal), que les Français : 11 275 tués et blessés (dont les généraux de Goldberg, Henry, Véron de Bellecourt, Colin, Pradier, Plombin).

Le prince de Wurtemberg, qui commande la garde prussienne, se souviendra des tirs et des charges du 93ᵉ et du 94ᵉ de ligne, comme du 9ᵉ bataillon de chasseurs. Et ce, bien que l'écouvillon et le fouloir soient lourds à manier par les artilleurs français dotés de pièces démodées, qui font pourtant des massacres dans le bois de la Cusse.

Devant les Allemands la route est ouverte.

Il fait nuit noire. Le roi de Prusse, qui s'est retiré derrière un mur de jardin, entre Gravelotte et Rezonville, et qu'ont rejoint Frédéric-Charles, le duc de Weimar, le grand-duc de Mecklembourg, Roon et Bismarck, attend les dépêches à la lueur d'une filature incendiée. Soudain arrive, en sueur, Moltke :

« Sire, nous avons remporté la victoire, l'ennemi est rejeté hors de toutes ses positions! »

La lutte, à vrai dire, se prolongera encore jusqu'à près de minuit sur le plateau du Point-du-Jour. Mais les Allemands ont gagné. Bourbaki a bien reçu, vers six heures, l'ordre de faire marcher la garde, qui s'avance au plus vite sur la route de Saulny, mais beaucoup trop tard. Elle a, toute la journée, attendu derrière ses faisceaux, à Chatel-Saint-Germain et au col de Lessy, sa cavalerie en haut de Plappeville, son artillerie à Saint-Quentin. En fin de matinée, Bourbaki n'a reçu que l' « autorisation » de se mettre en mouvement quand il le jugerait convenable. C'est lui laisser, allégrement, toutes les responsabilités, et Bazaine, au début de l'après-midi, désapprouvera toute initiative offensive en déclarant, très détaché :

« Les Allemands ont voulu nous tâter, mais la journée est finie. »

Si tôt? Ce n'est pas l'avis de Bourbaki. Il met en route sur Amanvillers ses zouaves, ses grenadiers et ses guides avec l'artillerie divisionnaire. Mais il est trop lent malgré les appels de Ladmirault, dont les troupes sont à bout de forces. Quand il se décide, les Prussiens ont déjà débordé la droite française, et Canrobert plie devant le nombre.

« Comment? s'étonne Bourbaki : on m'appelle et on bat en retraite? »

La garde livrera — brillamment — des combats retardateurs, et retournera à ses tentes-abris de Plappeville.

Au Ban-Saint-Martin.

Bazaine, lui, va transférer son quartier général dans la villa Moralis, au Ban-Saint-Martin, et regrouper, comme prévu, tous ses régiments à l'ouest de Metz, serrés les uns contre les autres, entre les forts de Plappeville et Saint-Quentin, et l'enceinte de la ville. Deux jours plus tard, le 3ᵉ corps sera porté sur la rive droite de la Moselle.

Tout espoir est perdu, pour son armée, de regagner l'intérieur de la France par Briey, Montmédy, Stenay. Les Prussiens vont pouvoir, à leur aise, refermer autour de notre armée immobilisée un cercle de 250 000 hommes, avec 700 pièces d'artillerie.

Dans la journée du 19, la partie est jouée. Le courrier de Briey revient sans avoir pu atteindre sa destination. Le dernier fil électrique qui relie Metz à la route des Ardennes est coupé. Voilà 170 000 hommes bloqués autour de Metz.

Et dans les régiments, escadrons et bataillons, la rancœur éclate : l'ennemi a été repoussé et on recule : pourquoi? Et la garde? Pourquoi la garde n'est-elle intervenue qu'une fois tout perdu? Comment a-t-on pu, alors que la garde était là, se laisser tourner à droite? Pourquoi n'a-t-on pas contre-attaqué dans les bois de la Cusse et des Génivaux? Et Bazaine? Où était-il, Bazaine, toute cette journée?

Les batailles de Rezonville et de Saint-Privat s'inscriront, à l'époque, parmi les plus meurtrières de tous les temps, comparables à Eylau, la Moskowa, Leipzig, Waterloo.

Bazaine seul responsable? Bazaine coupable? Quand on relit les mémoires, les historiques et les débats du procès, il est difficile de ne pas se demander si Bazaine, par les autres généraux, n'a pas été commodément chargé de tous les péchés en question. La plupart reconnaîtront qu'il s'est rendu coupable d'une indicible apathie, si ce n'est d'une totale incapacité. L'âge bien sûr, et aussi, comme il en vient si souvent aux militaires de tous pays, des rêves de rattrapage politique qui se préciseront par la suite. Mais les « autres » devront aussi l'admettre : en 1870, c'est toute la doctrine de l'armée impériale qui était surannée, elle ne tenait pas compte des modifications apportées dans l'art militaire par les fusils à tir rapide et les canons prussiens chargés par la culasse, les états-majors français s'étaient endormis, ils étaient (déjà) en retard d'une guerre.

Les Allemands bien que 250 000 contre 120 000 dans la journée de Saint-Privat, se risquèrent le moins possible à pousser (comme les Français) l'infanterie en avant, avant de faire donner l'artillerie. Ils savaient s'employer, d'abord, à démonter les batteries adverses avant d'écraser les lignes sous les obus à fusées percutantes mêlés de shrapnels. Après seulement, entraient en scène, massives, les colonnes à pied.

Faut-il du reste parler, du côté français, de stratégie et de tactique? Les historiens allemands, travaillant après coup, ont prêté à nos grands chefs les intentions et les préméditations les plus flatteuses mais dont on ne retrouve dans les faits que de très vagues confirmations. La vérité cruelle, c'est qu'ils ont laissé à l'ennemi à peu près toutes les initiatives, se satisfaisant de « sauver l'honneur ».

Moltke ne se donnera pas même la peine d'immobiliser autour de Metz tout l'effectif des armées Steinmetz et Frédéric-Charles. Il se contentera, pour assurer le blocus, de sept corps d'armée, 200 000 hommes campés sur les hauteurs avoisinantes.

Les autres, les meilleurs, garde royale, 4e et 12e, seront confiés à l'héritier de Saxe pour rejoindre l'héritier de Prusse en marche *nach Paris.*

6

Sedan : l'empereur prisonnier

Napoléon III, parvenu le 16 au soir à Châlons, a été rejoint par Mac-Mahon avec le 1er corps, puis par Failly avec le 5e. On a seulement négligé, dans les Vosges, de détruire les tunnels et les voies ferrées : voilà qui facilitera grandement la marche-poursuite du prince royal de Prusse, ce dont s'indignent les Alsaciens et les Lorrains. N'avaient-ils pas cru, les uns et les autres, à la puissance invincible de l'Empire? Maintenant, ce qu'on appelle le 1er et le 5e corps, ce sont plutôt des bandes lamentables et farouches, démoralisées et inquiétantes.

Dans les baraquements sordides se regroupent — si l'on peut dire — des vétérans utilisables une fois nourris et rééquipés, mais aussi ces mobiles de la Seine sur lesquels J.-K. Huysmans dans les *Soirées de Médan* nous a laissé un édifiant reportage, *Sac au dos*. Ce sont ces mobiles qui, manquant de tout, ont conspué Canrobert. Ils conspuent pareillement l'empereur, et ils ne sont pas les seuls. Ouvrons tout de suite une parenthèse pour noter que les mêmes mobiles, plus tard repris en main, se comporteront fort bien au Bourget et ailleurs.

Le 17, l'empereur tient conseil dans son pavillon. Présents : le prince Napoléon dit « Plon-Plon », l'encombrant cousin, fils de Jérôme et frère de Mathilde, bref « Plon-Plon », l'ennemi d'Eugénie, mais où et à quoi pourrait-il servir? Avec Mac-Mahon, Trochu, chargé par Palikao de mettre sur pied un 12e corps, et Schmitz, chef d'état-major de Trochu. La grande question, tout de suite : que faire de l'empereur?

Celui-ci a remis le commandement en chef à Bazaine. Il n'y a plus de place pour lui à l'armée. Que ne rentre-t-il à Paris?

« Vous ne commandez plus, vous ne gouvernez plus, lui fait observer cruellement son cousin. Que faites-vous ici? N'êtes-vous plus que le correspondant du *Times?* »

Ils tombent à peu près d'accord pour le retour du souverain aux Tuileries. D'autant plus, suppute « Plon-Plon », que du même coup l'impératrice devra abandonner la régence, ce qui lui ouvrira, à lui, une chance de l'exercer dans la suite. Mais comment préparer ce retour? Une idée : Trochu. Pourquoi ne pas nommer Trochu gouverneur de Paris?

Trochu? L'empereur ne l'aime pas. Il a des raisons de le croire orléaniste. Honnête et patriote, sans aucun doute. Catholique et Breton. Un général qui, en plus, exceptionnellement, a des idées. Peut-être trop. Remuant, et se gargarisant trop volontiers d'emphase. Et susceptible, et difficile coucheur. Un des moins mauvais tout compte fait. L'impératrice, aussi, le déteste. Raison de mieux pour que « Plon-Plon » le soutienne.

L'empereur, de plus en plus bas, cède, et signe. Il signe un décret donnant à Mac-Mahon le commandement de tous les corps réunis à Châlons sous l'autorité (lointaine) de Bazaine. Il en signe un autre nommant Trochu gouverneur militaire de la capitale. Il est entendu que dans l'immédiat, Mac-Mahon ramènera les troupes vers Paris pour le couvrir contre le prince royal et, en même temps, y maintenir l'ordre.

Voilà Trochu dans le train avec les décrets en poche. Un officier de confiance l'a précédé, le capitaine de vaisseau Duperré, pour informer Eugénie. C'est alors qu'arrive à Châlons la nouvelle de Gravelotte et du repli de Bazaine sur Metz. Puis quelques heures après par le fil, avec une protestation de Palikao, un message affolé des Tuileries : « Ne pensez pas à revenir ici si vous ne voulez déchaîner une épouvantable révolution... On dirait ici que vous quittez l'armée parce que vous fuyez le danger. »

L'empereur est désemparé : « On me chasse, déclare-t-il en larmes à son cousin, on ne veut pas de moi à l'armée, on ne veut pas de moi à Paris. » C'est assez bien résumer la situation.

A Paris, le 18 août, rien ne va. Trochu est aussi mal reçu par Eugénie que par Palikao.

Rouge de colère, la régente ne regarde pas même ses décrets, et lui coupe la parole :

« L'empereur ne doit pas rentrer, il ne rentrera pas... Il ne rentre-

rait pas vivant... Ceux qui lui ont donné ce conseil sont ses ennemis. »

Trochu se demande s'il ne doit pas saluer, et faire demi-tour.
Il faut qu'intervienne ici l'amiral de La Gravière, un ami à lui,
pour qu'il puisse se faire entendre. La main sur le cœur, il proteste
de son dévouement, parvient à glisser dans les doigts de l'impératrice un projet de proclamation. Elle finit par l'accepter comme
gouverneur de Paris, mais elle biffe, rageusement, l'annonce du
retour de l'empereur. C'est exclu. Ce serait la guerre civile, la fin
de la dynastie. L'empereur ne peut reparaître que sur une victoire.
Il faut, coûte que coûte, en remporter une. Ce n'est du reste pas
impossible, avec Bazaine et Mac-Mahon. Alors elle, la régente,
traitera avec honneur, et assurera le trône du petit prince... Un
flot de paroles.

Quant à Palikao, il accepte, à la rigueur, Trochu comme gouverneur, mais ne veut absolument pas entendre parler du mouvement
de l'armée de Châlons sur Paris. C'est sur Metz, avec l'empereur,
que le devoir est de marcher, pour rejoindre Bazaine.

La dépêche s'égare dans les services.

Bazaine? Bazaine, de Metz, répond de plus en plus mal.

Il est quand même assez remarquable, notera-t-on honnêtement,
qu'en quelques jours le ministère de la Guerre, sous l'impulsion
de Palikao, ait réussi à rassembler à Châlons une nouvelle armée
Mac-Mahon, forte de 140 000 hommes. Elle comprend quatre corps :
1er (Ducrot), 5e (Failly), 7e (Félix Douay), 12e (Lebrun), 6 divisions
de cavalerie, 486 pièces d'artillerie, dont 84 mitrailleuses. Oh! ce
n'est certes pas une armée de premier ordre, comparable à celle
de Bazaine. On a ramassé en toute hâte, et équipé comme on a pu,
des réservistes et des bataillons de dépôts, récupéré des éclopés et
des isolés, effectifs disparates, mal instruits, d'une discipline incer-
taine.

Les amener sous Paris ou les faire partir vers l'est? Débat dramatique. Il n'est pas encore clos. Mac-Mahon n'est pas du tout
chaud pour s'aventurer à la rencontre de Bazaine, évidemment
bloqué. Rouher, redevenu le conseiller intime de la régente, fait la
mouche du coche, émet des avis, puis d'autres avis, Palikao perd

patience et télégraphie à Napoléon que « ne pas secourir Bazaine aurait à Paris les plus redoutables conséquences ». Sur quoi, un fait nouveau qui fait basculer la décision. C'est le message de Bazaine daté du 19 août, au sortir de la nuit de Saint-Privat, un message à l'empereur :

L'armée s'est battue, hier, toute la journée, sur les positions de Saint-Privat-la-Montagne à Rozerieulles, et les a conservées. Les 4e et 6e corps ont fait, vers neuf heures du soir, un changement de front, l'aile droite en arrière, pour parer à un mouvement par la droite que des masses ennemies tentaient d'opérer à l'aide de l'obscurité. Ce matin, j'ai fait descendre de leurs positions les 2e et 3e corps et l'armée est de nouveau groupée sur la rive gauche de la Moselle, de Longeville au Sansonnet, formant une ligne courbe, passant derrière les forts de Saint-Quentin et de Plappeville.
Les troupes sont fatiguées de ces combats incessants, qui ne leur permettent pas les soins matériels, et il est indispensable de les laisser reposer deux ou trois jours. Le roi de Prusse était ce matin à Rezonville avec M. de Moltke, et tout indique que l'armée prussienne va tâter la place de Metz. Je compte toujours prendre la direction du nord et me rabattre ensuite par Montmédy sur la route de Sainte-Menehould à Châlons, si elle n'est pas fortement occupée; dans le cas contraire, je continuerai sur Sedan, et même Mézières pour gagner Châlons.

Quant à cette dépêche, Mac-Mahon a été formel : il l'a effectivement reçue, apportée par Piétri, secrétaire particulier de l'empereur, le 22 août, à dix heures et demie du matin, au château de Courcelles, près de Reims :
« Au moment où cette dépêche m'a été remise, a-t-il non moins formellement précisé, je venais de donner l'ordre de marcher dans la direction de Paris; j'ai donné immédiatement l'ordre de marcher dans la direction de Montmédy. »
Seulement, une autre dépêche suivait, celle-ci datée du 20 août, et ainsi rédigée :

Au maréchal de Mac-Mahon. J'ai dû prendre position près de Metz, pour donner du repos à mes soldats et les ravitailler en vivres et en munitions. L'ennemi grossit toujours autour de moi et je suivrai très probablement pour vous rejoindre la ligne des places du nord, et vous préviendrai de ma marche, si je puis toutefois l'entreprendre sans compromettre l'armée.

Cette seconde dépêche est-elle parvenue à Mac-Mahon? Celui-ci questionné pendant le procès par l'intermédiaire du président du tribunal civil de Versailles s'est montré moins catégorique : « Je ne me rappelle pas avoir reçu cette dépêche, et il me semble impossible qu'elle m'ait échappé, puisqu'elle m'aurait permis d'arrêter le mouvement vers l'est, si les circonstances m'avaient paru l'exiger. »

Il est seulement permis de supposer que Mac-Mahon n'a pas reçu cette dépêche : elle lui aurait donné à réfléchir, d'autant plus qu'il ne demandait précisément qu'à réfléchir. Mais alors que s'est-il passé? A-t-elle été égarée, détournée, soustraite? Le rapport du général de Rivière met directement en cause le service de renseignements du maréchal, aux ordres du colonel Stoffel : « Le colonel a-t-il agi sous l'influence du ministre de la Guerre, de l'empereur, de la cour? On ne sait, mais l'instruction a suivi pas à pas la dépêche depuis Metz jusqu'au colonel Stoffel; à partir de ce moment il est impossible de la retrouver, le maréchal de Mac-Mahon n'a rien reçu. »

Le procès ne tirera pas la chose au clair. Du moins mettra-t-il en lumière crue l'indescriptible désordre des bureaux de l'État-Major, tant auprès de Mac-Mahon qu'auprès de Bazaine. Les officiers sont au café, les courageux volontaires acceptant de traverser les lignes sont oubliés dans les couloirs, les télégraphistes ne prennent pas note des dépêches transmises, personne ne se souvient plus de rien, ceux qui se souviennent se trompent sur les dates, parfois de plusieurs jours... Quel contraste entre le patriotisme de ces gardes forestiers, de ces douaniers, de ces petites gens qui s'offraient au risque de leur vie, à porter les messages, et la légèreté et le désordre des bureaux de l'État-Major! Et comme on comprend que le premier mouvement du gouvernement, après la guerre, ait été de supprimer ce pitoyable corps!

Le 21, au secours de Bazaine, l'armée de Châlons prenait la route du nord-est, direction Montmédy.

« Vous avez un maréchal bloqué, bientôt vous en aurez deux! » C'est Thiers qui a formulé ce terrible avertissement.

Une information du journal « Le Temps ».

Mac-Mahon, de toute façon, s'il ne peut recevoir d'ordres de Bazaine, en a reçu de son ministre Palikao : marcher vers la Lorraine,

y battre le prince de Saxe, puis, réuni à Bazaine, reprendre l'offensive et accabler le prince royal, en Champagne. Malgré toutes ses
réticences, il obéit, d'autant plus que Châlons est indéfendable.

Il pensait devancer les Allemands sur la Meuse, arriver en cinq
étapes à Montmédy — Montmédy qu'a désigné Bazaine. Mais il
commence par perdre du temps près de Reims, à attendre d'autres
ordres et à écouter Rouher. Il ne reprend son mouvement que le 23.
Avec, dans ses bagages, l'empereur, ses valets et ses vaisselles,
encore plus désemparé, encore plus négligeable, somnolent à longueur de journée sous l'effet de ses remèdes opiacés, ne sortant de
sa torpeur que pour parler de mourir. Eugénie a voulu que son fils
restât avec lui : quand l'armée entière entrera dans les Ardennes,
il aura la présence d'esprit de le faire conduire par Duperré à Avesnes,
près de la frontière belge.

L'armée, alourdie par ses équipages, ses chariots, ne se déplace
qu'avec lenteur. Le 26, elle est encore à Vouziers. Mac-Mahon ne
sait d'ailleurs pas où sont au juste les deux princes.

Eux savent où lui se trouve.

Frédéric-Guillaume avec la IIIe armée allemande avait poussé
ses avant-gardes vers Vitry en attendant le prince de Saxe et la
IVe, venue de Verdun, pour marcher ensemble sur Châlons et Paris.
Quand le 25 au soir un numéro du *Temps* lui fut remis, daté du
24 et annonçant sans ambages : Mac-Mahon a pris la direction de
Metz, les deux maréchaux sont à la veille de se rejoindre « et déjà
ils communiquent au moyen d'estafettes ». Confirmation en est
donnée dans *La Epoca* de Madrid.

C'est une « fuite » du ministère de la Guerre, qui commence à se
faire une solide réputation de maison où tout se sait et se clabaude!

Mac-Mahon monte vers la Meuse? Alors, pour Moltke, voilà qui
change tout. Il est nourri de l'enseignement de Clausewitz : avant
tout, détruire les forces adverses. Il retourne ses plans, fait opérer
aux IIIe et IVe armées un brusque mouvement de conversion à
droite, à marches forcées.

Dès le surlendemain, ses escadrons de reconnaissance atteignent
le flanc des colonnes françaises, mal protégées, il va sans dire. C'est
la cavalerie allemande qui a été formée à son rôle de découverte
et de couverture. A la nôtre on a surtout enseigné à charger, et
ses charges héroïques mais ineptes, tourneront assez régulièrement
au carnage. Comme jadis à Crécy, Poitiers et Azincourt.

Le 29, la pression des Allemands s'est fait sentir dès Buzancy; ils sont à Stenay sur la Meuse et Mac-Mahon a pris sur lui de changer de direction. Non plus Montmédy, mais, afin d'échapper à la poussée venant du sud, traverser la Meuse à Mouzon et à Remilly, pour se rabattre ensuite (si possible) sur la route de Briey.

En fait, il se voit plus que « mal parti » et menacé d'être coupé de Paris si, comme il le soupçonne, Bazaine est bel et bien bloqué. La sagesse lui eût plutôt conseillé de refuser le combat, de se rapprocher de Mézières, et de retourner vers l'ouest. Lucide en la circonstance, à l'étape du Chesne-Populeux, l'empereur émet son avis : c'est la seule solution qui vaille, pour sauver l'armée. Mais une injonction lui arrive de Palikao, soutenu par Eugénie : « Si vous abandonnez Bazaine, la révolution est dans Paris... Du Conseil des ministres et du Conseil privé, je vous demande de porter secours à Bazaine en profitant des trente heures d'avance que vous avez sur le prince royal de Prusse. »

Trente heures, voilà beaucoup d'optimisme... Le prince de Saxe est déjà sur Failly.

Failly, paraît-il, n'a pas été avisé que l'on passait par Mouzon. Est-il vrai qu'un officier d'état-major porteur des ordres à lui destinés a été intercepté? Le certain, c'est qu'une de ces divisions (Guyot de Lespart) vient buter à Nouart contre une brigade saxonne, qu'elle refoule, du reste, victorieusement, ce qui permet à tout le 5e corps, au reçu d'un second émissaire, de rectifier sa route vers le nord, *via* Beaumont-en-Argonne.

Il arrive dans la localité le 29 à la nuit pour y bivouaquer. Au mépris de toutes les règles de sécurité, on plante les tentes n'importe où, sans avoir exploré les environs. Le lendemain, en plein midi, les soldats flânent, déséquipés, quand le 14e corps d'Alvensleben, qui s'est approché sous le couvert des bois, les canonne et les mitraille, enlève Beaumont, les repousse sur les hauteurs au sud de Mouzon où ils se cramponnent, avant d'être rejetés sur la rive droite de la Meuse. En vain, les 5e et 6e cuirassiers, détachés pour protéger le front, ont-ils chargé : une fois de plus les cavaliers se sont brisés sur une infanterie résolue, qui les a abattus avant d'être atteinte. Va-t-on vraiment continuer à ordonner ces ruées sabre au clair qui « inscrivent dans l'histoire des pages glorieuses » mais que l'armement moderne a depuis longtemps rendues dérisoires?

La bataille de Beaumont — 4 800 Français hors de combat,

3 529 Allemands — préface sanglante du drame de Sedan. Et nouvelle démonstration, s'il en était besoin, de l'immense incurie de trop de nos généraux. Failly avait été prévenu à temps de l'attaque imminente, par la vaillante directrice d'un orphelinat, Mme Bellavoine. Avec la suffisance des militaires du temps, il avait haussé les épaules, sans prendre aucune précaution!

Moltke prend Mac-Mahon de vitesse.

Mac-Mahon se résout à chercher sa route en aval, à Sedan, et le 31 dans la journée, toute son armée, plus ou moins débandée, sans ravitaillement, s'établit, ou plutôt se couche en arc de cercle : au sud de la ville, entre Bazeilles et Balan, le 12e corps (Lebrun) à sa gauche, dominant Daigny et Givonne le 1er (Ducrot), au nord, sur le plateau de l'Algérie, le 7e (Douay), avec la cavalerie de réserve; enfin tout près des remparts, dans l'enceinte fortifiée du Vieux-Camp, le 5e (Failly).

L'intention de Mac-Mahon semble avoir été de rallier ses troupes, qui en ont grand besoin, et de se retirer très vite sur Mézières, où les convois de l'intendance ont été dirigés.

Moltke, de son quartier général de Buzancy, agira plus vite que lui. Le 31 au soir, les Bavarois auront occupé, malgré les ripostes du 12e corps, le chemin de fer de Bazeilles, et les Prussiens le pont de Donchery. Ils tiennent ainsi les débouchés de la Meuse et peuvent faire filer leurs troupes sur la rive droite. Mac-Mahon n'a pensé ni à faire sauter les ponts, ni à occuper les hauteurs commandant la boucle d'Iges, s'il projette de se replier là. Les Français passeront la nuit suivante sans feu ni pain. Le filet se resserre autour d'eux. Ultime liaison avec l'extérieur : l'arrivée du général de Wimpffen, envoyé par Palikao pour remplacer Failly. On ne sait pas que Wimpffen apporte en outre, dans son portefeuille, une lettre de service le désignant pour prendre le commandement en chef, en cas de défaillance du maréchal.

Le jour du 1er septembre se lève dans un épais brouillard. Dans ce gigantesque entonnoir, les Français sont 120 000 avec 419 canons, assiégés par les Allemands, 250 000 avec 813.

Les « dernières cartouches ».

Le premier assaut est donné par les Bavarois de von der Tann sur le gros village de Bazeilles. L'infanterie de marine de la division de Vassoigne, qui le tient, ne s'est pas laissé prendre à l'improviste, et riposte par un feu meurtrier. Les obus font flamber des maisons, les autres sont incendiées à la torche. Des habitants accusés d'avoir tiré sont massacrés dans les rues — 43 dira la liste officielle dressée par le maire. La résistance rend furieux les Allemands, qui envoient les Prussiens à la rescousse. Finalement, les défenseurs se retirent sur Balan, à l'exception d'une poignée d'hommes barricadés dans la maison Bourgerie. Autour du commandant Lambert, des capitaines Ortus et Lambert, ces braves, à l'abri des matelas dont ils ont bouché les fenêtres, déciment les assaillants jusqu'à l'épuisement de leurs munitions. C'est l'épisode des *Dernières Cartouches* illustré par Alphonse de Neuville.

Le dernier coup tiré, le commandant Lambert ouvre la porte. Il serait renversé par vingt baïonnettes si un capitaine bavarois ne le couvrait de son corps. Le soir, le prince royal fera rendre aux officiers leurs armes. Le jeune sous-lieutenant Joseph Gallieni, qui s'est battu au sabre, pourra écrire à sa famille : « Nous, nous marchons le front haut, nous ne sommes pas de la capitulation de Sedan. »

Cependant, le roi Guillaume observe la bataille des bois de la Marfée, au sud de Frénois; Mac-Mahon galope de Bazeilles à la Moncelle, s'arrête sur un tertre avec sa lunette, quand un obus brise la jambe de son cheval et l'atteint lui-même à la hanche. On le transporte évanoui à Sedan. Il est sept heures et demie.

Peu après, l'empereur viendra, physiquement et moralement accablé, s'informer de la gravité de la blessure du maréchal, que soigne son chirurgien, Auger. Déjà un officier d'État-Major est allé prévenir Ducrot : c'est à lui, comme le plus ancien, que revient le commandement en chef.

Ducrot n'est pas seulement le plus ancien. Il est aussi le meilleur, celui qui pourrait tirer l'armée de cette nasse. Il a toujours préconisé le repli sur Mézières. Il l'ordonne sans tarder, par la Falizette et Vrigne-aux-Bois. A condition de faire vite.

Or voici que surgit Wimpffen, qui exhibe sa lettre de service signée Palikao. Elle est formelle, Ducrot n'a plus qu'à s'effacer. Et Wimpffen, voyant tout autrement la situation, décommande la retraite annon-

cée vers la route de Mézières, ramenant les 1er et 12e corps sur
Givonne et Balan. Il croit pouvoir se dégager au sud et gagner
Carignan.

« Que Votre Majesté ne s'inquiète pas, dit-il à l'empereur qu'il
rencontre, errant : dans deux heures, j'aurai jeté l'ennemi dans la
Meuse. »

Énergique, mais présomptueux.

En réalité, après la prise de Bazeilles, le gros de la bataille se livre
au nord-est de Sedan. Les Prussiens ont atteint Saint-Menges,
puis Fleigneux et Illy. La garde royale s'empare de la vallée de la
Givonne. L'étau s'est refermé et 545 pièces pilonnent les Français.
Il faut, ou percer vers Mézières, ou capituler. La cavalerie?

Margueritte, puis Galliffet chargent.

Bien entendu, la cavalerie. Elle a déjà fait une tentative à onze
heures contre les têtes de colonnes allemandes à Fleigneux. Bien que
promu général depuis la veille, Galliffet a tenu à rester à la tête du
3e chasseurs d'Afrique pour « ouvrir la brèche ». Ils ont haché l'infanterie, mais l'infanterie s'est reformée. A deux heures, c'est Ducrot,
sur le plateau d'Illy, qui fait appel à la division Margueritte et lui
désigne Floing :

« Je vous demande de charger. Balayez d'abord tout ce qui est là
devant vous. Après, vous vous rabattrez à droite et vous chercherez
à les prendre en flanc. »

Margueritte salue et s'en va reconnaître le terrain. Au même instant, il est horriblement blessé d'une balle qui lui fracture la mâchoire
et lui coupe la langue. Il mourra quelques jours après en Belgique.
C'est à nouveau Galliffet qui s'avance, fait sonner les trompettes :
« Sabre main, au galop, marche! »

Cinq régiments bondissent, multicolores, 1er, puis 3e et 4e chasseurs d'Afrique, 1er hussards, 6e chasseurs à cheval. Ils enfoncent
les premières lignes prussiennes, puis — comme toujours — se dis-
loquent sous des rafales de balles et sur des murs de baïonnettes. Des
pelotons entiers culbutent les uns sur les autres. Des cuirassiers et
des lanciers accourent pour fondre, eux aussi, sur Floing et sur
Cazal et s'y faire presque tous tuer. Les Allemands ne cessent de

recevoir des renforts pour reformer leurs rangs, tandis que les cavaliers reviennent se rétablir en arrière.

« Encore un effort, mon petit Galliffet, crie Ducrot : au moins pour l'honneur des armes!

— Tant que vous voudrez, tant qu'il en restera un. »

Et Galliffet repart, avec tout ce qui reste à cheval. En vain, les Allemands sont trop.

De la Marfée, le vieux roi Guillaume s'est tourné vers Moltke et Bismarck et admire :

« Les braves gens! »

Mais c'est fini pour les Français.

Ils ont eu 3 000 tués, dont 5 généraux, Margueritte, Guyot de Lespart, Girard, Tillard, Liédot, 14 000 blessés. Les Allemands n'ont perdu qu'un général, von Gersdorff, mais 8 459 hommes, dont 465 officiers.

Le drapeau blanc sur la citadelle.

On peut dire qu'au cours de ces heures, Napoléon III n'a cessé de s'exposer, comme s'il cherchait la mort. Ses soldats l'ont vu trotter sous les obus, visiter les « marsouins » à Bazeilles et à Balan. Ils l'ont vu dans le fond de Givonne, au bois de la Garenne, s'avancer dans Sedan sur le pont visé par les batteries de la Marfée...

Où en est-il? Pour lui, brusquement, il renonce. De sa propre autorité, il fait hisser le drapeau blanc sur la citadelle, geste très mal apprécié par ses officiers : le général Faure, chef d'État-Major, donnera l'ordre d'abattre cet aveu de défaite.

Wimpffen, qui ne passera surtout pas pour un lâche, parle toujours d'ouvrir un passage, si l'empereur veut bien se placer au milieu de ses troupes. Ducrot propose d'attendre la nuit et de hasarder une sortie. L'empereur répond, las et découragé, qu'il faut cesser le feu.

« Mettez-vous là, général, dit-il à Ducrot, et écrivez : « *Le drapeau parlementaire ayant été arboré, des pourparlers vont être ouverts avec l'ennemi : le feu doit cesser sur toute la ligne.* » Maintenant signez. »

Ducrot refuse. Wimpffen et Faure refusent. Et sans qu'on puisse l'arrêter, Wimpffen rameute 4 000 hommes du 12e corps, marsouins, zouaves, lignards, se met à leur tête, et follement, s'élance sur Balan. Il en éjecte les Bavarois mais ne peut en déboucher. Lebrun lui amène quelques renforts, trop peu. Les obus les refoulent dans Sedan.

La ville, à cette heure, a pris un aspect sinistre. Ses rues, encombrées de blessés sanglants, sont parcourues par des soldats noirs de poudre, affamés, hagards, qui commencent à lâcher leurs armes pour crier à la trahison. Le bombardement, dans cette cohue, se fait de plus en plus meurtrier. Et personne ne veut toujours signer le cessez-le-feu.

A quatre heures, deux officiers prussiens viennent sommer la place de se rendre. Alors Napoléon les prie de conduire auprès de leur roi le général Reille porteur de cette lettre :

Monsieur mon frère,
N'ayant pu mourir à la tête de mes troupes, il ne me reste qu'à remettre mon épée entre les mains de Votre Majesté.
Je suis, de Votre Majesté, le bon frère.
NAPOLÉON.

Thiers avait dit que nous aurions, au lieu d'un, deux maréchaux bloqués.

Sedan, ce sera aussi un empereur prisonnier.

7

La République du 4 septembre

Les Allemands n'avaient nullement supposé que l'empereur pût se trouver dans Sedan, et grande est leur stupéfaction quand arrive à Frénois le général Reille, accompagné du capitaine d'état-major von Winterfeld et d'un trompette de uhlans.

Le roi de Prusse, descendu du bois de la Marfée, a appelé autour de lui Frédéric-Charles, Frédéric-Guillaume, le prince Luitpold de Bavière, le grand-duc de Saxe-Cobourg, les héritiers de Mecklembourg-Schwerin et de Mecklembourg-Strelitz, le prince de Wurtemberg, le duc Frédéric de Schleswig-Holstein-Augustenbourg, le grand-duc de Saxe-Weimar, et parmi ces Altesses, Bismarck, Roon, Moltke.

Reille, tête nue, présente le message impérial. On installe pour Guillaume une sorte de tréteau, on cherche de l'encre et une plume. Voici enfin « de quoi écrire ». Le roi dicte au conseiller de légation Hatzfeldt quelques lignes qu'il recopie de sa main. Brève réponse. Il regrette les circonstances, accepte l'épée de « monsieur son frère », le prie de nommer un officier muni de pleins pouvoirs pour « traiter les conditions de la capitulation de l'armée qui s'est si bravement battue ». Il désigne, lui, le général de Moltke.

Du côté français, qui négociera? S'ensuit entre généraux une scène sans grandeur, où Wimpffen accuse les autres d'avoir désobéi, et où Ducrot rejette sur Wimpffen la responsabilité et la honte de la capitulation. C'est finalement l'empereur qui impose Wimpffen. Le soir même, celui-ci se rendra avec Castelnau à Donchery où l'attend Moltke, assisté de Bismarck.

Grand, sec, émacié, regard de plomb et bouche sans lèvres, le comte de Moltke a soixante-dix ans. Ancien officier danois passé au service du Hohenzollern, il a méticuleusement monté cette formidable machine de guerre qu'est devenue l'armée prussienne. Hors de son métier, il se pose peu de problèmes et n'a pas hésité une seconde, lors de la guerre des Duchés, à faire tirer sur ses anciens compagnons d'armes.

Après quelques brefs compliments pour la belle conduite des soldats français, une question directe :

« L'épée que vous nous remettez, est-ce celle de la France ou celle de l'empereur?

— Celle de l'empereur, précise Castelnau assez déconcerté : mon maître, dans les circonstances actuelles, ne se croit pas autorisé à disposer du sort de la France.

— S'il en est ainsi, c'est la reddition sans condition. »

Autrement dit, l'armée entière est prisonnière. Seul adoucissement : les officiers seront autorisés à conserver leurs armes. Wimpffen essaiera vainement de discuter. Moltke ne lui laisse pas d'illusions :

« Vous avez 80 000 hommes, peu de vivres, pas de munitions. Nous avons 230 000 hommes. Notre artillerie, en deux heures, peut vous anéantir. »

Le cessez-le-feu est prolongé jusqu'au lendemain matin.

Wimpffen rend compte. Napoléon convoque un conseil de généraux. Tous sont abattus, sans ressort. La capitulation sera signée le 2 septembre, à onze heures, par Wimpffen et Moltke, au château de Bellevue « 82 000 Français prisonniers, plus 2 000 capturés pendant la bataille, 20 000 Français tués ou blessés; 600 canons... De tels chiffres donnent le vertige », notera Frédéric-Guillaume.

La maison du tisserand.

L'empereur, pourtant, a voulu faire une ultime démarche, qu'il s'impose comme un sacrifice. Au petit jour, il a envoyé Reille réveiller Bismarck. Celui-ci, « sans se laver et sans déjeuner », s'avance sur la route de Donchery et trouve dans une calèche découverte, en petite tenue, képi, pantalon rouge, gants blancs et manteau mal boutonné accompagné de quelques aides de camp, Napoléon, qui demande à voir le roi.

Bismarck descend de cheval, salue « aussi poliment qu'aux Tuileries ». Napoléon, d'un geste à lui, ôte son képi. Puis tous deux entrent dans la bicoque « misérable et sale » d'un tisserand, montent un escalier étroit et vermoulu.

La chambre est meublée d'une table de sapin et de deux chaises de jonc. L'image traverse-t-elle l'esprit de Napoléon d'une autre entrevue, onze ans avant, à Villafranca? Sur la route poudreuse bordée de mûriers, il laissa son escorte derrière lui pour aller « galamment » au-devant d'un ennemi vaincu, le jeune François-Joseph? Tous deux se serrèrent la main, entrèrent dans une maison où tête à tête ils échangèrent des compliments... Aujourd'hui c'est lui qui redemande, tristement, à rencontrer son « bon frère » et vainqueur. Il espère encore que son armée, contre promesse de ne plus combattre, sera internée en Belgique, ou se retirera dans le Midi, ou en Algérie. Bismarck préférerait parler tout de suite du traité de paix. Napoléon hoche la tête. Il n'est plus rien, qu'un prisonnier. Le pouvoir est à Paris, aux mains de la régente et des ministres. Bismarck est agacé. Moltke, qui survient, a le visage plus fermé que jamais. Napoléon, les traits décomposés, fume cigarette sur cigarette, répète qu'il a déploré cette guerre, qu'elle lui a été imposée par l'opinion publique.

Maintenant, on le laisse seul, dans le petit potager qui entoure la maison, observé par des curieux, Allemands et correspondants de guerre. Jusqu'à l'arrivée de l'escadron de cuirassiers blancs qui va le conduire à Bellevue.

C'est ici que Wimpffen va apposer son nom sous l'acte de capitulation. Il est textuellement celui qu'a préparé l'État-Major prussien, et c'est en Allemagne que l'armée ira en captivité, jusqu'à la paix. Napoléon télégraphie à Eugénie : « L'armée est défaite et captive. Moi-même je suis prisonnier. » Bismarck s'est hâté de revêtir son grand uniforme, de coiffer un énorme casque à pointe et de chausser des bottes de géant.

Au début de l'après-midi, le roi viendra à Donchery, et exprimera une émotion qui ne semble pas feinte : « Sire, le sort des armes a décidé entre nous, mais il m'est pénible de revoir ainsi Votre Majesté. » L'entretien dure un quart d'heure : « Tous les deux, écrit Guillaume à sa femme, nous étions très émus. Je ne saurais te dire ce que j'éprouvais, moi qui avais vu Napoléon il y a trois ans à l'apogée de sa puissance... »

Dernier souvenir de la splendeur passée, les équipages impériaux sont saisis comme butin de guerre, et on ne sait trop que faire de ces laquais en riches livrées et de ces postillons costumés à la Longjumeau... Digne et résigné, mais les yeux mouillés, Napoléon s'entend « offrir » le château de Wilhelmshöhe, en Westphalie, où résida jadis son oncle Jérôme et où lui-même, enfant, a passé des vacances. Le général von Boyen et le prince Lyna l'accompagneront à Cassel.

Ma chère Eugénie, écrit-il à l'impératrice, il m'est impossible de te dire ce que j'ai souffert et ce que je souffre. Nous avons fait une marche contraire à tous les principes et au sens commun, cela devait amener une catastrophe. Elle est complète. J'aurais préféré la mort à être témoin d'une capitulation si désastreuse, et cependant, dans les circonstances présentes, c'était le seul moyen d'éviter une boucherie de soixante mille personnes.

Et encore, si tous mes tourments étaient concentrés ici! Je pense à toi, à notre fils, à notre malheureux pays. Que Dieu le protège! Que va-t-il se passer à Paris?

Je viens de voir le roi. Il a eu les larmes aux yeux en me parlant de la douleur que je devais éprouver. Il met à ma disposition un de ses châteaux près de Hesse-Cassel. Mais que m'importe où je vais! Je suis au désespoir. Adieu, je t'embrasse tendrement.

Dans une autre lettre, il reviendra sur cette marche à Sedan « comble de l'imprudence ». Mais n'est-ce pas l'impératrice et Palikao qui l'ont voulue, en s'opposant au repli, beaucoup plus raisonnable, sur Paris? Pendant que les vainqueurs, la nuit, allument des feux de joie et font donner leurs musiques, Failly et Ducrot s'entretiennent avec Frédéric-Guillaume des péripéties de la bataille. Une seule consolation pour les Français : le corps du général Vinoy, parti pour rejoindre Mac-Mahon, a été informé à temps; il a pu rétrograder vers Laon.

Dans la boueuse presqu'île d'Iges, formée par la boucle de la Meuse, 106 000 prisonniers vont rester parqués, sans abris, presque sans nourriture, pendant deux et trois semaines. Les officiers ont fait brûler les drapeaux, mais on a livré aux Allemands un matériel considérable. Et Paris n'est plus pour eux qu'à quelques étapes, par la route ouverte.

La nouvelle du désastre.

Samedi 3 septembre aux Tuileries. L'impératrice-régente préside le Conseil. Tout le monde sait maintenant, dans Paris, qu'il faut s'attendre au pire. Depuis la veille, les liaisons avec Sedan et avec Mac-Mahon sont rompues. Elle connaît, vaguement, et Palikao ne les a pas démenties, toutes ces rumeurs qui circulent, de gros échecs essuyés dans l'Est. Tant de rumeurs se contredisent... Mais celles qui prennent de plus en plus de poids, au Corps législatif, à la Bourse, et dans les cafés du Boulevard, rendez-vous de tous les Parisiens qui comptent, sont catastrophiques.

On frappe à sa porte, assez sommairement, car déjà l'étiquette s'oublie. C'est le ministre de l'Intérieur, Henri Chevreau. Il a en main une dépêche que n'a pas osé remettre le tremblant directeur général des Postes, de Vougy. Il semble que deux dépêches aient été envoyées, de Sedan, par l'empereur. Celle-ci est ainsi libellée :

« L'armée est défaite et captive; n'ayant pu me faire tuer au milieu de mes soldats, j'ai dû me constituer prisonnier pour sauver l'armée. »

Tous ses familiers l'admettent : Eugénie n'a jamais très bien su, devant les contrariétés, dominer ses nerfs. Elle se roule sur un divan.

Elle n'est pourtant plus l'impératrice caquetante et futile de l'Exposition. Les événements, à quarante-quatre ans, l'ont marquée et assombrie. Elle a vu Napoléon s'affaisser, cesser d'être lui-même. En elle s'est nourri le sentiment d'être celle qui, vraiment, maintient la dynastie. Après son voyage triomphal en Égypte, pour l'inauguration du canal de Suez qui lui a fait oublier l'accueil maussade des Corses, l'an dernier, elle s'est crue destinée à relancer un régime qui « flanchait »; et elle a commis maladresse sur maladresse, refusant d'écouter son meilleur conseiller, Mérimée. Elle a poussé, ouvertement, à la guerre contre la Prusse, en faisant sottement confidence de ses desseins à ses ambassadeurs favoris, l'Autrichien Richard de Metternich, l'Italien Nigra. Elle a pressé Gramont d'exiger davantage à Ems. Elle a fait, aveuglément, le jeu de Bismarck. Elle s'est opposée ensuite, obstinément, cruellement, n'écoutant que son petit rond d'intimes, au retour de son mari sur Paris et tant pis pour Émile Ollivier, qui en jugeait autrement, et dont elle n'a pas regretté la chute. Elle a prié, communié pour l'empereur, pour son fils, pour la France. Devant les premiers signes de panique, on s'accorde à reconnaître qu'elle a ressaisi, mieux que d'autres, son sang-froid. Elle a même refusé, aux premières nouvelles vraiment alarmantes, de mettre en lieu sûr, à l'étranger, ses biens personnels, ses valeurs, ses bijoux, ses objets précieux. Fièrement.

Maintenant, après Sedan, tout se dérobe devant elle. Elle se crispe, congédie durement le pauvre Henri Chevreau, dénoue sa chevelure :

« Non, l'empereur n'a pas capitulé! Un Napoléon ne capitule pas! Il est mort. Je vous dis qu'il est mort! »

Elle finit par pleurer. Puis elle pense à convoquer les ministres et avec eux Eugène Schneider. Ils ne se montrent guère à la hauteur de la situation, échafaudent des hypothèses. Rétablir, au nom de l'empereur prisonnier, un pouvoir absolu? Tout déléguer, au contraire, au Corps législatif? Ou pousser en avant Thiers, à qui Mérimée, puis Metternich, mandatés par les Tuileries quelques heures plus tôt, sont allés faire des offres et qui, sèchement, les a déclinées?

Le Corps législatif a déjà tenu, dans l'après-midi, une séance d'angoisse. Les phrases embarrassées de Palikao, qui jure n'avoir rien reçu d'officiel, ont jeté la consternation, et Jules Favre a pu proclamer dans un morne silence : « Le gouvernement a cessé d'exister. » Lui, souhaiterait « un nom militaire », autrement dit Trochu, ou peut-être un triumvirat Palikao-Trochu-Schneider. Les députés se sont d'abord renvoyés à demain midi, mais devant la menace de soulèvement révolutionnaire, ils décident le président Schneider à les convoquer dès minuit.

La séance est brève, l'opposition n'ayant pu encore se concerter. Palikao, qu'on a tiré de son lit, se borne à confirmer la capitulation de Sedan et à demander le renvoi. On entend Jules Favre déposer un texte de déchéance, et on se sépare : une seule protestation s'est élevée, celle de l'ancien ministre Pinard, du Nord. Dans l'hémicycle, c'est la stupeur. Thiers emmène Jules Favre dans sa voiture; place de la Concorde, des manifestants se jettent à la tête du cheval et les arrêtent. Ils reconnaissent les occupants et le ton change :

« Sauvez-nous! La déchéance! »

Thiers, qui a traversé beaucoup d'événements, rentre se coucher, et s'endort profondément.

L'impératrice, elle, ne dort pas, qui, de sa fenêtre noire, voit rouler par la rue de Rivoli une cohue brandissant des torches et des drapeaux voilés de crêpe, et réclamant la République.

Et la révolution s'avance.

Au matin, on s'écrase autour des orateurs de carrefours. Une foule, dont l'hostilité montera de plus en plus, bat les grilles du Palais-Bourbon. Dans les couloirs on cherche une formule permettant, sans rupture de légalité, l'avènement d'un pouvoir nouveau. L'impératrice a accepté, non sans mal, de se dessaisir aux mains d'un conseil de gouvernement, désigné par elle, avec Palikao comme lieutenant général. Jules Favre réclame la déchéance pure et simple. Thiers a recueilli des signatures pour une motion de compromis.

Le Corps législatif suspend sa séance pour examiner les textes en commission.

La formule de Thiers l'emporte, avec un amendement. On supprime « vu la vacance du trône » et on s'en tient à « vu les circonstances ». La Chambre nomme une commission de cinq membres; dès que possible, la nation sera appelée à élire une Constituante.

Mais tout cela — réunir les bureaux, élire des commissaires, puis un rapporteur qui sera Martel — a demandé du temps. Il est deux heures et demie et l'émeute avance, menaçante.

C'est la même foule parisienne qui, en juillet, acclamait la guerre et criait « à Berlin ». Mais les premiers revers ont causé une déception saignante, vite retournée contre le régime. Blanquistes et internationalistes depuis trois semaines discutent en permanence. Le 9 août déjà, des émeutiers ont pénétré dans les jardins du Palais-Bourbon. Le 14, Blanqui lui-même, avec Eudes et Granger, a tenté de prendre d'assaut une caserne de pompiers à la Villette. Dans tous les quartiers, clubs et sociétés révolutionnaires sont alertés.

A la nouvelle du désastre de Sedan, deux mots sont jetés à la colère populaire : trahison, déchéance!

Le 3 au soir, un cortège est parti de la Bastille, entraînant la foule sur les Boulevards, mais les chefs, Delescluze, Blanqui, Millière, ont décidé que le grand jour serait le 4. Le journal *Le Siècle* a même annoncé : « Rendez-vous est pris par des milliers de gardes nationaux pour se rendre sans armes, à deux heures, devant le Corps législatif. »

Le 4 est un dimanche de soleil. Un peu avant midi, les colonnes de manifestants se sont grossies de toutes sortes de Parisiens, ouvriers sortant des ateliers, boutiquiers aux portes fermées, fidèles revenant de la messe, qu'un même sentiment habite : la fureur. La fureur contre l'Empire, responsable des malheurs du pays, qui n'a su qu'envoyer nos soldats mal armés, mal commandés, à la boucherie. Que la France puisse être vaincue par la Prusse, voilà ce que l'homme de la rue n'accepte absolument pas. Il faut que la France ait été « vendue ».

Et les poings se serrent devant les affiches blanches confirmant la nouvelle :

Français,
Un grand malheur frappe la patrie. Après trois jours de luttes héroïques soutenues par l'armée du maréchal de Mac-Mahon, contre 300 000 ennemis, 40 000 hommes ont été faits prisonniers.
Le général de Wimpffen, qui avait pris le commandement de l'armée en remplacement du maréchal de Mac-Mahon, grièvement blessé, a signé une capitulation.
Ce cruel revers n'ébranle pas notre courage. Paris est aujourd'hui en état de défense. Les forces militaires du pays s'organisent.
Avant peu de jours une armée nouvelle sera sous les murs de Paris. Une autre armée se forme sur les rives de la Loire.
Votre patriotisme, votre union, votre énergie sauveront la France.
L'empereur a été fait prisonnier dans la lutte. Le gouvernement, d'accord avec les pouvoirs publics, prend toutes les mesures que comporte la gravité des événements.

Les Parisiens n'en savent pas assez pour remarquer que ce ne sont pas 40 000 mais 100 000 hommes qui sont tombés aux mains de l'ennemi, et que l'armée de la Loire n'est encore qu'imagination. Mais les responsabilités, pour eux, crèvent les yeux : c'est la faute de l'empereur incapable, et de toute cette camarilla des Tuileries, profiteurs et tripoteurs, dont le luxe a assez longtemps éclaboussé la misère des travailleurs. Dehors ces gens-là, et avec eux l'impératrice, l'Espagnole! Vive la République!

« Vive la République! » répondent les gardes nationaux qui se rassemblent dans les quartiers.

Bientôt, la place de la Concorde est noire de monde et, au Corps législatif, le président Schneider commence à prendre peur. La liberté de la délibération sera-t-elle assurée? Oui répond Palikao. Mais Palikao qui vient de recevoir la (fausse) nouvelle de la mort de son fils, tué à l'ennemi, est brisé. De plus, en froid avec Trochu, gouverneur militaire, il a cru devoir donner directement des ordres au commandant de la place, général Soumain, pour la défense de la tranquillité publique. Soumain, peu soucieux d'assumer un pareil rôle, a, sans vergogne, repassé ce commandement au général de Caussade, vieux militaire timoré. Voilà Trochu ulcéré, qui ne s'occupe plus de rien. Mandé, hier par l'impératrice, il ne s'est dérangé que ce matin, et pour se retrancher derrière une stricte mais passive obéissance. Ce n'est certes pas lui qui prendra les mesures qu'il faudrait.

L'hémicycle pris d'assaut.

Maintenant la cohue, à l'entrée du pont de la Concorde, a été arrêtée par les gendarmes à cheval et les gardes municipaux. Mais dans cette cohue se présentent des gardes nationaux en tenue. Viennent-ils pour le service et doit-on les laisser passer? La questure donne consigne de refouler ceux qui n'ont pas de fusil, donc qui n'ont rien à faire ici. Qu'à cela ne tienne : ceux qui sont venus les mains dans les poches vont chercher des armes, au besoin on leur en donne — et ils passent. Les voilà devant les grilles, défendues — plus sérieusement — par les sergents de ville. Mais ils ont, à l'intérieur, des amis qui entrouvrent les portes. De violentes poussées, et c'est fini. Le péristyle, les cours, la salle des pas perdus, sont envahis. Les lignards de garde s'en vont en acclamant tout aussi fort la République.

Quand le Corps législatif rentre en séance pour discuter le rapport Martel, les galeries et tribunes des invités sont combles, et le vacarme est assourdissant. Gambetta, plus heureux que Schneider, parvient toutefois à faire entendre une déclaration de déchéance. Pour un instant seulement : bientôt les portes de la salle sont enfoncées à coups de crosse et l'émeute occupe l'hémicycle. Des grappes humaines descendent sur les pupitres. Deux inconnus échevelés grimpent au fauteuil présidentiel, secouent frénétiquement la sonnette, vont mettre aux voix nul ne sait quoi.

A l'Hôtel de Ville!

C'est alors que Jules Favre a une inspiration :
« Citoyens, s'exclame-t-il dans la tempête, ce n'est pas ici qu'il faut proclamer la République! C'est à l'Hôtel de Ville! Suivez-moi, j'y marche à votre tête! »
Redoutant d'être débordés, les chefs de la gauche comprennent la manœuvre, écrivent sur des feuilles de papier, en gros caractères « A l'Hôtel de Ville », les montrent aux manifestants, et emboîtent le pas à Jules Favre et à Gambetta, qu'accompagnent Jules Ferry, Pelletan, Ernest Picard, Glais-Bizoin.
Par les quais, sur les deux rives de la Seine, le double cortège d'ouvriers en blouse, de bourgeois et d'étudiants en redingote, de gardes barbus et guêtrés, se dirige joyeusement vers la place de Grève. Au pont de Solférino se montre Trochu à cheval, qu'on invite à se joindre aux républicains. Le général hésite et, finalement, rentre au Louvre pour attendre la suite.
Il est quatre heures quand tout le monde se retrouve à l'Hôtel de Ville. L'édifice est rapidement occupé sans aucune résistance des troupes chargées de le protéger. La grande salle Saint-Jean se remplit en une minute. Des retardataires surviennent, essoufflés : ils ont couru pour en être.
Tour à tour, Gambetta et Jules Favre, montés sur les banquettes, font — sommairement — acclamer la République.
C'est alors qu'il leur faudra, eux et leurs amis républicains modérés, jouer au plus serré. Car les extrémistes sont entrés (eux aussi) en vainqueurs et s'agitent dangereusement, juchés (eux aussi) sur des chaises pour haranguer les citoyens : Delescluze, Flourens, Millière, Félix Pyat — et Blanqui n'est pas loin. Jules Favre et Gambetta rivalisent avec eux d'éloquence, mais il s'agit aussi de ne pas être pris de vitesse dans la répartition des fonctions.

Un gouvernement « nommé d'acclamations ».

Maire de Paris? Vive Arago, Étienne. Préfet de Police? Vive Kératry. Pour les portefeuilles ministériels, c'est autrement compliqué. Des révolutionnaires figurent sur toutes les listes qui volent par les fenêtres, à l'intention de la foule sur la place. Jules Favre, à nouveau, prend une initiative : celle de rassembler ses amis, loin du tumulte de la salle Saint-Jean, dans le petit cabinet du Télégraphe. Et là quelqu'un va émettre une idée : puisque rien n'est prévu, pourquoi ne pas prendre, à titre provisoire, les députés de Paris? Tous sont connus, et passent pour des républicains modérés, sauf, peut-être, Rochefort...

Justement, Rochefort, le voici, que la foule vient de délivrer de la prison Sainte-Pélagie, et qu'elle ramène en triomphe. Il serait sans tarder bombardé maire de Paris si Étienne Arago n'avait déjà ceint son écharpe. Il est urgent d'arracher Rochefort aux effusions populaires, de l'amener au cabinet du Télégraphe, de le chambrer avec ses collègues de la capitale. Ce qui est fait. Le pamphlétaire sera donc ministre avec eux, encore qu'il ne les ait guère épargnés dans sa *Lanterne*, à commencer par Jules Favre. Mais après tout, convient celui-ci, mieux vaut qu'il soit dedans que dehors. Il fait du reste quelques objections, s'interrogeant sur ses talents de gouvernement. On parvient sans trop de mal à le convaincre.

L'autre difficulté : Trochu. La plupart des députés de Paris sont d'avis que Trochu, avec son autorité militaire, son prestige de général indépendant qui a eu le courage de critiquer l'armée de l'Empire, est indispensable. Mais c'est un traditionaliste? Oui, mais les généraux républicains, combien sont-ils? Mais il a assuré Eugénie de son indéfectible dévouement? Oui, mais il n'a jamais été bien en cour, il n'a été accepté qu'à contrecœur. Il n'est pas de caractère facile, il est prétentieux, aigri? Oui, oui, mais l'opinion veut Trochu... On lui envoie donc une délégation conduite par Glais-Bizoin :

« Général, il n'y a pas de temps à perdre, sinon le drapeau rouge va être arboré à l'Hôtel de Ville. Nous avons une voiture, venez. »

Il est encore indécis, balançant entre deux devoirs. On lui représente si chaleureusement qu'il est l'homme de la situation, qu'il consent à monter à l'Hôtel de Ville, on l'accueille avec respect...

Mais il tient, pour rassurer sa conscience, à poser, solennellement, une question préalable :

« Voulez-vous sauvegarder Dieu, la famille, la propriété, en me promettant qu'il ne sera rien fait contre ces principes? »

On lui promet tout ce qu'il veut. Il tient encore à aller rendre compte à Palikao, qui ne pense plus guère, dans son accablement, qu'à se dessaisir des responsabilités, et le renvoie sur une réponse assez ambiguë. Trochu retourne à l'Hôtel de Ville, décidé cette fois à accepter, à accepter même de siéger à côté de Rochefort, dont on ne lui avait pas parlé. Si décidé que maintenant, il exige plus que le portefeuille de la Guerre, il lui faut la présidence du gouvernement — qu'il obtient, bien qu'elle ait été attribuée à Jules Favre.

Celui-ci se contentera de la vice-présidence avec les Affaires étrangères, Adolphe Crémieux a déjà pris possession de la Justice. On s'adjoint pour la Guerre le général Le Flô, pour la Marine et les Colonies le vice-amiral Fourichon, pour l'Instruction publique et les Cultes Jules Ferry, plus Dorian aux Travaux publics et Magnin à l'Agriculture et au Commerce. Les autres députés de Paris, Emmanuel Arago, Garnier-Pagès, Glais-Bizoin, Eugène Pelletan, Henri Rochefort sont membres du gouvernement sans affectation. Jules Ferry est « secrétaire », avant d'être délégué à la préfecture de la Seine.

S'est produit, pour l'Intérieur, un quiproquo. On aurait préféré Ernest Picard, esprit mesuré, qui a déjà commencé à rédiger une proclamation au pays : « Français, le peuple a devancé la Chambre qui hésitait. Pour sauver la patrie en danger, il a demandé la République. Il a mis ses représentants non au pouvoir, mais au péril... La République qui nous a sauvés de l'invasion de 1792 est proclamée... Demain vous serez avec l'armée les vengeurs de la patrie. » Seulement Gambetta, se croyant lui-même ministre de l'Intérieur, a pris les devants et fait partir sous sa signature une circulaire aux préfets : il est difficile maintenant de le désavouer. A une voix de majorité, on confirme donc Gambetta, et Ernest Picard reçoit les Finances.

Avant même la répartition définitive des rôles, une adresse aux citoyens de Paris leur a annoncé qu'un gouvernement a été « nommé d'acclamations », que le général Trochu, chargé des pleins pouvoirs militaires, préside ce gouvernement, « avant tout un gouvernement de défense nationale ».

130

Un régime effacé en quelques heures.

Et le changement de régime est un fait accompli.

Sans nul simulacre, les fonctionnaires de l'Empire s'effacent devant ceux du pouvoir « acclamé ».

Mais le Corps législatif? A quatre heures, pendant que le cortège républicain se dirigeait vers l'Hôtel de Ville, il a tenu une dernière séance, non pas dans l'hémicycle, mis à mal, mais dans la salle à manger de la présidence. Et Schneider, qui a été frappé au cours des bagarres, cède le fauteuil à Thiers. La proposition de celui-ci est d'abord adoptée avec « vu la vacance du pouvoir », par deux cent vingt députés présents. Jules Grévy et une demi-douzaine d'autres vont en aviser ceux de l'Hôtel de Ville. Leur souci de faire respecter les formes légales n'y est que médiocrement apprécié, mais on s'engage à leur envoyer Jules Favre et Jules Simon. Ceux-ci, à huit heures, se présentent :

« Il y a des faits accomplis, exposent-ils, sur lesquels nous ne pouvons pas revenir. Si vous ratifiez ici ce que nous avons fait, nous vous en serons reconnaissants. Sinon, nous respecterons les décisions de votre conscience, en gardant la liberté de la nôtre. »

Alors Thiers, résolument, louvoie. Il ne va certes pas légitimer un gouvernement dont il a refusé de faire partie. Mais il ne va pas non plus lui compliquer la tâche. Les ministres partis, il conseille de leur laisser le champ libre :

« De grâce, pas de récriminations. Je proteste comme vous contre la violence que nous avons subie. Mais nous sommes devant l'ennemi, il faut nous taire, faire des vœux, laisser à l'histoire le soin de juger. »

En d'autres termes, se retirer avec dignité.

Les députés se font une raison : cent cinquante d'entre eux, mal convaincus, se retrouveront le 5 chez l'un des leurs, Johnston, pour émettre une protestation aussi dérisoire que les scellés apposés sur la porte de la salle des séances. Quant aux sénateurs, personne ne s'est soucié d'eux, et ils se sont spontanément dispersés.

« Jamais, confiera Thiers, je n'ai vu de révolution accomplie plus aisément, et à moindre frais. »

Il semble en effet qu'à Paris aucune violence grave n'a été commise. La foule a détruit, çà et là, les emblèmes de l'Empire, les monogrammes de l'empereur. On n'a pas connaissance d'un coup de feu tiré. Les services publics ont continué à fonctionner, et à

la première heure, le lundi, on verra les balayeurs nettoyer les
ruisseaux, les commerçants ouvrir leurs volets, les ateliers reprendre
le travail, les voitures de laitiers brinquebaler sur les pavés.

La province a été moins tranquille. Dans la plupart des grandes
villes, on a jeté à terre les statues de l'empereur. A Bordeaux, la
garde nationale a refusé obéissance. Les radicaux de Lyon ont même
précédé ceux de la capitale en occupant la préfecture et en proclamant la République — une République très vite remplacée par
une commune révolutionnaire qui, séance tenante, a hissé le drapeau
rouge et s'est mise à légiférer. A Marseille, le conseil municipal a dû
faire place, momentanément, à un comité de salut public animé
par Gaston Crémieux, le neveu du ministre, Rouvier et Naquet.
Il faudra un peu d'énergie pour y rétablir l'ordre, mais le 4 septembre n'a pas fait, là non plus, de victimes.

Il est même à peine croyable que l'appareil du pouvoir se soit
aussi instantanément désagrégé. Tout se passe, relate Jules Simon,
« en douceur », comme une transmission des services à la suite d'une
crise ministérielle. Palikao a reçu Trochu presque amicalement.
Quand Étienne Arago s'est présenté au bureau du préfet de la
Seine, celui-ci, Alfred Blanche, s'est levé pour lui dire en souriant :
« Je vous attendais. » A l'Intérieur, un employé supérieur s'est mis à la
disposition de Gambetta. Aux Finances, même accueil à Ernest Picard.
A l'Instruction publique, le secrétaire général accepte sur-le-champ
de demeurer en fonction. A la Justice, le procureur général à la Cour
de cassation, Paul Fabre, se fait annoncer au cabinet de Crémieux
pour déclarer : « La France rentre en possession de sa conscience. »
C'est un magistrat de haute tradition, devant tous les régimes.

Aussi ne s'acharne-t-on nullement sur les anciens détenteurs de
l'autorité.

Jules Simon lira « avec beaucoup d'étonnement » dans les débats
de la commission d'enquête, que des ordres avaient été donnés pour
arrêter Palikao, Rouher et le préfet Piétri. Il est vrai que Kératry
lança quelques mandats d'arrêt, mais il ne vint à l'idée de personne
de leur donner effet. On envoya même un haut fonctionnaire pour
rassurer Mme Piétri : si son appartement était gardé par des agents,
c'était pour le protéger contre des sévices éventuels. Et quand il
fut question de perquisitionner chez certains tenants du régime
déchu afin d'y saisir des papiers d'État, le gouvernement s'y refusa :
« L'Empire se retirait, nous n'avions qu'à le laisser faire. »

Exit l'Empire, issu d'un coup d'État. L'émeute a soufflé dessus. Le drapeau des Tuileries a été amené « comme celui d'un navire qui se rend ».

La fuite de l'impératrice.

Mais l'impératrice?

De bonne heure, le 4, elle a entendu la messe et prié dans son oratoire, visité les blessés soignés aux Tuileries, puis reçu Trochu, qui s'est enfin décidé à venir :

« Madame, lui dit-il, voici l'heure des grands périls. Nous ferons ce que nous devons. »

Il eût été fort en peine de dire quoi.

Elle préside ensuite un conseil assez incohérent où les uns lui proposent d'abdiquer en faveur de l'assemblée élue, les autres de mater cette révolution grondante, ou de transférer le siège du pouvoir en province... Finalement, on retient un projet que le Corps législatif rejettera d'emblée.

Eugénie, avec ses jumelles, observe la foule qui grouille à la Concorde. Elle demande au général Mellinet :

« Général, peut-on défendre les Tuileries?

— J'ai peur que non, madame.

— Surtout, qu'on ne tire pas, sous aucun prétexte. Je ne veux pas qu'une goutte de sang soit versée. »

Des idées un peu folles lui montent à la tête. Se montrer à cheval devant l'émeute? Aller s'exposer aux avant-postes? Se placer sous la protection du peuple? Vers midi, Daru, Buffet et une délégation du Corps législatif viennent lui conseiller de se retirer. Elle refuse, non sans hauteur, persuadée encore qu'elle est la légitimité, que les représentants, dans l'intérêt du pays, devraient se serrer autour d'elle, qu'elle reste celle qui peut, aujourd'hui encore, accepter une médiation des États neutres. En tout cas, si elle quitte son poste, ce sera avec honneur, elle ne désertera pas.

« Vous craignez, madame, répond Daru, qu'on vous accuse d'avoir déserté votre poste. Mais vous aurez donné une bien plus grande preuve de courage en vous sacrifiant pour épargner à la France une révolution sous les yeux de l'ennemi. »

Elle résiste encore, pendant que les messages de la préfecture de Police lui signalent les progrès de l'émeute. Son dernier mot avant

de donner à ses visiteurs sa main à baiser : si Palikao approuve, elle
abdiquera.

Du temps s'écoule, il semble que tout le monde a oublié l'impéra-
trice. Enfin trois ministres, Jérôme David, Busson-Billault, Henri
Chevreau. Ils viennent du Palais-Bourbon et la conjurent de partir.
La voilà reprise de colère :

« Non, non! j'ai été placée ici par l'empereur, je resterai ici.
S'il n'y avait plus d'autorité reconnue, la désorganisation serait
complète, et la France à la merci de M. de Bismarck. »

Mais, d'un instant à l'autre, les grilles peuvent être forcées, le
palais envahi. Le préfet de Police Piétri la presse de se mettre en
sûreté. Les ambassadeurs d'Autriche et d'Italie accourent, et la
supplient. Une clameur au-dehors : ils sont dans les jardins. Metternich et le chevalier Nigra lui redisent qu'ils l'attendent, que bientôt
tout départ sera impossible.

Alors elle embrasse la maréchale Canrobert et ses dames d'honneur, en larmes, met un chapeau, un manteau sombre, noue sous
son menton les brides d'une capote noire, prend le bras de Metternich. On remonte dans les appartements pour traverser le Louvre
par la galerie d'Apollon et l'escalier du musée égyptien et gagner la
sortie du côté de la place Saint-Germain-l'Auxerrois. Nigra est
auprès d'elle, avec Mme Le Breton, la sœur de Bourbaki.

Sur le trottoir, des bandes de vociférants les frôlent, conspuant
Badinguet et l'Espagnole. Alors, bizarrement, les deux ambassadeurs s'éloignent pour aller chercher une voiture; Mme Le Breton
prend peur, hèle un fiacre, y pousse sa souveraine et donne l'adresse
d'un ami, Besson, conseiller d'État, boulevard Haussmann.

Elles ne trouveront pas Besson, ni de Piennes, chambellan, qui
n'est pas non plus chez lui, avenue de Wagram. Eugénie pense à
son dentiste américain, le docteur Evans, à l'angle des avenues de
l'Impératrice et Malakoff.

Il est absent lui aussi, mais elles peuvent l'attendre dans sa bibliothèque où il les trouve à six heures.

« Je ne suis plus heureuse, lui dit-elle : les mauvais jours sont
venus et on m'abandonne. Vous seul pouvez me sauver, me donner
les moyens de passer en Angleterre. »

Evans la sauvera. Avec l'aide de son compatriote, le docteur
Crane, il lui procurera le lendemain matin un landau, et tous deux
accompagneront les deux femmes voilées sur la route de Deauville.

Elle fait preuve d'un grand sang-froid, comme si elle ne craignait rien, dans sa conviction persistante que cette révolution anarchique ne sera bientôt plus qu'un mauvais souvenir, que la province lui restera fidèle et l'armée de Metz, qu'on rappellera l'Empire.

A la porte Maillot, les Américains donnent leurs noms et le chef de poste les salue. On franchit Saint-Germain, Meulan. Evans va chercher du pain et du saucisson. Le *Journal officiel* annonce la République proclamée, et Trochu président du gouvernement. Cette défection-là, elle ne la pardonne pas :

« Comment a-t-il pu nous trahir ainsi, après tant de serments! A qui aurais-je pu me fier, si ce n'est à lui, qui jusqu'à la dernière heure jura de m'être fidèle? »

Elle enrage, puis fond en pleurs. Somnole ensuite, en se réveillant pour se plaindre des Français versatiles. Depuis cent ans, tous les gouvernements ont fini par la révolution. Et ces nouveaux ministres, Jules Favre, Gambetta, ridicules!

On change d'équipage à Mantes, à Pacy-sur-Eure. On passe la nuit dans une pauvre auberge à la Rivière-Thibouville. Décidément personne ne les poursuit. On prend le train jusqu'à Lisieux, puis une autre voiture. Dans l'après-midi du 6, c'est Deauville, mais c'est la tempête, et les bateaux ne sortent pas. Par chance, un petit yacht, la *Gazelle* est à quai, appartenant à un officier anglais, Sir John Burgoyne. Carrément, Evans s'adresse à lui, lui demande de prendre à son bord l'impératrice en détresse.

La mer est épouvantable, mais Lady Burgoyne insiste, trop heureuse d'offrir à Eugénie et à Mme Le Breton l'unique cabine dont elle dispose. Après une nuit de navigation périlleuse — la *Gazelle* faillit bel et bien disparaître dans les flots —, on entre dans la rade de Ryde. Ruisselants d'eau, les voyageurs ont peine à trouver un hôtel qui veuille les accueillir. Ils parviennent pourtant à gagner Hastings en chemin de fer. L'impératrice séjournera une douzaine de jours au Marine-Hotel, puis s'installera à Chislehurst, à vingt minutes de Charing-Cross, dans une propriété qu'Evans a louée pour elle. Son fils ne tardera pas à l'y rejoindre, et, vers le milieu de mars, l'empereur, libéré de Wilhelmshöhe.

Le curieux rôle de deux ambassadeurs.

Une énigme qui n'a pas été résolue : la présence de Metternich et de Nigra auprès de l'impératrice en ces heures dramatiques, leur insistance à presser son départ s'expliquent-elles par leur attachement respectueux à l'impératrice?

Si l'Autrichien avait été aux Tuileries plus qu'un familier, un confident, l'Italien ne s'inscrivait pas parmi les vrais intimes, et Eugénie, au contraire, hérissée par l'attitude antipapiste de son gouvernement, l'avait plus d'une fois malmené.

Dévouement chevaleresque au secours d'une souveraine malheureuse qui n'avait même plus autour d'elle ses domestiques en fuite? Les deux ambassadeurs la prirent en quelque sorte en charge, et sous leur garde : « Nous répondons d'elle », dirent-ils à Henri Chevreau.

On établira plus tard un rapprochement entre cette attitude de Metternich et de Nigra, et l'incident qui suivit la mort de l'empereur à Chislehurst, quand le prince Napoléon Bonaparte fut invité par Eugénie à prendre connaissance des papiers de la famille. Il constata qu'ils avaient été scellés par le seul Franceschini Pietri, secrétaire particulier, sans aucune marque d'autorité judiciaire. Il ne cacha pas son mécontentement : les documents avaient été, avant sa venue, triés et expurgés. Il en eut la conviction quand il rechercha vainement trace d'une « pièce historique d'un prix considérable » qu'il savait déposée dans un certain tiroir. Tenant pour suspect, d'autre part, le testament datant de 1865, « il est inutile d'aller plus loin, fit-il : je vois ce qu'il en est, je n'ai rien à faire ici ». Et il quitta Chislehurst sans assister aux obsèques.

La pièce historique en question n'était-elle pas l'attestation d'un traité secret passé entre Napoléon III, François-Joseph et Victor-Emmanuel II, et qui devait assurer à la France, en cas de guerre avec la Prusse, le concours de l'Autriche et de l'Italie? D'aucuns l'ont affirmé, et expliqué ainsi l'empressement des deux ambassadeurs à précipiter la chute d'une dynastie envers qui des engagements avaient été pris et non tenus.

8

Entre l'ennemi et l'émeute

Les bonapartistes ayant, comme par enchantement, vidé la scène, le gouvernement se voit aux prises avec les Allemands, et avec les révolutionnaires qui réclament la Commune. Pour le moment, les monarchistes — légitimistes et orléanistes — comptent peu. Ils sont persuadés que leur heure viendra, mais plus tard.

Dans le présent, 500 000 Allemands avancent en territoire français. Dès le 8 septembre, ils seront sous Laon. Après Frœschwiller, Gravelotte, Sedan, l'armée de Mac-Mahon anéantie, celle de Bazaine bloquée dans Metz, ils n'ont devant eux que le corps de Vinoy, et quelques éléments de cavalerie et d'artillerie en retraite vers la capitale. Sur le papier, on dénombre à peu près 25 000 soldats en état de faire campagne, la plupart stationnés en Afrique — plus, dans les dépôts, 150 000 hommes, mais ce sont pour les deux tiers des conscrits de la classe 1869. Reste la garde mobile, où ont été appelés les jeunes gens non incorporés dans le contingent. Théoriquement 350 000, levés au début d'août, mais leur instruction est à peine commencée, et presque tous attendent désœuvrés, sous leurs képis disgracieux à pompon et à « visière d'aveugle » ornés d'une cocarde de fer-blanc. Reste aussi la faculté de mobiliser très vite 170 000 célibataires ou veufs sans enfants en vertu de la loi du 10 août. Sans parler même des gardes nationaux sédentaires à peine vêtus. « Nous voilà gardes nationaux-carabiniers, écrit Paul Cambon à son frère, mais on ne nous donne pas de carabines. » Tout cela représente des effectifs considérables à condition, toutefois, de les armer et de les encadrer.

Or, presque tous les généraux connus sont tués ou prisonniers.

On n'a même plus d'officiers subalternes, ni de gradés. Les arsenaux sont dégarnis, les parcs d'artillerie aussi, et les magasins. Tout se trouve centré sur Paris où l'on a accumulé à la hâte canons, fusils, munitions, et Paris va être investi. Dans les départements, on manque de chassepots, on distribue à l'active comme à la garde mobile des pétoires à tabatière ou à percussion. Est-ce avec de tels moyens que l'on va affronter en rase campagne ces armées d'invasion, disciplinées, outillées, aguerries?

Et comment défendre Paris même avec ses deux millions d'habitants et plus, nul n'ayant osé parler de renvoyer les femmes, les enfants et les vieillards? Certes, sous Palikao, de grands achats ont été faits de grains, farines, conserves, bestiaux. Mais on ne suppose pas, alors, que le siège puisse durer au-delà d'un mois, et l'effort d'approvisionnement a été court; en outre à l'approche de l'ennemi, la banlieue va chercher refuge *intra muros*. D'où une menace de disette, c'est-à-dire de soulèvement.

« Jusqu'à la fin du siège, écrit Jules Simon, l'émeute fut notre préoccupation constante. » Et tout de suite, en effet, les extrémistes, que Jules Simon appelle les « communistes », ont compris que le 4 septembre a été pour eux une journée de dupes, les républicains modérés les ayant frustrés du pouvoir à la manière de La Fayette et de Laffitte escamotant la révolution de 1830 : « la masse du parti ne songea qu'à prendre sa revanche de sa double déconvenue au Corps législatif et à l'Hôtel de Ville ». L'Association internationale des travailleurs s'agite à son siège de la Corderie du Temple, crée des comités d'arrondissement, les invite à élire des responsables pour contrôler et, au besoin, écarter les fonctionnaires du 4 septembre. Et que faire contre ces « communistes »? Les arrêter? Il eût fallu être sûr de cette police, et de ces sergents de ville en plein désarroi, car il n'est pas si simple de servir ceux qui ont renversé les maîtres de la veille : Kératry jugera plus prudent de les former en régiments et de les envoyer à la guerre.

Les « communistes » ont, eux, des dirigeants obéis, des chevronnés comme Blanqui, Delescluze, Félix Pyat, des nouveaux, Flourens, Rochefort — ministre plus que discret; et des intellectuels ou assimilés, Vermorel, Paschal Grousset, Jules Vallès, des agitateurs comme Assi, du Creusot, Eudes, Granger, de la Villette, Lefrançais, Gaillard père, et Lullier, ex-officier de marine, et Cluseret, ex-saint-cyrien, ex-général nordiste en Amérique. Ils sont trop écoutés, tous ensemble, dans les faubourgs pour que le gouvernement provisoire puisse penser à user contre eux de la rigueur des lois. Il opte pour la « force morale », aussi chère à Trochu qu'à Jules Favre, et qui ne sera pas très efficiente.

Mais le gouvernement provisoire doit parer au plus urgent, nommer des préfets, et des préfets de confiance. Il faut faire vite, ce qui donne lieu à certaines improvisations cocasses. On a recours à des amis du Quartier latin ou du Palais, qui prennent incontinent le train pour leurs chefs-lieux, ou bien on confirme par télégramme, sur place, les pouvoirs de tels et tels qui se sont emparés sans façon des bâtiments publics. Ces jeunes avocats, journalistes, médecins, professeurs, sont d'incontestables républicains, mais leurs aptitudes administratives laisseront souvent à désirer. D'aucuns feront franchement des dégâts, tel Esquiros, député des Bouches-du-Rhône, désigné par Paris pour le poste de commissaire extraordinaire de la République à Marseille. Incapable de réagir contre les extrémistes, il les laissera se livrer aux pires exactions, faisant régner une véritable terreur, arrêtant les gens qualifiés par eux de « nuisibles », molestant les magistrats, adhérant ensuite triomphalement à une certaine Ligue du Midi, Lyon-Marseille-Toulon, qui, sous couleur de sauver la liberté, ne tend à rien de moins qu'à un démembrement national par refus d'obéissance au pouvoir central. Peu après s'amorcera à Toulouse une analogue Ligue du Sud-Ouest, revendiquant pour la région une sorte d'autonomie. Gambetta, il est vrai, a plutôt sommairement donné consigne aux préfets de révoquer les maires et les conseils municipaux « représentant des tendances rétrogrades ». C'est probablement surestimer l'influence des orléanistes et des légitimistes, peu portés cet automne à contrecarrer vraiment l'action d'un gouvernement, illégal sans doute, mais qui représente l'ordre, et dont le nom de Trochu garantissait les bonnes intentions.

On ne peut pas ne pas se demander, au fait, si la place du gouvernement n'est pas plutôt en province qu'à Paris.

La province, c'était la possibilité de former de nouvelles armées. L'Hôtel de Ville, c'était prendre le risque de se retrouver un jour ou l'autre à la merci de la rue ou de l'ennemi. Trochu et Jules Favre soutinrent-ils qu'il fallait sortir de Paris? Ils semblent plutôt avoir reconnu l'un et l'autre, à l'heure des « souvenirs » que grand fut leur tort d'être restés. Il eût fallu, estimera Trochu, s'en aller avant l'investissement, en laissant le commandant en chef « seul avec les troupes et la population ». Et telle fut bien, tout de suite, l'opinion de Gambetta : « Je ne comprenais pas qu'une ville qui allait être assiégée et bloquée, et par conséquent réduite à un rôle purement militaire et stratégique, conservât le gouvernement dans son sein... Je suis convaincu que les choses auraient tout autrement tourné si le gouvernement, au lieu d'être bloqué, avait été un gouvernement agissant du dehors. »

La Délégation de Tours.

Très vite, dès le 7 septembre, l'idée sera retenue d'implanter à Tours une délégation, pour organiser hors de Paris le fonctionnement des services des Affaires étrangères, de la Guerre, des Finances et de l'Intérieur. Il reste néanmoins entendu que la tête du gouvernement ne bougera pas.

Ne pas quitter Paris en danger, point d'honneur : « Une grande cité qui a devant elle la perspective des souffrances et des périls d'un siège ne peut voir s'éloigner d'elle ceux auxquels elle a depuis longtemps donné sa confiance. Elle veut avec raison qu'ils partagent son sort. » Ne pas quitter Paris, décision d'autre part d'élémentaire prudence, pour un ministère né d'une insurrection parisienne, et qui pourrait être très vite, s'il quittait la place, rayé par une autre insurrection : « Le départ du gouvernement, selon Jules Simon, c'était la Commune six mois plus tôt, ou sinon la Commune, du moins une agitation et des luttes continuelles, et comme conséquence, les Prussiens dans Paris au bout d'un mois. » Et qui pouvait dire si ce pouvoir « acclamé » ne serait pas, en province, contesté?

Il y a toutes ces raisons. Il y en a une autre, celle que donne Jules Simon encore : « Ce qui contribuait à nous déterminer, c'est que nous pensions alors, premièrement, que le siège de Paris durerait tout au plus quelques semaines, et secondement, que nous ne ferions que passer aux affaires, puisque la convocation d'une Assemblée allait donner naissance à un pouvoir régulier. » On peut même ajouter que l'opinion publique, dans sa majorité, croit alors naïvement que, l'Empire disparu, la France obtiendra très rapidement des Prussiens une paix acceptable. D'ailleurs, le corps diplomatique ne pense nullement encore à quitter le quartier des ambassades.

Pourtant Paris sera enfermé et le gouvernement central isolé du reste de la France et du monde. Sur l'insistance de Gambetta et d'Ernest Picard, on se décide, le 8 septembre, à constituer à Tours un gouvernement intérimaire spécial. Mais des jours s'écoulèrent sans que l'on pût désigner des ministres pour s'y rendre, tout le monde refusant de partir et chacun prétendant, comme Jules Favre, demeurer « là où serait le combat, où serait la souffrance ». On est venu à parler sérieusement de désignation « d'office », lorsque, enfin, Adolphe Crémieux s'offre comme volontaire. Sa proposition est acceptée « avec reconnaissance » et un peu en considération de son grand âge (75 ans) pour que lui soient épargnées les épreuves du siège.

Crémieux est à Tours le 11, et débute mal, par des proclamations d'une grandiloquence assez outrancière, même pour le goût du temps. Il devient vite évident qu'il ne faut guère compter sur lui pour implanter dans les départements l'autorité républicaine. On lui adjoint sans le consulter Glais-Bizoin, puis l'amiral Fourichon. Ils ne s'entendront guère, et entre les bureaux de fortune dispersés dans les bâtiments publics de la ville, les liaisons ne seront pas faciles. Mais quelle importance, puisqu'il ne s'agit que d'expédier pendant quelques semaines les affaires courantes? Quelle importance puisque, de toute façon, des élections doivent régulariser la situation?

Ce mot d'élections en appelle immédiatement un autre, celui d'armistice.

Thiers fait le tour des capitales.

Jules Favre, aux Affaires étrangères, nourrit personnellement l'espoir d'un arrangement rapide et honorable, d'une paix blanche. Il ne lui échappe toutefois pas qu'il lui faudra, pour l'obtenir, le concours des grandes puissances neutres, qui ne peuvent, suppose-t-il, assister indifférentes à un écrasement de la France et à la rupture de l'équilibre international au profit d'une Prusse dangereusement devenue Allemagne.

Dès le 5, il voit les ambassadeurs et a vite compris. L'Autrichien est bel et bien immobilisé par la peur du Russe. Le Russe ne pensait qu'à la navigation en mer Noire, l'Italien qu'à Rome. L'Anglais — Lord Lyons, qui sera au total, avec l'Espagnol et le Turc, le moins décourageant — ne se montre nullement disposé pour autant à modifier ses relations, excellentes, avec Bismarck.

Si l'on veut arrêter la guerre, il n'y a pourtant que deux partis à prendre : ou recourir à l'intervention diplomatique ou s'adresser directement à l'ennemi. Jules Favre va tenter de jouer sur les deux tableaux.

Le 9, il se présente chez Thiers, place Saint-Georges.

Thiers, soixante-treize ans, politique et historien, est depuis la monarchie de Juillet, un illustre, de dimension européenne. Nul que lui n'a plus de chances de se faire entendre par les cours étrangères. Tout récemment encore, devant le Corps législatif, sa voix a retrouvé une résonance nouvelle. Cet orléaniste d'origine, incarnation des libéraux conservateurs, a vu venir à lui, depuis les désastres, les républicains, et même l'impératrice. Beaucoup de ses adversaires d'hier le tiennent aujourd'hui pour l'homme indispensable, dont le retour aux affaires est inévitable. N'a-t-il pas tout prévu? N'est-il pas, donne-t-il à entendre en se rengorgeant comme il sait le faire, le seul à avoir tout prévu?

Il est au lit pour recevoir Jules Favre. Maladie ou prudence? D'une voix angoissée on lui dit que la France a besoin de lui, que la démarche diplomatique qu'on lui demande de remplir ne peut être confiée à personne d'autre. Dès le lendemain, il accourt, guéri, et accepte de suspendre ses chères études. Le *Journal officiel* du 12 diffuse : « M. Thiers, dans les circonstances présentes, n'a pas voulu refuser ses services au gouvernement; il part ce soir en mission pour Londres, il se rendra ensuite à Saint-Pétersbourg et à Vienne. »

En fait, Thiers a accepté d'emblée plus qu'on ne lui proposait, car Jules Favre, après avoir adressé le 9 une demande d'entrevue à Bismarck par l'intermédiaire du cabinet de Londres, n'a pensé qu'à obtenir un appui pour hâter la négociation. Telle est la confusion qui règne en ce moment dans les esprits, que tous les membres du gouvernement, Gambetta compris, approuvent la mission et le communiqué. Or, les mêmes viennent d'approuver, sans la moindre réserve, la circulaire adressée par le ministre des Affaires étrangères à nos agents à l'étranger :

« Le roi de Prusse a déclaré qu'il faisait la guerre non à la France mais à la dynastie impériale. La dynastie est à terre, la France libre se relève. Le roi de Prusse veut-il continuer une lutte impie qui lui sera au moins aussi fatale qu'à nous? Libre à lui : qu'il assume cette responsabilité devant le monde et devant l'histoire! Si c'est un défi, nous l'acceptons. Nous ne céderons ni un pouce de notre territoire, ni une pierre de nos forteresses. Fussions-nous seuls, nous ne faiblirons pas. »

Une citation à laquelle on n'a pas fini de se référer, en français et en allemand.

Mais revenons à Thiers. Il est chargé de rechercher, avec le concours de Londres, si Bismarck veut entrer en pourparlers pour arriver à un armistice et avec qui il entend engager cette conversation. Dès le 13, il rédige pour Jules Favre un premier rapport, résumant ses entretiens avec Lord Granville, puis Gladstone. Il s'est montré comme à l'accoutumée, volubile et interrupteur, mais les émotions et le voyage l'ont épuisé et il lui arrive, après avoir parlé, de s'assoupir. Il convainc ses interlocuteurs — du moins s'en persuadera-t-il — que l'Empire seul a voulu la guerre, non la France. En tout cas, surtout pas lui, Adolphe Thiers, le clairvoyant. Il les persuade des bonnes intentions des ministres du 4 septembre. Sa célébrité, son ardeur patriotique, son talent sont appréciés, mais Gladstone est sincèrement persuadé de la culpabilité française. L'Angleterre ne sortira pas de sa neutralité : tout au plus consentira-t-elle, dans l'intérêt de la paix et non sans force restrictions, à aboucher Jules Favre avec Bismarck. Qu'on n'attende d'elle rien de plus : la France est trop impopulaire. Peut-être Thiers enlèverait-il quand même de haute lutte la reconnaissance du gouvernement de la Défense nationale, mais le temps presse, il lui faut repartir pour le continent. Les mains vides.

La voie de mer, par la Baltique, peut lui réserver de mauvaises rencontres. Il débarque à Cherbourg, emprunte le chemin de fer, traverse des gares encombrées de matériel de guerre et de recrues. Le 20, à Tours, il prend langue avec la Délégation, franchit le col du Mont-Cenis, les Alpes Juliennes, et le 24 au matin, le voilà à Vienne devant le chancelier de Beust. Il y a déjà trois jours que Jules Favre, sorti secrètement de Paris, a pris contact à Ferrières avec l'autre chancelier, Bismarck. Beust l'accueille avec de bonnes paroles, se retranche derrière l'attitude de la Russie, lui conseille de se rendre à Florence.

On se demandera plus tard si, devant ses interlocuteurs européens, Thiers, quelle que fût sa renommée, était réellement le porte-parole désigné d'un gouvernement se réclamant de la Défense nationale. Thiers, discoureur, ergoteur, est encore à son âge un redoutable jouteur de tribune. Mais que va-t-il, de capitale en capitale, essayer de démontrer? Que toutes les fautes ont été commises par la dynastie déchue, mais que lui, Thiers, les a de longue date dénoncées. Émissaire d'un gouvernement acclamé pour gagner la guerre, il se présente étrangement comme résigné déjà, en sa sagesse, à l'inévitable défaite. Comment aurait-il entraîné des interlocuteurs plus qu'hésitants comme Beust et Andrassy?

Le 26 septembre, Thiers est à Saint-Pétersbourg devant le prince Gortschakov, lui jure que la République est stable, exalte l'excellence des soldats français partout où ils ont été bien commandés. Mais il se flattera surtout d'avoir fait reconnaître sa lucidité à lui et son opposition à la guerre. D'évidence, la Russie et la Prusse sont liées par des engagements qui ne laissent aucune liberté de manœuvre à l'Autriche, ni au Danemark. Le tsar le reçoit, mais ne promet, vaguement, que de bons offices. La famille impériale, la haute société lui ouvrent leurs portes, mais la chute de Strasbourg lui complique encore la tâche. On lui donne à entendre que si la France ne se hâte pas de traiter, elle devra subir des conditions de plus en plus lourdes. Tout ce que Thiers peut obtenir, au lieu de la médiation souhaitée, c'est que le tsar suggère au roi Guillaume de lui faire remettre à lui « qui est sage et modéré » des sauf-conduits pour entrer dans Paris et obtenir de la France les concessions nécessaires à la paix. La dépêche ne devra toutefois être transmise que sur avis de Thiers, s'il est autorisé par Tours.

Thiers repasse par Vienne : Beust encore, et Andrassy, et l'empereur François-Joseph. Encore des amabilités attristées. Le 12 octobre, Florence.

On a profité du rappel du corps expéditionnaire français pour occuper Rome. Il voit le ministre Visconti-Venosta, puis le roi. Entre-temps, Jules Favre a chargé le ministre français Sénart de faire valoir les titres de la France à la reconnaissance italienne. Sénart a été lanterné, de jour en jour, par des interlocuteurs fort décidés à se dérober. A Tours, les tentatives de Chaudordy auprès de Nigra n'ont pas eu plus de succès. Thiers, à son tour, va développer en pure perte un plan d'offensive franco-italienne partie de Lyon et perçant le flanc des Allemands par la vallée de la Saône. Victor-Emmanuel, la main sur le cœur, fait serment qu'il le voudrait, de toutes ses forces, mais que, monarque constitutionnel, il ne peut pas réunir assez tôt le Parlement.

Le 21 octobre, Thiers est à Tours. C'est pour apprendre de fort mauvaise humeur, que le *Times* a déjà annoncé l'échec de sa tournée des chancelleries.

Un autre échec est connu depuis la veille, officiellement : celui de Jules Favre à Ferrières.

Jules Favre et l'entrevue de Ferrières.

Jules Favre, après avoir, le 9 septembre, prié Lord Lyons de demander pour lui un rendez-vous personnel à Bismarck, s'est fait approuver non par ses collègues, mais par Thiers.

Bismarck ne répondra que le 13. Il n'est pas pressé. Il préfère attendre qu'autour de Paris ses armées aient fermé le cercle. Il commence par mettre en question l'autorité du gouvernement de la Défense nationale; qui peut dire si les troupes de Metz et de Strasbourg reconnaîtraient, éventuellement, des engagements signés par lui? Jules Favre répond, toujours *via* Londres, que le ministre de la Guerre est obéi dans tous les ordres qu'il donne, qu'au surplus si un armistice est conclu, c'est une Assemblée qui ratifiera la paix. Le cabinet anglais, sans sortir de son rôle de simple intermédiaire, s'active un peu, et se décide à « recommander » l'entrevue. Le 16, Bismarck informe l'ambassadeur anglais qu'il est prêt à recevoir quelqu'un. Jules Favre entoure son départ « du plus profond secret », exception faite pour Trochu et Le Flô.

Après diverses erreurs de parcours, car le Quartier général prussien s'est déplacé, la voiture de louage qui transporte Jules Favre, son chef de cabinet, le baron de Ring, son secrétaire, Hendlé, et un capitaine d'État-Major, passe par la porte de Charenton. Flanquée de deux cavaliers, un officier parlementaire et un trompette, elle s'avance par Maisons-Alfort vers Créteil, premier village tenu par les Allemands. Ceux-ci — des recrues fraîchement annexées du Schleswig — conduisent les six Français à Villeneuve-Saint-Georges, au général du corps d'armée, chez qui ils sont retenus jusqu'au lendemain 19. Mais Bismarck a bien reçu le message évoquant la recherche d'une « transaction honorable » que lui a fait porter Jules Favre, et le 19 au matin, l'acceptation arrive :

Je viens de recevoir la lettre que Votre Excellence a eu l'obligeance de m'écrire, et ce me sera extrêmement agréable, si vous voulez bien me faire l'honneur de venir me voir demain à Meaux.

Le porteur de la présence, le prince de Biren, veillera à ce que Votre Excellence soit guidée à travers nos lignes.

Pénible voyage à travers les hameaux en ruines et les troupes en marche. Le Quartier général prussien vient d'être transféré au château de Ferrières, on prend des chemins de traverse, on finit par joindre Bismarck dans une cour de ferme et par se retrouver à la Haute-Maison.

On s'est à peine assis que le chancelier confédéral attaque à propos d'un taillis qui entoure le château :

« Ce lieu semble choisi pour les exploits de vos francs-tireurs, ces environs en sont infestés et nous leur faisons une chasse impitoyable. Ce ne sont pas des soldats, nous les traitons comme des assassins.

— Mais, se récrie Jules Favre, ce sont des Français qui défendent leur sol, leurs maisons, leurs foyers... C'est vous qui méconnaissez les lois de la guerre en leur en refusant l'application. »

Il évoque aussi 1813, et la croisade sainte prêchée en Prusse contre les Français.

« En effet, réplique Bismarck, mais nos arbres ont conservé la trace des habitants que vos généraux y ont pendus. »

Il dira en d'autres conversations que, si on le laissait faire, lui, il mettrait hors la loi, par surcroît, les aéronautes, les volontaires étrangers et les turcos !

Ce début n'est rien moins que prometteur. Ils enchaînent pourtant, Bismarck engoncé dans sa tunique militaire, volontiers bouffi de suffisance — l'autre amaigri, flottant dans sa redingote d'avocat, accablé par les événements. Ils ont l'un et l'autre résumé le dialogue qu'il est permis de restituer à peu près :

Jules Favre : J'ai cru qu'avant d'engager une lutte définitive sous les murs de Paris, il était impossible de ne pas tenter une transaction honorable, prévenant d'incalculables malheurs, et j'ai voulu connaître à cet égard les intentions de Votre Excellence. Notre situation, bien qu'irrégulière, est parfaitement nette. Nous n'avons pas renversé le gouvernement de l'empereur. Il est tombé de lui-même, et en prenant le pouvoir, nous n'avons fait qu'obéir à une loi de suprême nécessité. C'est à la nation qu'il appartient de se prononcer elle-même sur la forme de gouvernement qu'elle entend

146

se donner, et sur les conditions de la paix. C'est pour cela que nous l'avons convoquée. Je viens vous demander si vous voulez qu'elle soit interrogée, ou si c'est à elle que vous faites la guerre, avec le dessein de la détruire ou de lui imposer un gouvernement.

BISMARCK : Je ne demande que la paix. Ce n'est pas l'Allemagne qui l'a troublée. Vous nous avez déclaré la guerre sans motif, dans l'unique dessein de nous prendre une portion de notre territoire. L'Allemagne n'a pas cherché cette occasion, elle l'a saisie pour sa sécurité. Strasbourg est une menace perpétuelle contre nous. C'est la clef de la maison, et nous la voulons.

Les places fortes de l'Est, revendication « stratégique ».

Le prince royal, dans son *Journal de guerre*, situe la première allusion de Bismarck à la cession de l'Alsace et de la Lorraine le 20 août à Vaucouleurs. Il note encore le 3 septembre, à Donchery, que Bismarck caressait bel et bien le projet de ne pas rendre l'Alsace, mais (déjà) de la garder comme terre confédérale ou impériale. Le prince jusqu'alors n'en savait rien, à l'en croire. Ce sont les généraux qui, entre Gravelotte et Sedan, ont dicté cette revendication. Non pas du tout en vertu de considérations juridiques, ou historiques, ou linguistiques, rien de tel : sommairement, parce que Strasbourg, Metz et les autres forteresses aux mains de la France sont des bases de départ trop dangereuses pour la sécurité de l'Allemagne. Tandis, a-t-il précisé dans une circulaire aux diplomates de l'Allemagne du Nord, tandis que Strasbourg et Metz propriétés de l'Allemagne « prennent un caractère défensif ». Il faut à l'Allemagne un glacis, une « bonne ligne stratégique avancée ». L'État-Major avait pris les devants en éditant la carte au liséré vert, mais c'est en cours de campagne, entre Gravelotte et Sedan que le projet s'est politisé. Exactement le 22 août.

Jules Favre est certes au courant de tout cela (en gros), mais de telles prétentions lui paraissent si exorbitantes que lorsque Bismarck parle de Strasbourg et de Metz, il le regarde avec une sorte de sourire, comme s'il croyait à une plaisanterie. Bismarck alors se fait de plus en plus glacial : c'est pour lui la sécurité allemande qui est en cause, et il ne transigera pas.

JULES FAVRE : C'est alors la destruction de la France que vous souhaitez, c'est donc au peuple français tout entier que vous vous heurterez. Laissez-nous élire une Assemblée, elle nommera un gouvernement définitif qui appréciera vos conditions.

BISMARCK : Mais pour cela il faudrait un armistice, et je n'en veux à aucun prix.

En réalité, le chancelier confédéral ne serait pas si fâché de limiter les dégâts. Il sait, et il l'a écrit à sa femme, les très lourdes pertes subies par les Allemands depuis l'entrée en campagne, et il juge avec la dernière sévérité les ordres « insensés » donnés par des généraux comme Voigts-Rheetz qui sacrifient les vies humaines sans compter. Son fils Herbert a été atteint par une balle de mitrailleuse, et toutes les balles de ces engins « semblent contenir une dose de poison qui noircit et envenime la blessure ». Il n'a pas grande confiance dans ses grands chefs, routiniers et jaloux. Seulement ce sont eux qui commandent, et ils ne veulent pas entendre parler d'un cessez-le-feu qui permettrait aux Français de compléter leurs armements, et à Paris de se ravitailler.

On tient encore une conférence de nuit au château de Ferrières. Mais à quoi bon? Pas d'armistice, donc point d'élections, c'est-à-dire d'Assemblée. Une cession de territoires à laquelle un gouvernement provisoire ne saurait souscrire. Bismarck reprend ses récriminations contre Gramont, « le plus médiocre des diplomates », contre Émile Ollivier, « un orateur, non un homme d'État ». Il a, peut-on supposer, bien dîné et en vient à confier qu'après tout, il agira selon son intérêt en rétablissant, s'il le faut, l'Empire — avec Bazaine — ou au besoin les Orléans, voire Chambord. Ils se renvoient au lendemain. On ne s'étonnera pas que Jules Favre (il avait pensé trouver un Européen parlant à peu près le même langage que lui) se soit retiré quelque peu atterré.

Le lendemain, c'est le 20. Dans la nuit est arrivé un personnage, hors programme, Régnier, Victor Régnier.

L'étrange Victor Régnier entre en scène.

On s'est longuement demandé ce que pouvait être au juste ce quinquagénaire replet qui, originaire de Tarbes, fut vaguement étudiant en médecine, vaguement chirurgien auxiliaire, vaguement exploitant d'une carrière, depuis quelque temps négociant, marié et installé en Angleterre, d'aspect au total « assez commun ». Agent de l'Allemagne? Ce serait beaucoup dire, encore qu'il doive, par la suite, se trouver conduit à « collaborer » plus qu'étroitement avec l'envahisseur. Péroreur, touche-à-tout, avec une très haute idée de ses aptitudes, il brûle plutôt de faire, à tout prix, parler de lui. Il s'est mis en tête d'être reçu à Hastings par l'impératrice, de capter sa confiance, de lui exposer son plan de négociation. Il n'est pas parvenu jusqu'à elle, mais, on ne sait trop comment, il a pu aborder le petit prince, lui dire qu'il partait pour Wilhelmshöhe, où Napoléon III est interné, lui faire écrire quelques mots sur une carte illustrée pour son père. C'est trop peu pour abuser vraiment Bismarck, mais n'est-il pas utile à Bismarck de faire croire à Jules Favre qu'il a à sa disposition, derrière la porte, un émissaire qualifié de la famille impériale, avec qui il pourrait traiter?

« J'avais bien raison, rétorque Jules Favre, de prévoir que vous vouliez restaurer l'Empire.

— Je ne puis vous dire ni oui ni non... »

Dans ses *Propos de table*, il confiera qu'il eût été tout aussi prêt à reconnaître la République, ou la dynastie des Gambetta, pourvu que s'en suivît une paix solide...

On en revient à la question : l'armistice. Il n'est plus rejeté, en principe. Mais Jules Favre ayant précisé à nouveau ce qu'il ne pouvait absolument pas accepter, Bismarck sort pour retourner auprès du roi, et revient, un papier à la main. Ce sont les résolutions définitives qu'il prête à Guillaume : Assemblée réunie à Tours, armistice de quinze jours, Metz excepté, où le *statu quo* est maintenu, sauf-conduits pour les électeurs parisiens, mais les Alsaciens-Lorrains exclus de la consultation, occupation d'au moins un fort dominant la capitale, comme le Mont-Valérien, toutes les forteresses des Vosges livrées, et Strasbourg, avec sa garnison prisonnière.

Jules Favre, cette fois, a une brève défaillance. Bismarck, toujours dans ses *Propos de table*, prétendra que son interlocuteur jouait une comédie d'avocat qu'il s'était maquillé, qu'il s'était mis du blanc et du vert... Mais en d'autres circonstances, ne s'est-il pas avoué, lui aussi, sujet à des crises de dépression, voire de larmes?

« Pardon, monsieur le comte, enchaîne Jules Favre, de cet instant de faiblesse... Je vous demande la permission de me retirer. Je me suis trompé en venant ici, mais je ne m'en repens pas : j'ai obéi au sentiment de mon devoir. Si mon gouvernement estime qu'il y a quelque chose à faire dans l'intérêt de la paix avec les conditions que vous m'avez posées, je dominerai mes répulsions, et je serai ici demain. Dans le cas contraire je vous écrirai.

Le comte me parut légèrement agité, me tendit la main, m'adressa des paroles polies, et je descendis, le cœur gonflé de douleur et de colère, le grand escalier du château.

Jules Favre n'a plus qu'à rentrer à Paris. Dans un Paris consterné par la mauvaise nouvelle de Châtillon : des conscrits hâtivement habillés en zouaves ont lâché pied. Il n'y a pourtant, après le récit du dialogue de Ferrières, qu'une voix au Conseil pour repousser les conditions de Bismarck. Celui-ci en est aussitôt informé :

J'ai le regret de faire connaître à Votre Excellence que le gouvernement n'a pu admettre vos propositions. Il accepterait un armistice ayant pour objet l'élection et la réunion d'une Assemblée nationale; mais il ne peut souscrire aux conditions auxquelles Votre Excellence le subordonne. Quant à moi, j'ai conscience d'avoir tout fait pour que la paix soit rendue à nos deux nations. Je ne m'arrête qu'en face d'un devoir impérieux, m'ordonnant de ne pas sacrifier l'honneur de mon pays, décidé à résister énergiquement. Je m'associe sans réserve à son vœu, ainsi qu'à celui de mes collègues. Dieu, qui nous juge, décidera de nos destinées : j'ai foi dans sa justice.

Gambetta en ballon.

Au début d'octobre, deux Américains, le général Burnside et le colonel Forbes se présenteront aux avant-postes, porteurs d'une lettre de Bismarck à Jules Favre. Il s'agit du courrier des membres du corps diplomatique demeurés dans Paris, mais les deux visiteurs s'offriront à rapporter quelques jours après de nouvelles propositions d'armistice électoral. Ils reviendront en effet avec une offre de trêve de quarante-huit heures : l'affaire n'aura pas de suite.

Les Français se retrouvent devant la tragique réalité. Et voilà, du coup, écartée — provisoirement — cette lancinante controverse sur les élections. Elles avaient été primitivement fixées au 2 octobre pour l'Assemblée constituante, au 25 septembre pour les conseils municipaux. On s'est avisé ensuite qu'il était maladroit et périlleux d'y procéder, avec toujours en place, au-dessous des préfets nouvellement « parachutés », comme on dirait plus tard, le même appareil administratif que sous l'Empire, et les maires de l'Empire, autrement dit les agents des précédentes candidatures officielles :

Nous voulions rendre la France à elle-même, exposera honnêtement Jules Simon, il ne fallait donc pas la laisser aux maires de l'Empire... Il est bien vrai qu'en faisant des élections rapprochées on les faisait républicaines, mais à condition de ne pas garder les maires qui avaient fait le plébiscite et les élections de 1869... Ces élections faites pendant la guerre, ces votes sous le feu, sans préparation, sans réunions, sans journaux libres, les maires du gouvernement déchu chargés de présider aux élections dans la désorganisation générale du pouvoir administratif, et avant qu'on eût pu rien reconstituer, paraissaient (...) un danger réel, et presque une impossibilité.

Il semble, après Ferrières, que cette impossibilité a été reconnue par tous. Le 24 septembre, l'ajournement des élections est décidé, et la Délégation de Tours l'annonce, avec un appel à la « lutte à outrance ». Seulement, les choses vont se compliquer entre elle et Paris investi, par suite de la rupture des communications. Le télégraphe est coupé; les pigeons sont souvent interceptés; les ballons mis en service depuis le 23 sont un moyen précaire et périlleux, les assiégeants ouvrant le feu sur eux, emmenant les voyageurs en captivité et menaçant de les passer par les armes. La Délégation, de plus en plus, va se trouver livrée à elle-même, sans ordres supérieurs.

Or, la Délégation, malgré ses proclamations enflammées, manque évidemment de poids. Crémieux, Glais-Bizoin et Fourichon dans la ville en proie à longueur de journée aux manifestations patriotiques, les unes exaltantes, les autres moins — beaucoup d'uniformes, peu de discipline — ne parviennent pas à s'imposer. Des « triumvirs » comme on les appelle, les deux premiers sont manifestement trop âgés, l'autre trop militaire. En outre, ils se disputent les prérogatives, et la tension devient telle entre eux que l'amiral démissionne pour tout de bon de la Guerre. C'est Crémieux qui s'adjuge les responsabilités de l'armée de terre : « Il ne sait même pas distinguer un fantassin d'un cavalier », dira Glais-Bizoin. En vérité, ils sont également brouillons et débordés, bien qu'ayant avec eux, par chance, des délégués de valeur, comme Chaudordy pour les Affaires étrangères, Laurier pour l'Intérieur. C'est ce dernier lui-même qui écrit : « Il manquait un chef, je ne dis pas un maître. »

A Paris, on s'inquiète à juste titre de ce qui se passe à Tours. On parle obscurément de menées défaitistes, d'une coterie réactionnaire qui se formerait, favorable à la paix, quelle que soit cette paix. Puis éclate la nouvelle que la Délégation a pris sur elle de rétablir les élections générales pour le 16, malgré la situation, malgré les vingt-trois départements où elles seraient matériellement impossibles. Les « affamés de paix » l'emporteraient-ils en province, alors qu'au contraire, Paris mobilise ses hommes, les entraîne, fourbit ses armes?

Gambetta, d'abord partisan des élections, en discerne maintenant tous les risques. Au Conseil du 1er octobre, il fait adopter l'annulation du décret de Tours, et réclame l'envoi d'un homme énergique.

On supplie, une fois de plus, Jules Favre, qui s'estime rivé, par son devoir, à Paris. Alors Gambetta lui-même? Il commence aussi par refuser. Puis, le 3, à l'issue d'une journée de palabres, le vote l'ayant désigné, il se décide à accepter. Avec quelle mission au juste?

« Il y eut une proposition, note Jules Simon, pour lui remettre une sorte de cahier, ou de mandat impératif : on s'en tint, après délibération, à lui donner, en cas de partage, voix prépondérante. Ce n'était pas la dictature, comme on l'a dit, puisque les trois autres membres, unis contre lui, pouvaient lui faire échec et qu'il demeurait bien entendu que les ordres du gouvernement central seraient exécutés, toutes les fois qu'ils pourraient être demandés et suivis. »

Le 7 octobre, au matin, Gambetta s'élève de la place Saint-Pierre à Montmartre à bord du sphérique *Armand-Barbès*.

A trois heures de l'après-midi, après avoir échappé aux balles prussiennes et aux risques d'un atterrissage involontaire, il sera recueilli par des paysans dans un bois près de Montdidier, conduit à Amiens. Dès le lendemain, il harangue Rouen. Le 9, il arrive à Tours.

9

Bazaine capitule

Après la capitulation de Sedan, il n'y a plus devant les Allemands, en rase campagne, d'opposition militaire qui vaille. Ils ont pénétré au cœur même de la France. Tandis que Frédéric-Charles encercle sous Metz l'armée de Bazaine, Frédéric-Guillaume a suivi la route Rethel-Reims-Dormans-Meaux, le prince royal de Saxe, celle de Laon-Soissons-Senlis-Crépy-en-Valois.

Leur marche n'a été retardée que par les interventions inopinées de petites unités de francs-tireurs fraîchement constituées. Ces volontaires non mobilisés mais armés avec les moyens des dépôts se battent parfois sans grand souci des usages de la guerre courtoise, harcèlent les colonnes, pillent les convois mal protégés, et à l'occasion se vengent sur les patrouilles isolées des déprédations commises par l'envahisseur.

Et les places fortes?

Là encore l'impériale impéritie a régné : on a omis de les mettre en état de défense. Elles auraient pu faire beaucoup de mal — Moltke le reconnaîtra — à des troupes victorieuses mais souvent étrillées dans les combats. Seulement ces places fortes sont médiocrement armées, médiocrement approvisionnées, certaines médiocrement commandées. Fortifiées ou non, les villes tombent les unes après les autres, Reims tout de suite, et Vitry-le-François, et Laon, sous la pression des habitants qui menacent de mort le gouverneur s'il prétend encore lutter : à Laon un simple garde d'artillerie, nommé Henriot, sauvera l'honneur en faisant sauter la citadelle. C'est à peu près ce qui se passe à Soissons. Ailleurs les remparts, qui ne sont plus que vestiges, comme à Marsal, n'ont guère tenu.

Strasbourg, en flammes, se rend.

Strasbourg coûtera aux assaillants plus cher. Tout de suite après Forbach et Frœschwiller, la capitale de l'Alsace a été l'objectif des Prussiens qui l'ont investie le 12. C'est une place forte de premier ordre, avec son enceinte bastionnée, sa citadelle, ses ouvrages casematés, sa fonderie de canons, son arsenal, ses magasins. Mais Strasbourg aussi est pris au dépourvu.

Le vieux général Uhrich, un enfant du pays, dispose contre von Werder qui l'attaque, de 20 000 hommes, dont un vrai régiment, le 87ᵉ de ligne, mais surtout d'éléments disparates, fusiliers-marins, douaniers, gendarmes, et de mobiles tout juste équipés; avec cela des fuyards de Reichshoffen arrivés en cohue, toutes armes mêlées, cavaliers démontés et fantassins montés sur des chevaux échappés : on a rattrapé au passage ces rescapés, pour en faire des bataillons de fortune. On manque d'artillerie et de munitions, on n'est même pas en mesure de défendre les hauteurs maîtresses de Schiltigheim et de Hausbergen. Et pourtant sur quel ton sera éconduit le parlementaire allemand venu pour sommer Strasbourg de se rendre, sous peine de bombardement! Les Allemands bombardant cette cité, qu'ils appellent la « cité-sœur »? Ce n'est pas possible. S'en prendre aux richesses artistiques et scientifiques collectionnées dans Strasbourg, à la flèche superbe de la cathédrale rose? Les Alsaciens n'y croient pas.

Ils ont grand tort, car von Werder est un Prussien qui ne plaisante pas. Dès le 13 octobre, un premier obus tombe près de la porte de Saverne, blessant plusieurs personnes. Le préfet en fonctions, Pron, trop préoccupé des intérêts de l'Empire, n'est probablement pas celui qu'il eût fallu en de pareils temps. Il sera déclaré déchu de ses fonctions le 11 septembre, quand les assiégés apprendront, par des Bernois accourus au secours des femmes, enfants et vieillards, tout ce que la ville a ignoré : Gravelotte, Sedan, Bazaine bloqué, Mac-Mahon et Napoléon III prisonniers, la République proclamée à Paris... A la mairie est appelé le populaire Küss, qui mourra le jour où sa province cessera d'être française. Et peu après surviendra, après avoir franchi entre deux feux, les fossés emplis d'eau, le nouveau préfet du Bas-Rhin nommé par Gambetta : ce Valentin, dont la légende s'emparera.

Edmond Valentin, qui apporte son décret de nomination cousu

dans la manche de son paletot, est acclamé. Il n'arrivera guère que pour voir succomber l'impossible résistance. Jour et nuit, Strasbourg a subi le feu des batteries prussiennes et badoises. Des rues entières ont brûlé, rue du Dôme, rue de la Nuée-Bleue. Puis c'est le tour de la somptueuse bibliothèque bilingue et du musée. Uhrich envoie des émissaires : « Nous sommes perdus (27 août) si vous ne venez pas immédiatement à notre secours. » Et rien ne vient.

Rendu furieux, Uhrich canonne, de l'autre côté du Rhin, Kehl, qui flambe à son tour. Des sorties sont tentées le 16 août du côté d'Ostwald, puis le 29. Les Allemands ne se laissent pas percer, et rapprochent leurs tranchées. Et les vivres s'épuisent, comme les munitions. La population civile a déjà eu 300 morts, près de 1 700 blessés. Le 29 septembre, von Werder doit donner l'assaut, précédé d'un *Schnellfeuer*, feu précipité avec obus incendiaires. Alors Uhrich, « l'honneur civil, l'honneur militaire étant saufs », se résout, la veille, à ouvrir ses portes.

De loin, cette reddition sera discutée. Soutenu par une population patriote, Uhrich a pourtant tenu tête, pendant un mois et demi à 50 000 assiégeants forts de 300 bouches à feu. Seul détail troublant : il acceptera, au lieu de suivre le sort de ses troupes, un sauf-conduit pour Tours, alors qu'Edmond Valentin, le civil, aura droit à la déportation en Allemagne.

Peu après, Sélestat devra se rendre aussi, comme Neuf-Brisach, Thionville.

La garnison de Toul, ridiculement faible bien que renforcée par les mobiles de Nancy, devra hisser le drapeau blanc après quarante jours de siège, Verdun après deux mois.

Des défenses héroïques.

Certaines défenses ont été héroïques. Celle du fortin de Lichtenberg dans les Basses-Vosges, avec la poignée de fantassins du sous-lieutenant Archer, devant l'artillerie wurtembergeoise. Celle de la Petite-Pierre, autre fortin tout proche, dont le sergent-major Bœltz, après avoir tout détruit, parvient à faire sortir les occupants pour les diriger sur Phalsbourg. Celle de Phalsbourg, illustrée par les romans d'Erckmann-Chatrian. Écrasée par 60 pièces prussiennes, investie, en ruine, privée de tout, la petite ville ne se rendra que le 12 décembre « plusieurs personnes étant mortes de faim », les civils ayant soutenu jusqu'au bout l'opiniâtreté du commandant Tailhant.

Bitche et Belfort réussiront à ne pas se rendre.

Bitche, avec 53 pièces, dont 13 en état de tirer, un bataillon d'infanterie, des canonniers réservistes, des gardes nationaux sédentaires, et un millier d'éclopés de Frœschwiller, repoussera toutes les offres bavaroises d'honneurs de la guerre. Il est vrai que l' « indomptable » commandant Teyssier aidé par une commission municipale irréductible trouvera le moyen non seulement d'entretenir le moral de sa troupe, mais de faire entrer par ruse dans la cité incendiée des vivres achetés aux campagnards grâce à des subsides envoyés de Tours. Oublié par Jules Favre dans la convention d'armistice, il ne quittera la place que le 27 mars avec armes, bagages et enseignes déployées, les Bavarois ayant dû fournir des convois et des équipages.

Le nom de Denfert-Rochereau restera attaché à Belfort comme celui de Teyssier à Bitche. Pilonnée pendant cent trois jours par 98 000 obus, la place haut-rhinoise brisera tous les assauts du général von Treskow, et ne mettra fin à sa résistance, sur ordre du gouvernement de la Défense nationale, que le 18 février — avec le cérémonial des honneurs. Belfort sera cité dans les relations allemandes comme la *Todtenfabrik*, fabrique de morts.

120 000 hommes sous les forts.

L'exemple de Bitche et de Belfort, a observé Jacques Desmarest, « atteste tout le parti qu'on aurait pu tirer d'une résistance acharnée des places ».

Telle ne sera toutefois pas, pour Metz, la façon de voir de Bazaine, malgré ses 120 000 hommes regroupés sous la protection des forts.

Maints récits accablants ont été publiés de la capitulation de Metz. Le plus cruel de tous est probablement celui de Louis Rossel, déjà cité, polytechnicien, capitaine du génie, vingt-sept ans, dont le destin sera de tomber sous douze balles françaises pour sa participation à la Commune.

Après la bataille de Saint-Privat le 18 août, l'armée du Rhin a installé ses bivouacs autour des remparts. L'enveloppement allemand se resserre sur Bazaine, mais surtout à l'ouest, car les Allemands, tout logiquement, lui prêtent l'intention de marcher au-devant de l'armée de Châlons, par les routes de Briey ou de Verdun. A l'est, les Français n'ont devant eux qu'un rideau de troupes, et à leur tour ils pourraient tenter quelque chose, sortir de Metz, en direction du Rhin, ou du Nord, ou du Centre.

Bazaine ne se décidera pas.

Le 26 seulement, parce que les Prussiens ne bougent pas, il fait passer la Moselle à ses trois corps d'armée campés sur la rive gauche. Va-t-on attaquer sur Sainte-Barbe, puis sur Thionville? Une pluie torrentielle noie le décor. Il se contente finalement de dégager le plateau de Borny et décommande la suite. A ses généraux réunis en conseil, il ne parle guère que du manque de munitions. Les nouvelles qu'il donne à Paris? « Toujours sous Metz avec munitions d'artillerie pour un combat seulement. Impossible forcer les lignes retranchées ennemies dans ces conditions. Aucune nouvelle de Paris ni de l'esprit national. Urgent d'en avoir. Agirai efficacement si mouvement offensif de l'intérieur oblige l'ennemi à battre en retraite. » En d'autres termes, il attend qu'on vienne le débloquer.

Et cinq jours s'écoulent encore, à réfléchir. Le 29 au soir, Bazaine reçoit, par des porteurs volontaires, un message de Ducrot qui, d'Attigny, lui demande de tout préparer pour une action commune, ce qui ne peut signifier pour l'armée du Rhin qu'un mouvement vers le nord à la rencontre de l'armée de Châlons. Le maréchal se décide le 31. Seulement il y a beau temps que l'ennemi a éventé la chose, et s'est massé entre Argency, Rupigny, Servigny, Noisseville. Le colonel Davout, duc d'Auerstædt, emmène le 95e à la baïonnette et enlève ce dernier village, pourtant protégé par des tranchées; un commencement de panique se produit chez les Prussiens. Bientôt après le 3e corps, c'est le 4e qui s'ébranle. Les grosses pièces de Saint-Julien les appuient lourdement. La nuit tombée, on peut à nouveau croire à la victoire : il suffirait de persévérer. Le passage est ouvert!

Seulement, quand le feu reprend, avant l'aube, Bazaine n'est pas là. Les Allemands ont ressaisi l'initiative et, à midi, les Français ont reperdu une à une les positions conquises la veille — au prix de 3 554 tués dont 145 officiers et le général Manèque. Pour rien.

Au fond, Bazaine n'a jamais pensé sérieusement à se « faire jour », comme on disait.

Pourquoi? Pour l'évidente raison donnée par Louis Rossel : Il n'avait pas été un seul instant le maître de son armée. Il avait écouté sans doute les objections de l'artillerie, celles du génie, celles de ses lieutenants; l'État-Major surtout lui avait fait défaut : traverser la Moselle sur six ponts différents était déjà pour cet État-Major une opération trop compliquée. Aussi est-il probable que sur le champ de bataille, Bazaine ne voyait que les deux kilomètres qu'il avait sous les yeux, ce qui est suffisant pour un général d'Afrique ou du Mexique, mais tout à fait insuffisant pour l'homme qui prétend faire battre cent mille hommes sur un front de trois ou quatre lieues.

C'est une raison. L'autre, l'arrière-pensée politique, éclairera bientôt le singulier comportement de ce singulier maréchal.

Pendant que Bazaine se met à l'abri dans le camp retranché, Mac-Mahon, abandonné à lui-même, se fait cerner à Sedan.

C'est le 12 septembre seulement que par des rumeurs ou des journaux complaisamment passés aux avant-postes par les Allemands, on apprend à Metz qu'il ne faut plus compter sur Mac-Mahon et que la République est proclamée à Paris. S'ensuit un véritable deuil public. L'armée a le sentiment d'être ensevelie vivante, à moins que, les armes à la main, on ne rompe le blocus. Mais Bazaine s'est contenté d'envoyer des « passeurs » pour demander des éclaircissements et on s'aperçoit vite que sous son képi mûrissent d'autres projets.

Les arrière-pensées d'un maréchal de France.

Assez significatifs déjà, à l'issue d'un « conseil des commandants de corps », les termes de sa proclamation à l'armée : « Continuons à servir la patrie avec le même dévouement et la même énergie, en défendant son territoire contre l'étranger, *l'ordre social contre les mauvaises passions.* » La veille *L'Indépendant rémois* avait publié un communiqué d'origine allemande où le gouvernement de Bismarck déclarait ne pouvoir traiter qu'avec l'empereur Napoléon ou avec la régence instituée par lui. « Il pourrait également traiter avec le maréchal Bazaine, qui tient son commandement de l'empereur. » Le maréchal reconnaîtra avoir connu cet article, mais ajoutera qu'il n'y a attaché « aucune importance »!

En tout cas, tout en laissant son armée s'enliser dans la démoralisation des tentes inondées et des rations de plus en plus maigres, il n'hésite pas à entrer en contact avec l'adversaire. C'étaient certes manières des Altesses d'autrefois qui, la bataille terminée, « se faisaient des politesses ». Frédéric-Charles se montre très empressé à répondre à ses avances. Il lui apprend la révolution du 4 septembre, lui fait tenir avec ponctualité, par les journaux allemands et français, les mauvaises nouvelles de Paris.

Bazaine rumine, caresse sa mouche, écoute ou n'écoute pas. Décide en tout cas qu'on ne tentera plus de grandes sorties d'ensemble, qu'on se bornera désormais à de petites opérations, et ce « en attendant les ordres du gouvernement ».

Mais de quel gouvernement est-il disposé à recevoir des ordres? Et quel est le gouvernement qui lui en adressera?

Faut-il inscrire à la décharge de Bazaine qu'il a été, très vite, privé d'informations directes avec l'intérieur de la France — ce qui a renforcé d'autant sa tendance depuis le Mexique à se considérer comme un *imperator*, exerçant sur place une sorte de pouvoir souverain?

Est-il possible qu'il ait ignoré, comme il le prétendra, les efforts du gouvernement de la Défense nationale pour assurer son ravitaillement par Thionville? On verra défiler au procès toutes sortes de braves gens, gardes-chasse, douaniers, voituriers, ouvriers, artisans, qui acceptèrent, au péril de leur vie, de lui porter des messages de Gambetta, du général Le Flô, de Kératry. L'un d'eux, au moins, le maçon Risse, maintiendra lui avoir remis un message en main propre et avoir été renvoyé avec dix francs et un haussement d'épaules. En fait, les débats n'aboutiront qu'à des affirmations et à des dénégations.

En tout cas, ce velléitaire qu'est Bazaine, cet homme qui perd tous ses moyens quand il est livré à lui-même, Frédéric-Charles ne se fait pas faute de le soumettre à ce que l'on appellera plus tard un travail d' « intoxication ». A partir du 15 septembre — son premier aide de camp Boyer est allé porter une première lettre —, le maréchal échangera avec le Prussien des communications ouvertes. Des officiers, à tout propos, traversent les lignes, sous la protection du drapeau blanc, et c'est bientôt une routine pour les clairons et trompettes aux avant-postes que de sonner le cessez-le-feu « au parlementaire ». On échange des quotidiens, du courrier. Toutes ces pratiques sont explicitement interdites par le règlement, mais on n'en a cure.

« Il n'y avait plus de gouvernement, plaidera Bazaine, j'étais mon propre gouvernement; je n'étais dirigé par personne, je n'avais plus à obéir qu'à ma conscience.

Le duc d'Aumale : Vous ne pensiez pas que votre situation militaire vous obligeait à respecter les règlements?

Bazaine : Mais l'Empire était tombé, rien de légal n'existait plus.

Le duc d'Aumale : La France existait toujours. »

Bazaine d'ailleurs, aux premières nouvelles reçues de Sedan et du 4 septembre, n'avait-il pas commencé par reconnaître implicitement le nouveau pouvoir parisien en rappelant le 18 que « nos obligations militaires envers la patrie restent les mêmes »? Il est vrai qu'il donnait à entendre en même temps qu'il ne soutiendrait pas n'importe quelle politique.

Mais l'intoxication fait rapidement son œuvre. En France, colporte-t-on, l'anarchie règne partout, le gouvernement Trochu n'est pas obéi, au surplus jamais le roi de Prusse ne traitera avec un Jules Favre. Bien plutôt, répète-t-on, avec Napoléon, ou une régence instituée par lui, ou un chef tenant de lui son commandement. Il faudrait, pour résister à ces ouvertures, dans un tel effondrement de tout, une autre trempe, intellectuelle et politique, que celle d'une « grosse épaulette » de l'Empire. Se serait-il mieux comporté si le gouvernement de la Défense nationale avait fait acte d'autorité, en lui signifiant, au nom du peuple français, des ordres? On peut lui accorder le bénéfice du doute. Mais tout se passe comme si Jules Favre estimait Bazaine mieux placé que lui pour décider à Metz... Et Bazaine, la conscience rassurée de ce côté, va, sans apparents problèmes de conscience, engager avec le château de Frescaty, où réside Frédéric-Charles, des pourparlers.

Non sans se battre, il est vrai. Non sans autoriser dans les campagnes environnantes des coups de main percutants. Le 22 septembre, au hameau de Lauvallier, le 3e corps s'empare de 25 000 gerbes de paille. Le 27, à Peltre, au sud-est de Metz, sur la voie ferrée de Strasbourg, un détachement suivi d'une locomotive blindée enlève du ravitaillement et 150 prisonniers. Pourtant ces

succès sont trop limités pour vraiment galvaniser les troupes :
« Incidents jetés en pâture à la préoccupation publique », dira Louis
Rossel, tout aussi sévère pour l'affaire du 7 octobre à Ladonchamps.

Cette fois, c'est au nord de Metz, dans la plaine. Ordre à Canrobert de faire exécuter un « fourrage » sur les deux fermes des Grandes
et Petites-Tapes. Les Français tiennent de ce côté, comme position
avancée, le château de Ladonchamps. C'est la division Deligny
qui attaque : le bataillon de chasseurs et quatre régiments de
voltigeurs de la garde. Les hameaux de Saint-Remy et de Bellevue
sont atteints. Se retrouvent là les bonnes troupes chevronnées de
Crimée et d'Italie, qui avanceraient beaucoup plus loin, si l'opération n'était arrêtée, comme tant d'autres, à la nuit tombante. Les
Allemands ont perdu 800 prisonniers, 1 778 hommes hors de combat,
les Français 1 208, dont les généraux Gibon, tué, de Chanaleilles
et Garnier blessés. Au total pourtant, écrira durement Louis
Rossel, « c'était une amusette. Le bon public croyait l'armée en
route pour Thionville. En réalité Ladonchamps n'est pas une
position : il dépend trop des hauteurs voisines, où nous n'avons
rien fait ». Il ajoute, donnant une idée des combats : « On dit que
les chasseurs de la garde n'ont pas fait de quartier, et on raconte
des détails navrants là-dessus, il faut dire que ce bataillon avait
beaucoup souffert le 16 (août), les Prussiens l'ayant pris au piège de
s'avancer sur lui la crosse en l'air comme pour se rendre. »

Mais c'est, comme on l'a dit le « chant du cygne » de cette armée
qui n'a plus un mois à vivre.

La bizarre mission de Bourbaki.

Elle est toujours l'armée du Rhin, cantonnée sous la protection
des ouvrages permanents de Metz. La place est gouvernée par le
général Coffinières de Nordeck, que n'enchante certes pas outre
mesure cette installation *extra muros* d'un camp retranché sous les
ordres d'un maréchal de France. C'est lui qui détient les approvisionnements de siège. Il les livrera, mais il doit compter aussi
avec ses 120 000 bouches à nourrir, militaires, civils et 18 000 blessés et malades. A lui la tâche ingrate de rationner et de se procurer
du crédit, dans la situation fausse où se trouvent Bazaine et lui
devant les banquiers et agents de change de la ville. A l'heure

Le chancelier de fer, à l'apogée de sa puissance. Il avait pour l'uniforme une prédilection très allemande. Cette lourde tête, ces sourcils broussailleux, ce regard globuleux expriment une rare énergie, une énergie qui fondait toutefois devant son souverain. *Cl. Bulloz.*

Le maréchal de Mac-Mahon, le vaillant général qui, en 1855, prit d'assaut la tour de Malakoff et proclama "j'y suis, j'y reste", celui qui reçut le bâton à Magenta avec le titre de duc, a (déjà) pris de l'âge. *Cl. Hachette.*

Le général Trochu. "Breton, catholique et soldat", ainsi se définissait-il. Mais aussi parleur infatigable. Au fond, il ne crut jamais aux chances de la résistance parisienne. Alors pourquoi ces discours enflammés, ces affiches grandiloquentes ? On est en droit de lui reprocher aussi, à Bordeaux, d'avoir tenu, le cigare à la bouche, des propos un peu trop goguenards. *Cl. Tallandier.*

Monsieur Thiers. Cl. Hachette.

Le maréchal Le Bœuf, person-
nification de l'armée impériale, bravache et brave.
Lorsqu'il quitta le ministère
de la Guerre pour prendre le
commandement d'un corps
d'armée, il ne se montra pas
pire qu'un autre. Il restera
néanmoins le triste ministre
qui jeta l'armée à la boucherie, dans un incroyable état
d'impréparation. *Cl. Hachette.*

La charge historique de Reichshoffen (plus exactement de Morsbronn), par Edouard Detaille. *Cl.
Braun, copyright by SPADEM.*

Donchery, le 2 septembre : durement, Bismarck se
plaira à évoquer plus tard la bicoque du tisserand
où Napoléon III, vaincu et physiquement déchu,
déboutonné, sollicita la faveur de rencontrer son
''bon frère'' le roi de Prusse. Celui-ci lui exprima
son émotion, mais sans rien retrancher des exigences de ses militaires. *Cl. Ullstein.*

Le 4 Septembre à Paris. En quelques heures, à la nouvelle de Sedan, tout s'est effondré. Il n'y a plus d'Empire, et les fonctionnaires du régime ont disparu, comme dans des trappes. La foule républicaine et révolutionnaire, gardes nationaux, civils en blouse ou en paletot, envahit le Corps législatif. Ce sera une fameuse inspiration que de la détourner en cortège en direction de l'Hôtel de Ville. *Cl. Jean Dubout.*

Bazaine, il fut un des "podagres de l'Annuaire" dénoncés par Louis Rossel. Son attitude devant ses juges militaires, en 1873, fut pour les officiers de tradition qui lui demeuraient fidèles, plus que décevante. *Cl. Hachette.*

Gambetta à Tours. Parti de Paris en ballon, il écartera rapidement, en province, tous autres que lui. Devant les militaires assez discrédités de l'Empire, comme les hommes politiques du régime déchu, il eut vite fait de se rallier le personnel de fortune recruté d'urgence au nom de la Défense nationale. Il n'y eut bientôt plus que lui. *Cl. Roger-Viollet.*

Guillaume Ier, empereur allemand : les *traités* du 18 janvier 1871, dans la Galerie des Glaces, à Versailles. Le nouveau maître des Allemagnes est acclamé par tous ses féaux. Devant lui Bismarck, artisan de son élévation ; mais il passera sans paraître le reconnaître. Bismarck aurait pu lui demander : *"Qui t'a fait Kaiser ?" Cl. Ullstein.*

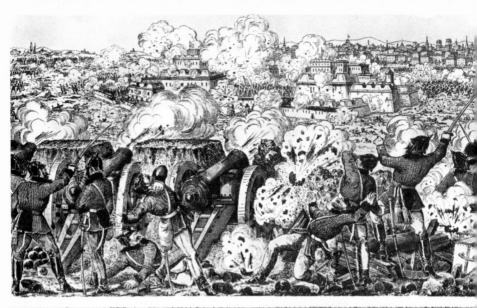

Les canons allemands pilonnent Paris, image populaire. *Cl. Roger-Viollet.*

L'Armistice. De gauche à droite : Bismarck, Valdan, Jules Favre, Moltke. On trace la ligne de démarcation. Mais les Allemands étaient, beaucoup mieux que les Français, tenus au courant des dernières opérations. *Cl. Jean Dubout.*

Emile Keller, député du Haut-Rhin, donna lecture à Bordeaux, de la déclaration réaffirmant l'appartenance française de l'Alsace et de la Lorraine. Il continua, après l'armistice, de représenter à Paris le territoire de Belfort. Son collègue, le physiologiste Emile Küss, mourut le jour où l'Assemblée votait les préliminaires de paix. *Cl. Deneux - Tallandier.*

L'Alsace-Lorraine en 1874 : plus d'un million et demi de Français annexés à l'Empire allemand. Ce sera, pendant quarante-sept ans, le drame de l'Alsace-Lorraine. *(Atlas de la France par A. Joanne.) Cl. Hachette.*

qu'il est, de quel gouvernement émanent-ils l'un et l'autre — et le
trésorier général lui-même, qui signe? Comme s'il se plaisait à
entretenir l'équivoque, Bazaine a fait disparaître de certains actes
le nom de l'empereur, mais sans le remplacer par une référence à
un autre pouvoir.

De jour en jour, sous la pluie toujours battante, les soldats
attendent, allongés sous leurs chétives tentes-abris, sans nouvelles
des leurs, désœuvrés, mangeant juste de quoi ne pas mourir de faim.
On ne « réalise » pas à Paris, on ne réalise pas davantage à Tours
les souffrances de ces 120 000 hommes.

Une seule tentative sérieuse pour refaire liaison avec le monde
extérieur : les ballons du pharmacien Jeannel, qui jettent des
dépêches à Toul, à Neufchâteau. Comment Bazaine n'a-t-il pas
essayé de ce moyen pour faire connaître à la France libre sa situation exacte?

Mais non. Bazaine, à n'en pas douter, nourrit des visées politiques.
Inspirées par le prince Frédéric-Charles? Celui-ci, en tout cas, ne le
décourage pas. On peut s'en convaincre avec la rentrée en scène du
mirobolant personnage qui a nom Régnier.

Bismarck s'est résolu à tirer de ce Régnier tout le parti possible,
et de Ferrières l'a envoyé, avec des sauf-conduits, au quartier
général de Frédéric-Charles, à Corny, d'où il signale sa présence à
Bazaine en se donnant comme l' « envoyé de Hastings ». Qu'il soit
tout de suite, en cette qualité, reçu par Bazaine, confirme assez que
toutes les cogitations du maréchal sont orientées vers une restauration impériale. Le 23 septembre, au Ban-Saint-Martin, il reçoit
donc et écoute Régnier. Les Allemands n'ont pas pris grand risque
en utilisant ce hâbleur, qu'ils pourront, le cas échéant, désavouer.
Toujours est-il qu'il se dit assez informé pour exposer les conditions
possibles d'un armistice : reddition de Metz contre le départ de
l'armée avec armes et bagages pour la Gironde ou l'Algérie, où elle
serait neutralisée jusqu'à la fin des hostilités, à moins qu'on n'ait
besoin d'elle contre la subversion. Et Bazaine trouve normale cette
idée de « convention militaire ».

« Si nous pouvons sortir de l'impasse où nous sommes avec les
honneurs, et entièrement constitués, nous maintiendrons l'ordre à
l'intérieur et ferons respecter les clauses de la convention. Mais il ne
peut être question de la place de Metz, dont le gouverneur, nommé
par l'empereur, ne relève que de lui. »

Là-dessus, il accepte, sur la photographie de Hastings, d'écrire son nom à côté de la signature du prince impérial! « Je ne prenais pas M. Régnier au sérieux », soutiendra-t-il. On doit se demander, s'il l'avait pris au sérieux, ce qu'il eût pu faire de plus. Car voilà ledit Régnier muni d'une double attestation. Il repart pour Corny, revient le même jour, 24, au camp français, et assure que Bismarck autorise un général français à se rendre auprès de l'impératrice.

C'est entrer entièrement dans les vues de Bazaine. Mais qui sera le messager? Le maréchal Canrobert ne trouve pas la situation très claire et se dérobe. Bourbaki est pressenti à son tour. Ce vaillant soldat est un simple, dévoué corps et âme à la dynastie. Il accepte, sans trop y regarder.

Le départ de Bourbaki, dissimulé avec Régnier dans un groupe de médecins luxembourgeois, devait être tenu secret. La chose est bientôt connue dans la ville, mais noyée dans le flot quotidien de fausses nouvelles dont on s'abreuve. Il gagne l'Angleterre, Chislehurst, est introduit auprès d'Eugénie — et c'est pour s'apercevoir qu'elle n'est au courant de rien, qu'elle ne l'attendait nullement, qu'elle n'a mandaté personne, que cette histoire Régnier n'est qu'une mystification. Il est « ahuri ». Au récit des malheurs de l'armée, l'impératrice pleure beaucoup, mais se refuse à rien faire qui puisse paraître gêner la Défense nationale. L'honnête Bourbaki, détrompé, se rend sans peine à ses raisons et décide de regagner son poste. Toutefois, malgré les assurances données, les Allemands lui refuseront les sauf-conduits. Le général Boyer confiera plus tard que les Allemands, à sa connaissance, n'avaient nullement l'intention de le laisser rentrer à Metz.

Bismarck ne tarde pas à congédier Régnier — lequel continuera pourtant à déplacer de l'air à Ferrières, à Londres, à Cassel, à Bruxelles, à Versailles, et à se prétendre investi d'importantes missions. Ses pérégrinations, ses vantardises, ses écrits, le conduiront, en 1873, en conseil de guerre.

Mais Bismarck n'a pas fini d'entretenir les illusions de Bazaine. Le 29 septembre encore, celui-ci recevra de Ferrières une dépêche non signée : « Le maréchal Bazaine acceptera-t-il pour la reddition de l'armée qui se trouve devant Metz les conventions que stipulera M. Régnier, restant dans les instructions qu'il tiendra de M. le maréchal? » Le jour même il répond qu'il accepte toujours les honneurs, mais que la reddition ne saurait inclure la place de Metz:

il offre même d'envoyer à Frédéric-Charles son aide de camp Boyer.

Tractations suspectes et démoralisation systématique.

La situation est-elle désespérée? Oui, répétera Bazaine pendant et après son procès, « il n'y avait plus rien à faire ».

Comment! réplique-t-on dans le camp retranché où l'on a vent de ces étranges échanges de messages entre Frescaty et le Ban-Saint-Martin. Comment! Il y a encore dans l'armée d'excellents régiments disciplinés. La garde est intacte. Des divisions entières sont formées de vétérans qui ne se laissent pas abattre par les revers. La cavalerie a fait ses preuves chaque fois qu'elle a été engagée. Nos canons demeurent redoutables. Tout considéré, l'armée de Metz, malgré le manque de réserves instruites, malgré l'affaiblissement des chevaux, malgré la légère infériorité de l'artillerie, est « un des plus beaux instruments de puissance militaire qu'un pays puisse posséder ».

Mais il est hors de doute que cette armée est soumise à une propagande défaitiste venue de haut : « Les mauvaises nouvelles, relate Louis Rossel, étaient répandues par les états-majors avec une facilité de mauvais augure. » On entendit des officiers de la garde tenir des propos étranges. Il 'allait aller mitrailler « ces canailles de Parisiens qui ne viennent pas nous soutenir »... Oubliant le véritable ennemi, « on parlait avec aigreur de ces « va-nu-pieds de républicains », on voulait « balayer cette Chambre qui a perdu l'Empire ». Enfin ces hommes aveuglés, oubliant que l'étranger foulait notre territoire, ne songeaient plus à finir la guerre, mais à intervenir dans les discordes civiles comme pacificateurs armés... Des colonels réunirent leurs officiers, des officiers supérieurs agirent sur leur entourage. Ils parlaient d'*aigles*, de *serments*, de l'enceinte législative violée, de l'*empereur*, de l'*impératrice* et du prince impérial... ».

Dans les premiers jours d'octobre, les défaitistes ont moins de peine à se faire entendre. Les hommes ne touchent plus que deux cents grammes de mauvais pain, finalement supprimés et remplacés par des distributions de viande de cheval — qui, en ce temps-là, était tenue pour mauvaise, même pour les pauvres. Il est de plus en plus problématique de conserver les chevaux, mal nourris, mal soignés : « Le 1ᵉʳ octobre, il était encore possible de se battre, mais le 15 la cavalerie et l'artillerie étaient ruinées par le manque de fourrage. L'artillerie avait commencé à rendre ses pièces à l'arsenal sous prétexte qu'on ne pouvait plus les atteler. » Et la pluie s'abat, toujours aussi glaciale. La maladie aussi, qui emplit les hôpitaux et les ambulances. C'est un engourdissement qui gagne les plus vaillants. Des soldats se rendent à Metz pour mendier dans les rues.

Le 10 octobre, Bazaine réunit ses chefs de corps en conseil. Il ne les a pas consultés pour dialoguer avec Frédéric-Charles : il éprouve maintenant le besoin de se couvrir. C'est à l'unanimité que la conférence se prononce. Résumons en trois points :

1º tenir sous les murs de Metz jusqu'à l'épuisement des réserves alimentaires;

2º rechercher néanmoins avec l'ennemi une convention militaire honorable;

3º sinon, essayer de se frayer un chemin par la force avant d'être épuisé par la famine.

Ce qui laisse en somme, à Bazaine, une certaine aisance d'appréciation. Il en a usé à outrance et se hâte de demander à Frédéric-Charles l'autorisation d'envoyer son colonel de confiance, Boyer — promu général pour la circonstance — , à Versailles en vue d'entamer des négociations. Accepté, il va sans dire. Le 12, un train spécial emporte Boyer « aussi mystérieusement que cela pouvait se faire dans cet état-major indiscret », avec des instructions assez édifiantes :

Au moment où la société est menacée par l'attitude qu'a prise un parti violent et dont les tendances ne sauraient aboutir à une solution que recherchent les bons esprits, le maréchal Bazaine, s'inspirant du désir qu'il a de sauver son pays et de le sauver de ses propres excès, interroge sa conscience et se demande si l'armée placée sous ses ordres n'est pas destinée à devenir le *palladium* de la société. La question militaire est jugée : les armées allemandes sont victorieuses et le roi de Prusse ne saurait attacher un grand prix au triomphe stérile qu'il obtiendrait en dissolvant la seule force qui puisse aujourd'hui maîtriser l'anarchie dans notre malheureux pays... L'intervention d'une armée étrangère, même victorieuse, pourrait surexciter les esprits et amener des malheurs incalculables...

L'action d'une armée française encore toute constituée, ayant son moral, et qui, après avoir loyalement combattu l'armée allemande, a la conscience d'avoir su conquérir l'estime de ses adversaires, pèserait d'un poids immense dans les circonstances actuelles : elle rétablirait l'ordre et protégerait la société. Elle donnerait à la Prusse, par l'effet de cette même action, une garantie des gages qu'elle pourrait avoir à réclamer dans le présent.

Toute la politique de Bazaine se résume dans ces lignes où s'exprime la propension courante de tant de militaires vaincus par l'étranger à prendre une revanche, à l'intérieur, sur les civils. Il refuse, en somme, de reconnaître le gouvernement de la Défense nationale — en s'abstenant d'ailleurs, prudemment, de se réclamer de l'Empire — et se justifie en supposant naïvement que l'ennemi lui en saura gré en lui rendant son armée en péril... Plus tard, beaucoup plus tard, après son procès et sa condamnation, en 1874, Bazaine, recevant à l'île Sainte-Marguerite la marquise de la Tour-Maubourg, lui confiera bizarrement :

« Concevez-vous, madame, que personne, pendant toute la durée de mon procès, n'a eu l'idée de me demander si j'avais des instructions de mon souverain — car enfin il était probable que j'en avais — et quelles étaient ces instructions! »

Il n'en révélera pas davantage.

Mais avait-il vraiment des révélations à faire? Il semble plutôt acquis que, de sa résidence de Wilhelmshöhe, Napoléon III a rédigé un mémoire suggérant la conclusion d'un armistice, mais que, Berlin ayant exigé des précisions sur les intentions exactes de Bazaine, il n'a pas insisté. Pas plus d'ailleurs qu'en Angleterre Persigny et les partisans du petit prince, un instant branchés sur le comte Bernstorff chargé d'affaires prussien.

Bref, le général Boyer descend de son train à Versailles le 14 octobre. Aussitôt chambré, il s'entend exposer que la France est perdue. Elle n'a plus de gouvernement. Paris en a déjà usé trois, Lyon deux. Lyon et Marseille ont installé une « république de sang ». Toulouse et le Midi se sont séparés de la patrie; les Prussiens sont à Orléans, Bourges et Cherbourg; on les a appelés à Lyon et au Havre pour délivrer les populations des socialistes : « La seule solution, c'est la régence. Il faut que l'impératrice sauve la France en acceptant les conditions du vainqueur, et que l'armée de Bazaine vienne rétablir « l'ordre et la liberté. »

Il est assez évident que Bismarck veut surtout faire traîner les choses en longueur, dans l'attente de l'heure proche où Bazaine sera à sa merci.

Boyer, qui n'a aucune pratique de la diplomatie, se laisse en effet trop facilement jouer et revient à Metz démoralisé. Il n'a rencontré que des Allemands et croit dur comme fer ce qu'ils lui ont dit. Le 18 octobre, on réunit pour l'écouter un nouveau conseil, que ses sombres révélations accablent.

Il est à nouveau question de se battre avant que soient épuisés les derniers quatre jours de vivres. Le 19 on nettoie les armes, les officiers de troupe bouclent leur léger bagage. Mais en haut lieu, c'est un tout autre dénouement qui se prépare.

Les Messins exaspérés.

On répand officiellement, sous forme de notes à recopier par les fourriers, les « nouvelles Boyer ». Ceux des officiers qui mènent campagne contre le défaitisme sont dénoncés, signalés à la gendarmerie. Deux capitaines du génie, Louis Rossel et Boyenval, sont convoqués chez le maréchal lui-même pour rendre des comptes, le second nommé est arrêté. Le climat devient de plus en plus insupportable. Les Messins patriotes sont exaspérés par cette inaction, publient des manifestes proclamant qu'ils veulent se défendre, qu'au besoin ils n'auront besoin de personne. Bazaine n'a pas un journal pour lui : la censure ne peut les empêcher d'exalter Chamilly, défenseur de Grave sous Louis XIV, et Beaurepaire, défenseur de Verdun pour la Première République.

Il ne se hasarde plus dans la ville, trop sûr d'être insulté. Il ne l'oubliera pas : « Les Messins, dira-t-il encore à la marquise de la Tour-Maubourg, les Messins voulaient me faire proclamer la république. Ils ont été furieux parce que je n'ai pas voulu. Si j'étais sorti de Metz, la guerre civile aurait éclaté derrière moi, et mon armée se serait trouvée prise entre les Prussiens et une république sociale. Les Messins me détestent mais je le leur rends bien... »

Dans les mess on consulte les règlements sur le service de place, au mot *capitulation*. D'aucuns s'insurgent, cherchent à se réunir, cherchent surtout une « grosse épaulette » qui partage leurs sentiments et se mette à leur tête, mais se laissent gagner par la démoralisation.

Boyer est reparti le 20 octobre pour demander l'acquiescement

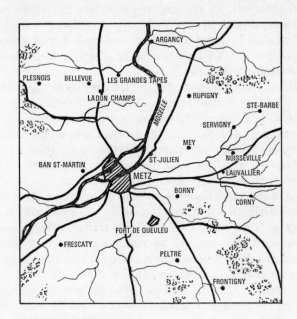

Autour de Metz.

de l'impératrice. Celle-ci l'écoute mieux que Bourbaki, entrevoit une possibilité de remonter sur le trône, finit par télégraphier à Bismarck pour se dire prête à nommer Bazaine lieutenant général de l'Empire. Elle écrit aussi au roi Guillaume, fait appel à sa générosité de soldat pour qu'il accorde à Metz un armistice de quinze jours avec ravitaillement. La réponse du chancelier confédéral est sèche, et il la communique à Bazaine : « Les propositions qui nous arrivent de Londres sont inacceptables, et je constate à mon grand regret que je n'entrevois plus aucune chance d'arriver à un résultat par des négociations politiques. »

Traduction : vous n'avez plus le choix qu'entre une sortie, et la capitulation. Une sortie, l'armée, bien que déprimée par tant de contrordres, de fatigues inutiles, de privations, de combats pour rien, d'intrigues politiciennes, une sortie, l'armée l'accepterait sans nul doute, encouragée par une population qui s'affirme elle-même prête à tous les sacrifices pour que le drapeau français ne soit pas amené. Mais Bazaine n'y pense pas une seconde : « Je n'ai plus, répète-t-il, que 65 000 hommes en état de se battre. Je n'ai plus de cavalerie, l'artillerie est démontée. Je ne veux pas aller à un massacre tant qu'il me restera un espoir de traiter. » Après avoir, pour la forme, demandé « ce qui se passe » au gouvernement de la Défense nationale — ce gouvernement qu'il considère si peu et qui, du reste, ne recevra probablement pas le message — il convoque le 24 un conseil. L'avant-dernier. Tous les grands chefs, dont les maréchaux Le Bœuf et Canrobert, sont d'avis qu'aucun espoir ne subsiste. Changarnier et Cissey vont donc à Corny s'enquérir officiellement des conditions de l'ennemi.

Et c'est la reddition pure et simple.

Ils reviennent le 25 avec la réponse de Frédéric-Charles : c'est la reddition pure et simple. Ils n'ont obtenu aucun adoucissement. Le 26, les généraux décident à l'unanimité « non sans la plus profonde douleur » que Jarras, chef d'État-Major, sera muni de pleins pouvoirs pour arrêter et accepter une convention militaire « dans laquelle l'armée française, vaincue par la famine, se constituerait prisonnière ».

Le 26, au château de Frescaty, c'est donc Jarras, accompagné du lieutenant-colonel Fay et du commandant Samuel, qui défendra de son mieux les ultimes *desiderata* des généraux : qu'un détachement symbolique se retire avec armes et bagages, que la bibliothèque de l'École d'application soit préservée et reste propriété de la France, que des garanties soient données à la ville et aux habitants, qu'enfin les officiers conservent leur épée.

Il aura en face de lui le chef d'État-Major von Stiehle, correct, mais retranché derrière les ordres du roi. Il n'acceptera même pas de discuter sur le détachement symbolique ni sur la bibliothèque. Accordées, toutefois, les garanties aux Messins. Quant à la question des épées, elle « accrochera » longtemps, Guillaume se montrant très irrité du comportement de certains officiers de Sedan : par télégramme, le roi consentira finalement. Frédéric-Charles accordera même les honneurs de la guerre, c'est-à-dire la faveur de défiler devant le vainqueur, avant de déposer les armes : c'est Bazaine qui, après réflexion, refusera le défilé, peu soucieux apparemment d'en prendre la tête.

La capitulation datée du 27 stipulera :

1. L'armée française placée sous les ordres du maréchal Bazaine est prisonnière de guerre;

2. La forteresse et la ville de Metz, avec tous les forts, le matériel de guerre, les approvisionnements de toute espèce, et tout ce qui est propriété d'État, seront remises à l'armée prussienne;

3. Les armes, le matériel de l'armée, les drapeaux, aigles, canons, mitrailleuses, chevaux, caisses de guerre, équipages, munitions, seront laissés à Metz et dans les forts pour être remis à des commissaires prussiens. Les troupes, sans armes, seront conduites rangées et en ordre, aux lieux qui seront indiqués. Les officiers rentreront alors librement dans l'intérieur du camp retranché sous la condition de s'engager sur l'honneur à ne pas quitter la place sans l'ordre du commandement prussien;

4. Les généraux et officiers qui engageront leur parole d'honneur par écrit de ne pas porter les armes contre l'Allemagne et de n'agir d'aucune manière contre ses intérêts jusqu'à la fin de la guerre actuelle, ne seront pas fait prisonniers et conserveront leurs armes et objets personnels;

5. Pour reconnaître le courage de l'armée et de la garnison, les officiers qui opteront pour la captivité pourront emporter avec eux leurs épées et sabres.

L'histoire militaire est particulièrement difficile à serrer de près. La convention fut signée des deux chefs d'état-major Jarras et Stiehle. Celui-ci offrit-il ou non de neutraliser un bataillon, de le faire sortir avec armes et bagages, drapeau déployé, et de le renvoyer en Algérie? Jarras a contesté le fait, mais Changarnier a continué à l'affirmer.

Sur le sort des drapeaux, on sait. Il y a, certes, au dossier, une lettre de Bazaine, du 27 octobre, prescrivant à Canrobert de les faire transporter à l'arsenal de Metz, où ils seront brûlés. Ainsi confirme-t-il lui-même une assurance donnée par le général Soleille, commandant en chef de l'artillerie.

Seulement, les troupes apprendront le lendemain que le directeur de l'Arsenal a reçu l'ordre non de les brûler, mais de les conserver. Et entre-temps la capitulation est signée, ce qui veut dire que les drapeaux seront livrés à l'ennemi.

Tous ne le seront pas, car les officiers des grenadiers et des zouaves de la garde ont pris sur eux de déchirer les leurs et de s'en partager la soie; et nombre de colonels, malgré les ordres reçus, ont jeté leurs emblèmes aux flammes.

Mais pour l'armée de Metz, tout est fini, pour la ville aussi.

Ce sont 45 drapeaux (sur 73) qui iront orner les palais et les basiliques de Berlin. Et ce sont 120 000 soldats français prisonniers (11 000 mourront dans les camps), 50 généraux, 6 000 officiers, 3 maréchaux, Bazaine, Canrobert et Le Bœuf, 200 000 fusils, 1 407 canons!

Bazaine n'aura pas droit aux politesses de Frédéric-Charles qui, le 29, le fera attendre jusqu'en fin de journée l'heure d'être reçu pour se rendre. Il n'aura pas eu l'idée, dans le malheur, de demeurer avec ses troupes, désarmées dans les forts et formées en longues files pour passer, comme des troupeaux, devant les régiments prussiens rangés en bataille : « Ce fut un spectacle qui ne s'effacera jamais de la mémoire de ceux qui y ont assisté, évoquera le général Pourcet au procès de Trianon : le temps était froid et sombre, la pluie tombait sans interruption. Sur tous les visages étaient peints la honte et le désespoir, la plupart pleuraient; quand vint l'instant de la séparation, beaucoup de soldats se jetèrent dans les bras de leurs officiers... »

La « parole d'honneur » des officiers.

Cependant, dans Metz ville morte, la *Mutte* sonne le tocsin, et la population en deuil voit les couleurs de la Confédération du Nord hissées sur les bâtiments publics et les Prussiens former les faisceaux au pied de la statue de Fabert, voilée de crêpe. Bazaine, sans nul doute, a été bien inspiré en disparaissant, lui que n'a pas troublé, voilà un mois, la pétition remise par les Messins au maire Félix Maréchal l'exhortant à agir « parce que l'insuccès même vaut mieux que l'inaction », et lui qui, la veille, a offert au minotier Émilien Bouchotte la croix de la Légion d'honneur pour s'attirer ce camouflet : « Je ne veux pas recevoir une décoration dont le brevet est signé de la même encre que la capitulation de l'armée et de ma ville natale. »

Comment Bazaine a-t-il pu, dans son ordre général n° 12 — son dernier — mettre en garde l'armée du Rhin contre les actes d'indiscipline qui pourraient nuire à sa réputation, « puisque d'après les usages militaires, place et armement devront faire retour à la France lorsque la paix sera signée » — comment a-t-il pu?

Quant à la « parole d'honneur » des officiers, elle soulèvera longtemps des controverses, les uns se glorifiant d'avoir, comme Rossel, faussé compagnie aux Allemands, les autres, comme Bilhau et Laveaucoupet, jugeant au contraire avec une extrême sévérité leurs camarades coupables de s'être soustraits à la captivité... Il suffit pourtant de se reporter à la convention Jarras-Stiehle qui leur a reconnu formellement le droit d'opter, c'est-à-dire de donner ou de ne pas donner leur parole.

Mais ce sont maintenant les 200 000 hommes du prince Frédéric-Charles que la chute de Metz rend disponibles pour aller opérer sous Paris, sur la Loire ou dans le Nord.

Deuxième partie

10

Gambetta, tête de la résistance

C'est par les agences étrangères, le 30 octobre, que Gambetta, à Tours, apprendra le désastre de Metz. Il réagit aussitôt par une proclamation en son style, celui de l'époque :

Français!
Metz a capitulé. Le maréchal Bazaine a trahi. Un tel crime est au-dessus des châtiments de la justice. Quant à nous, nous sommes prêts aux derniers sacrifices. En face d'ennemis que tout favorise, nous jurons de ne jamais nous rendre. Tant qu'il restera sous nos semelles un pouce de sol sacré, nous tiendrons ferme le glorieux drapeau de la Révolution française!

Jusqu'au dernier moment — il en conviendra au procès — Gambetta a fait entièrement confiance, comme tous ses collègues de la Défense nationale, au patriotisme et aux talents de Bazaine. Un jour, Freycinet, désabusé, déplorera dans sa correspondance qu'on ait poussé trop loin le respect des renommées militaires. On n'en est pas encore à cette autocritique. Bazaine était un chef illustre, et le gouvernement du 4 septembre a pleinement misé sur lui, sur son armée et sur sa science de la guerre. Tous nos agents diplomatiques à Bruxelles et à Londres, comme tous les préfets de l'Est ont été chargés d'informer le maréchal, par tous les moyens, de la volonté de résistance à l'intérieur, et des dispositions prises pour le ravitailler dans toutes les places du Nord, par où l'on supposait qu'il opérerait sa retraite. Après tout, n'avait-on pas communiqué, en dépit de l'ennemi, avec Bitche, Phalsbourg, Neuf-Brisach, Belfort? Le 26 octobre, Gambetta écrivait encore à Bourbaki de

« tenter le possible et l'impossible » pour faire parvenir à Metz le conseil de tenir encore en n'épargnant « ni l'argent ni les récompenses », car ainsi on pourrait tout sauver...

A la nouvelle de la capitulation, c'est le mot de trahison qui a jailli aussitôt. Gambetta avait-il été préparé ou non à l'événement par une dépêche de Bazaine l'informant qu'il n'avait plus de vivres que pour quelques jours? On croit comprendre que cette dépêche ne put être déchiffrée; les officiers avaient oublié d'emporter le code... Tout se passa comme si Gambetta avait cru possible de prolonger la résistance. D'où ce premier mouvement, dans un texte encore plus vengeur, de mettre « hors la loi » tous les maréchaux et généraux de l'armée du Rhin... Crémieux en a fait adoucir les termes, et Fourichon, finalement, a refusé de signer.

Gambetta est à Tours depuis vingt jours et c'est une véritable dictature qu'il exerce. Il a été salué comme le patriote providentiel, tombé du ciel en ballon pour, au nom de Paris « inexpugnable », secouer la torpeur des départements, tendre au maximum les énergies, inaugurer la guerre à outrance : « Levons-nous donc en masse et mourons plutôt que de subir le démembrement! »

En réalité son mandat, officiellement, était beaucoup plus modeste et concernait surtout l'ajournement des élections. Comme ministre de l'Intérieur, on lui confirmait ses pleins pouvoirs pour recruter, réunir et rassembler les forces nationales, mais l'organisation des armées et la conduite de la guerre relevaient toujours en principe de l'amiral Fourichon.

Seulement, les trente-deux ans de Gambetta, son éloquence cadurcienne et aussi une assez exceptionnelle habileté au jeu politique n'ont pas tardé à l'imposer, en reléguant tous les autres au second plan.

Ils ont d'abord, Crémieux et Glais-Bizoin, fait mine de regimber contre l'ajournement des élections : mais le quatrième délégué, les laissant pérorer, a pris sur lui de faire afficher le décret de Paris à la préfecture sous le grillage réservé aux documents officiels. Et Crémieux et Glais-Bizoin ont dû s'incliner. Qu'auraient-ils pu faire devant une telle désinvolture?

Fourichon, lui, a protesté plus fort, en entendant parler de la voix prépondérante de Gambetta, en cas de partage. Mais les militaires sont rarement insensibles à la puissance du verbe. En peu de temps, Gambetta a fasciné Fourichon. Et Fourichon en viendra même, lui qui auparavant avait démissionné pour ne pas accepter une quelconque subordination des généraux aux préfets, à soutenir son jeune collègue quand celui-ci réclamera tout de go un second portefeuille pour lui, celui de la Guerre. Interloqués, Crémieux et Glais-Bizoin le voient, avec l'assentiment de l'amiral, user de sa fameuse voix prépondérante pour s'adjuger à la fois l'administration civile et l'armée de terre. Il semble que Fourichon ait eu, auparavant, beaucoup à se plaindre d'eux : toujours est-il que, grâce à lui, Gambetta va gouverner en maître, Paris n'y pourra rien.

L'ordre républicain en province.

Le voilà d'abord attelé à une première tâche : affermir l'autorité de la Défense nationale, qu'il incarne désormais en province.

Elle a grand besoin d'être affermie. Dans les campagnes contre les réactionnaires, dans les grandes villes contre les révolutionnaires.

Les premiers sont les monarchistes, légitimistes et orléanistes — les bonapartistes restant traumatisés pour quelque temps par la défaite et l'écroulement de leur régime. Les journaux républicains signalent que la droite « relève la tête », que ses candidatures pourraient être dangereuses si l'on votait, et qu'elle penche volontiers pour la collaboration avec l'ennemi. Ils dénoncent la veulerie des maires de Montdidier et de Dreux qui seraient intervenus pour empêcher toute résistance. A les lire, il faudrait, d'urgence, éliminer tous les anciens fonctionnaires de l'Empire, les remplacer par des hommes de la gauche. Gambetta ne s'engagera que prudemment dans la voie de ce qu'on appellera plus tard l' « épuration », préférant, avec sagesse, faire appel au ralliement patriotique de toutes les bonnes volontés. Il y parviendra généralement.

Il aura beaucoup plus de mal avec les « rouges ». Il lui faut, à Lyon, prendre carrément parti contre une mairie qui a gaillardement décrété l'impôt sur le capital. A Marseille, une certaine commission départementale a imposé l'expulsion des jésuites et l'interdiction d'un journal royaliste, *La Gazette du Midi*. Gambetta aura le courage d'accepter la démission du faible Esquiros et de désigner comme préfet des Bouches-du-Rhône un républicain résolu, Alphonse Gent.

Un gigantesque effort militaire.

Mais il a dû prendre en main surtout la situation militaire. La Délégation, en s'installant à Tours, en septembre, a trouvé, comme armée régulière hors de Paris, quatre régiments d'infanterie rappelés d'Afrique, les 16e, 38e, 39e de ligne et la légion étrangère, plus des débris de cavalerie échappés de Sedan. Une artillerie pratiquement nulle : six batteries, on a même dit six pièces en état, les autres manquant d'attelages, de personnel, et d'affûts. Les arsenaux ont été vidés par les premières batailles. Des cartes, ne parlons pas : le colonel Morandy arrivant avec ses 1 500 turcos à Châteauneuf devra se contenter, pour opérer en forêt d'Orléans, d'une carte d'almanach empruntée à l'*Annuaire du Loiret!*

C'est peu pour reprendre la lutte contre plus de 500 000 Prussiens, Bavarois, Saxons et Badois aguerris et victorieux qui déferlent sur notre sol, et débloquer Paris.

Or, du 10 octobre au 2 février, on va faire sortir de terre et jeter devant l'ennemi 600 000 hommes, munis de 1 404 bouches à feu. Douze corps numérotés de 15 à 26 vont former les armées de la Loire, du Nord, de l'Est et des Vosges, avec leurs réserves dans les camps du Havre, de Carentan, de Nevers. On va distribuer 15 000 cartes, relier télégraphiquement Tours aux différents quartiers généraux d'opérations, doter les troupes de 1 500 000 fusils, dont 122 000 chassepots sortant des manufactures de l'État, Tulle, Saint-Étienne, Châtellerault, les autres achetés en Angleterre et aux États-Unis. On va produire un million et demi de cartouches par jour. On va mettre en service 238 batteries, 10 parcs, atteler 41 750 chevaux. On se procure pour cela 874 millions en crédits anglais et américains.

Telle sera l'œuvre de l'amiral Fourichon, secondé par le général Lefort, puis du nouveau délégué de la Guerre, Charles de Freycinet, polytechnicien, ingénieur des mines, efficacement aidé par le général de Loverdo et le colonel Thoumas, et surtout de Gambetta, incomparable animateur.

Il serait parfaitement injuste d'ignorer ici que si une pareille résurrection défensive a été possible, c'est aussi grâce à l'exceptionnel développement industriel de la France dans les vingt années précédentes. On a vu construire 16 000 kilomètres de voies ferrées, le morse mis à la disposition des particuliers, le crédit foncier au service des communes et des petits propriétaires, un certain libre-échange avec l'Angleterre favorisant les entreprises, bref une incontestable prospérité qui a permis, en 1868, de couvrir trente fois l'emprunt émis par le gouvernement impérial.

Mais à la date où nous sommes, à la fin d'octobre, le gigantesque effort de la lutte à outrance est seulement engagé. On a mobilisé déjà tous les jeunes gens jusqu'à vingt-cinq ans, puis incorporé dans la garde nationale tous les non-mariés ou veufs sans enfants de vingt à quarante-ans. Sur le papier, ce sont des effectifs considérables. Mais ils sont faits pour la plupart de bataillons improvisés, à peine équipés, à peine armés souvent de vieux fusils à piston ou à tabatière, dépourvus de sacs, équipés de ficelles. Les réservistes formés en régiments départementaux de mobiles ne sont que des conscrits dont l'instruction est à peine commencée, encadrés souvent de bons officiers choisis parmi les anciens des guerres de l'Empire, mais aussi parmi d'autres, recrutés « dans le civil » au petit bonheur et dont les aptitudes et la fermeté laisseront parfois à désirer.

Le 15e corps, destiné à devenir le noyau d'une armée de la Loire, a été confié au général de la Motterouge, soixante-sept ans, une vieille gloire de Crimée et d'Italie : « Pour Dieu, lui a dit Fourichon, qu'on fasse quelque chose le plus tôt qu'on le pourra : l'opinion le demande avec instance. » Seulement, onze ans ont passé depuis le jour où il s'illustra à Turbigo sous Mac-Mahon.

La Motterouge devant von der Tann : échec d'Artenay et perte d'Orléans.

Le 19 septembre, les Allemands ont complété le blocus de Paris. Tout de suite, ils ont fait partir de fortes colonnes de cavaliers, uhlans aux casques à plateau, hussards de la Mort avec leur « ferblanterie funèbre », cuirassiers blancs, dragons bleus, au-delà de la forêt de Fontainebleau, vers Étampes et Orléans, pour reconnaître le pays, intimider les populations, réquisitionner des vivres, lever des contributions. La Motterouge a reçu mission de son ministre Le Flô de les empêcher de se promener impunément en Beauce.

Ce n'ont été d'abord qu'escarmouches, plus ou moins vives selon que les envahisseurs se heurtaient ici à des escadrons ou bataillons réguliers, bien armés, ailleurs à des francs-tireurs improvisés ou à des gardes villageois porteurs de mauvais fusils. Puis, peu à peu, les unités françaises se renforcent, reprennent Janville, Toury, Pithiviers, où les Prussiens ont amassé farines, grains et bétail, prélevés dans les fermes, font des prisonniers. Dans le village d'Ablis, 68 hommes et 99 chevaux sont surpris et capturés par les compagnies franches du commandant de Lipowski et du capitaine La Cécilia. En voilà assez pour qu'à Versailles Moltke s'émeuve et demande si cette « armée de secours » dont on parle ne devient pas, du côté de Bourges et d'Orléans, une inquiétante réalité. Car Metz et Paris menacent de retenir longtemps le gros des forces allemandes sous leurs murs... Il ordonne en hâte la formation d'un corps spécial sous les ordres du général bavarois von der Tann qui traduira lui-même : baron de Tann. Avec 45 000 hommes et 150 canons, pour descendre sur la Loire.

Le 10 octobre un gros combat s'engage autour d'Artenay que couvrent la brigade de cavalerie Longuerne, les 1er de marche et 9e cuirassiers, le régiment des mobiles de la Nièvre, un bataillon du Cher, avec des tirailleurs algériens et des chasseurs à pied. Après des fortunes diverses, l'artillerie assaillante finit par avoir raison de la résistance des Français, qui doivent se replier sur Orléans : « Grâce à leur énorme supériorité numérique, commentera Grenest (pseudonyme du commandant Sergent), la manœuvre des Allemands n'avait pas coûté au général de Tann un grand effort d'imagination : il avait attaqué les Français sur leur front de manière à les occuper, pendant que sa cavalerie les envelopperait par les deux ailes et les forcerait ainsi à attaquer le village qu'il écraserait facilement de ses feux d'artillerie... » Malheureusement cette « manœuvre sans imagination » réussira trop souvent aux dépens du commandement français. Quant à l'éternelle infériorité numérique — il n'y avait que 15 000 hommes et 40 canons à opposer — c'est un argument que n'admettait pas, en stratégie, le grand Napoléon. Nous y reviendrons.

La journée d'Artenay a coûté aux Français 800 hommes, à peu près autant aux Allemands. Celle du lendemain, 11 octobre, sera plus sanglante encore.

De leur clocher et de la tour de l'hôtel de ville, les Orléanais ont suivi fiévreusement dans la campagne lointaine ce qu'ils pouvaient deviner des péripéties de la rencontre. Ils ont même cru à la victoire, à l'écrasement des Bavarois cernés. Puis une débandade reflue sur leur ville, que redresse, non sans mal, La Motterouge. Celui-ci, dont le sang-froid réconforte, rassemble tout ce qu'il a sous la main, se montre, se dépense. Va-t-il donc profiter de ces forêts au nord qui offrent tant de possibilités de retranchement? Les habitants stupéfaits comprendront vite qu'il bat bel et bien en retraite sur la rive gauche du fleuve. Malgré la très bonne tenue au feu de la plupart de ses troupes et les pertes infligées aux Allemands, il broie du pessimisme : c'est la maladie des généraux de l'Empire.

Au matin — mais seulement pour protéger le franchissement de la Loire — il a disposé la division Peytavin, arrivée de Vierzon, entre Ormes et Saran, de façon à barrer les trois routes de Châteaudun, de Chartres et de Paris. Composée pour une large part de très jeunes soldats — le 34e de marche n'a qu'une semaine d'existence — dont certains n'ont reçu depuis trois jours qu'une ration de pain, à qui les munitions bientôt vont manquer, elle soutiendra pendant neuf heures une lutte opiniâtre mais devra peu à peu, devant les assauts répétés de trois divisions, une prussienne et deux bavaroises, lâcher pied à Ormes, aux Aubrays, aux Bordes et, en fin de journée, aux Aydes et au faubourg Bannier. Non sans que les zouaves pontificaux, le 39e de ligne, la légion étrangère, les chasseurs à pied aient prouvé l'excellence de leurs chassepots en couvrant les vignobles et les taillis de cadavres ennemis. « Si les Français s'étaient battus à Sedan comme ici, se serait écrié von der Tann, nous ne serions pas à Orléans. »

Mais Orléans est occupé, pillé. L'armée, disloquée, s'est retirée par le grand pont et par le chemin de fer de Vierzon. On a même oublié de prévenir le général Morandy, qui gardait en forêt, sur la rive droite, la route de Saint-Lyé : il sauvera de justesse ses mobiles en les amenant le 15 à Gien! C'est cette incroyable omission qui vaudra à La Motterouge d'être relevé de son commandement par dépêche datée de Tours, et remplacé par le général d'Aurelle de Paladines, qui arrive à La Ferté-Saint-Aubin dès le 12.

Les francs-tireurs à Châteaudun.

Gambetta, depuis qu'il est à Tours, a multiplié les décrets, astreignant les compagnies de francs-tireurs à un contrôle plus strict,

mettant à la charge des départements et des communes l'habille-
ment, l'équipement et la solde des mobilisés. Il fait savoir qu'il
traduira en conseil de guerre tout chef de corps qui se sera laissé
surprendre par l'ennemi.

Le général qu'il vient de placer à la tête des 15e et 16e corps
— celui-ci en formation à Tours — est un ancien de Crimée, soixante-
six ans, dur, réputé même brutal. Gambetta attend de lui « une
action prompte et énergique », et d'ailleurs ne se fait pas faute de
jeter aux foules ce mot d'ordre : « Toute l'armée de la Loire sur
Paris! »

Aurelle, plus circonspect, s'interroge sur « la solidité de nos jeunes
soldats » et entreprend d'abord, à La Ferté-Saint-Aubin, puis à La
Motte-Beuvron, puis à Salbris de rétablir sous lui la discipline et la
confiance. Il y parviendra, et on s'en apercevra bientôt à Coulmiers.

Un peu partout, en dehors de quelques localités qui se résignent
assez passivement à subir et à payer, l'irritation grandit contre les
réquisitions et, au risque de voir leurs maisons incendiées, nombre de
civils, ouvertement, ravitaillent, renseignent et abritent les francs-
tireurs. Leurs tenues bariolées — blouses ou tuniques de pompiers,
casquettes américaines ou feutres à panache — ont le don de provoquer la rage des Allemands qui les fusillent sans vergogne.

Représailles à Ablis, représailles à Varize, à Civry. De toute évidence pour les Allemands, c'est à Châteaudun que ces mauvais coups
se préparent. Et en effet se trouve à Châteaudun le bataillon des
francs-tireurs de Paris, 1 200 volontaires en noir, ceinture bleue,
plus 115 francs-tireurs de Nantes et 50 de Cannes, plus 250 gardes
nationaux locaux. Quand on apprend, le 12, que la division Wittich
est en marche sur la ville, ce sont les francs-tireurs qui la mettent en
état de défense, dressent des barricades, ciment des créneaux.
En vertu d'un ordre étrange d'évacuation, au dernier moment, deux
escadrons de hussards et diverses unités de mobiles se retireront sur
Vendôme. Mais comme le même ordre enjoint aussi de disputer le
terrain pied à pied, Lipowski en profitera pour se maintenir sur
place.

Longtemps, secondé par le capitaine Ladeuil, sous le feu de trente
canons, il tiendra en respect 11 000 Prussiens et Bavarois, qui
devront conquérir la ville ruelle par ruelle, maison par maison, et
repousser, de nuit, une furieuse contre-attaque. Ont-ils perdu,
comme on le prétend, 1 200 hommes? Toujours est-il que, rendus

furieux, ils mettront à sac plusieurs quartiers avant de les brûler méthodiquement et d'emmener plusieurs douzaines de civils, voués aux camps de Poméranie. Est-ce un hommage rendu au courage des francs-tireurs? Ils s'abstiendront cette fois de passer par les armes les 44 d'entre eux qui sont restés entre leurs mains.

Cette résistance de Châteaudun soulève, dans le pays, une véritable exaltation patriotique. La Délégation de Tours décrète que la ville a bien mérité de la patrie. Paris, avisé par pigeon, débaptise aussitôt la rue du Cardinal-Fesch pour lui donner le nom de l' « humble ville stoïque ». Des poètes la chantent, dont les vers sont déclamés dans les théâtres.

Gambetta active l'articulation à Blois du nouveau 16e corps, général Pourcet : un commandement à poigne astreint les troupes à une instruction sévère, des cours martiales font le reste. Bientôt, le général Tripart est en mesure d'établir une ligne d'avant-postes sur le cours du Loir et devant Ouzouer-le-Marché. Il repousse les reconnaissances ennemies aux lisières boisées, des francs-tireurs à Binas vendent chèrement leur vie. L'ardeur est revenue, et déjà on pense à reprendre l'offensive.

Le 25 à Tours se tient un conseil de guerre préparé la veille à Salbris. Y assistent Gambetta, le délégué de Freycinet et son attaché de Serres, avec les généraux d'Aurelle de Paladines, Borel et Pourcet. Il approuve le plan proposé par le ministère : une action sur Orléans combinée entre deux armées, l'une de 60 000 hommes venant de l'ouest, amenée par fer de Salbris à Blois et à Vendôme, opérant entre la forêt de Marchenoir et la Loire, l'autre de 25 000 hommes, général des Pallières, arrivant à l'est par la forêt d'Orléans pour couper la ligne de retraite de von der Tann sur Étampes. Ainsi, attaqué de front par des forces à peu près doubles des siennes, et pris à revers par un corps à peu près égal en nombre à son armée, le Bavarois, cette fois, devrait être battu. Tout le monde est d'accord. Exécution le 31 octobre.

Seulement, le 28, la terrifiante nouvelle filtre aux avant-postes du général Tripart : Metz a capitulé. Aurelle, accablé, annonce que le mauvais temps l'oblige à surseoir à l'opération. Le 30, Gambetta lance sa proclamation au pays, et une autre à l'armée :

Soldats!
Vous avez été trahis, mais non déshonorés.

Depuis trois mois la fortune trompe votre héroïsme.

Vous savez aujourd'hui à quels désastres l'ineptie et la trahison peuvent conduire les plus vaillantes armées.

Débarrassés de chefs indignes de vous et de la France, êtes-vous prêts, sous la conduite de chefs qui méritent votre confiance, à laver dans le sang des envahisseurs l'outrage infligé au vieux nom français? En avant!...

Le moral, hélas, est soudainement retombé. Les généraux n'apprécient pas tous l'accusation portée contre Bazaine. Les soldats désemparés, dans la boue glacée, se demandent s'il faut vraiment continuer la lutte, alors que Frédéric-Charles et 250 000 Prussiens vont se rabattre sur eux avec les 60 000 Bavarois de von der Tann. Que d'énergie ne faudra-t-il pas pour remonter ce courant?

Thiers néanmoins mandaté pour tenter une négociation.

Cependant, tandis que Paris s'enferme dans ses proclamations enflammées et que Gambetta multiplie ses appels à la guerre à outrance, on n'a pas renoncé, à Tours, à rechercher les bons offices des puissances pour imposer une paix acceptable.

Si Thiers a échoué dans les capitales, il croit avoir néanmoins rapporté des encouragements de Gortschakov : reprendre les négociations de Ferrières, mais cette fois avec l'entremise de la Russie. Le projet de télégramme est toujours sur le papier, suggérant à Berlin d'accorder à M. Thiers un sauf-conduit pour entrer à Paris et en sortir et « faire naître ainsi la chance de relations officieuses avec le Quartier général prussien ». Ce projet de télégramme, le 21 octobre, est mis sous les yeux des délégués Crémieux, Gambetta, Glais-Bizoin, Fourichon.

On délibère, Gambetta donne de la voix, proteste, évoque les armées nombreuses qu'il est en train de lever : si l'on ne peut tenir sur la Loire, ce sera en Auvergne ou sur la Garonne... Il se rallie pourtant à l'idée d'une mission d'information sur les intentions présentes des Allemands, car à certains signes on les sent pressés de finir la guerre et il serait malhabile d'opposer aux neutres une fin de non-recevoir. C'est donc à l'unanimité que Thiers est autorisé à se rendre à Paris auprès du gouvernement central « sans passer par le

Quartier général prussien avant d'être rendu à l'Hôtel de Ville ». Le gouvernement central appréciera « dans sa souveraineté ».

Le même jour se tient, toujours en présence de Thiers, un autre conseil pour recevoir Chaudordy, délégué des Affaires étrangères. Celui-ci rend compte d'une communication qu'il vient de recevoir de Lord Lyons : l'Angleterre est prête à proposer à la France et à l'Allemagne un armistice pour permettre à la France d'élire une Assemblée nationale. On ne serait pas fâché, à Londres, de devancer Saint-Pétersbourg. Nouvelle délibération tourangelle. Il est entendu que cette proposition anglaise sera également transmise à Paris, étant bien compris qu'il ne peut être question que d'un armistice d'au moins vingt-cinq jours, avec ravitaillement de toutes les places assiégées.

A leur tour, l'Italie et l'Autriche adhèrent à cette idée d'un armistice et insistent pour que Thiers reçoive des sauf-conduits. Cela demandera encore quelques jours, Bismarck attendant évidemment la chute de Metz.

Enfin le 27, le sauf-conduit arrive, transmis par Mgr Dupanloup, évêque d'Orléans. Thiers rédige un testament assez emphatique :

« Mon ingrate patrie, qui ne m'a jamais voulu croire et qui s'en est mal trouvée, ne suivra peut-être pas encore cette fois mes conseils et je m'y attends. Mais lorsque ma famille m'élèvera un tombeau à côté de celui où ma belle-mère est ensevelie, on écrira mon nom, l'année de ma naissance et de ma mort, avec ces deux inscriptions latines sur chacune des faces latérales : *patriam dilexit, veritatem coluit.* » Il part le 28 avec ses compagnons Cochery et Paul de Rémusat. Il emporte dans sa serviette une longue lettre personnelle de Gambetta qui met Jules Favre en garde. Mais pour sa part, il a déjà rayé dans son esprit la fameuse phrase : « Pas un pouce de notre territoire, pas une pierre de nos forteresses. » En haussant les épaules : « Que voulez-vous? La Révolution française, notre mère, est née déclamatoire, il ne faut pas prendre ce qu'elle dit au pied de la lettre. »

On parcourt en berline les campagnes désolées, parmi les camps sinistres où les recrues font l'exercice. A Orléans, où von der Tann le salue, ce sont les Allemands qui le prennent en charge, d'autorité, pour le conduire à Versailles. Il y parvient le dimanche 30, descend à l'hôtel des Réservoirs et ne peut éviter, malgré les instructions reçues, de voir Bismarck, à l'hôtel de Jessé, 20, rue de Provence :

« Je ne puis vous parler que pour vous dire que je ne puis pas vous parler », dit-il au chancelier de la Confédération. Celui-ci déclare le comprendre et lui confirme la capitulation de Bazaine.

Thiers voit encore Moltke et quelques princes allemands de ses relations, et part pour Paris, accompagné de deux jeunes officiers d'état-major qui auront pour mission de l'attendre tous les jours à quatre heures au pont de Sèvres.

Sèvres est une petite ville ravagée par les obus, remplie d'artillerie allemande. La française du Mont-Valérien tonne de toutes ses batteries. Drapeau blanc, appels de trompette. De la rive française, on cesse le feu. Le pont étant rompu, une barque se détache, un lignard tire les avirons.

Thiers ôte son chapeau devant le poste, qui lui rend les honneurs, traverse le bois de Boulogne. Aux portes de Paris, il rencontre Ernest Picard et se rend avec lui au Quai d'Orsay, où le gouvernement est aussitôt convoqué. Il siégera toute la nuit du 30.

Une solution honorable?

C'est Thiers qui lui annonce que l'armée de Metz s'est rendue. La nouvelle avait couru dès le 27, divulguée par *Le Combat* de Félix Pyat, aussitôt démentie par Trochu, Jules Favre, Rochefort lui-même, qui n'en avaient aucune connaissance officielle : démenti renouvelé dans le *Journal officiel* du 28, où Bazaine est encore désigné comme le « glorieux soldat » et les journalistes d'extrême gauche comme « de prétendus patriotes qui vont semer la défiance en face de l'ennemi ».

Hélas, les informations de Thiers ne peuvent laisser aucun doute, et c'est un coup terrible. Comment l'apprendre à la population, déjà surexcitée par la perte du Bourget? Ce village, à trois kilomètres au nord des remparts, a été audacieusement enlevé, voilà deux jours, par un détachement de francs-tireurs, appuyés par des marins. Seulement, situé dans une cuvette, il était indéfendable, et ce matin, une forte colonne prussienne, à la faveur du brouillard, a délogé les Français. La foule, déçue, s'est répandue dans les rues, conspuant Trochu l'incapable.

Thiers ignore tout de ce qui se passe dans Paris et Paris à peu près tout de ce qui se passe sur la Loire. L' « illustre et bien cher ambassadeur » à qui Jules Favre a donné l'accolade, entreprend le récit de sa pérégrination diplomatique. Tendancieux comme il sait l'être, il s'entend admirablement à faire ressortir les heureuses dispositions des cours européennes revenues vers nous grâce à son habileté comme la pauvreté des moyens militaires dont se targue Gambetta. Contre celui-ci, il se prononce carrément pour l'élection d'une Constituante.

Gambetta est devenu sa bête noire. Il le qualifie de démagogue, souligne tout le mal qu'il aura, lui, à rattraper cette folie qu'a été cette proclamation : « Tant qu'il restera sous nos semelles un pouce de sol sacré... » Folie! répète Thiers. Folie! Bref, il donne aux ministres l'impression que la solution « honorable » est à leur portée. Il est si persuasif que le gouvernement à l'unanimité l'autorise à négocier un armistice avec ravitaillement.

Le 31, avant le jour, ayant à peine fermé l'œil, Thiers étudie avec Magnin, ministre du Commerce, ce que pourraient être les clauses de ravitaillement. Il passe ensuite quelques instants chez lui, place Saint-Georges, retourne au Quai d'Orsay, où Jules Favre lui remet les pièces attestant ses pouvoirs.

Il ne peut soupçonner que la presse et les affiches blanches ont déjà soulevé dans la rue contre lui des clameurs de révolte : « Grâce à la forte impression produite en Europe par la résistance de Paris, a-t-on lu, quatre grandes puissances neutres, l'Angleterre, la Russie, l'Autriche et l'Italie se sont ralliées à une idée commune. Elles proposent aux belligérants un armistice qui aurait pour objet la convocation d'une Assemblée nationale. Il est bien entendu qu'un tel armistice devrait avoir pour conditions un ravitaillement proportionné à sa durée et l'élection de l'Assemblée par le pays tout entier. » On avait supposé que cet espoir d'un arrêt des combats calmerait les esprits. Or, c'est tout le contraire qui se produit. L'armistice, la reddition de Metz, l'évacuation du Bourget, c'est beaucoup trop pour les nerfs tendus de la ville assiégée.

Thiers, imperturbable, collabore à la rédaction d'une nouvelle affiche pour expliquer que l'armistice dont il est question n'est point le commencement d'une négociation de paix, que le gouvernement de la Défense nationale « n'a absolument rien à changer à la politique qu'il a proclamée à la face du monde ». Puis il déjeune avec Jules Favre. On réclame celui-ci à l'Hôtel de Ville. Comme à deux heures il n'est pas revenu, Thiers reprend la direction de Sèvres, où les Allemands, ponctuels, attendent sa barque.

Il reverra Bismarck le soir même, et pendant quatre jours travaillera avec lui à la préparation d'un armistice avec ravitaillement. Pendant quatre jours, les Prussiens ne sauront rien — Thiers non plus — de ce qui s'est passé dans Paris, de ce qu'a été la journée du 31 octobre.

11

La journée du 31 octobre

Le 15 septembre, entre Créteil et Neuilly-sur-Marne, les avant-gardes allemandes sont arrivées en vue de Paris, poussant des hourras de triomphe : « La vraie guerre est terminée, écrit Hans Wachenhusen, correspondant de *La Gazette de Cologne;* l'intérêt dramatique a eu son apogée à Sedan; en vérité une association de malfaiteurs aux mains calleuses (les républicains) ne représente pas un adversaire digne de nous. »

Moltke entreprend un investissement méthodique en occupant Pontoise au-dessus, et au-dessous, Brie-Comte-Robert et Villeneuve-Saint-Georges. Le 16, malgré les ponts coupés, la Seine est traversée, en aval de Paris à Triel et Poissy, en amont à Choisy-le-Roi et Juvisy. Contournant la capitale, au sud le prince royal, au nord le prince de Saxe progressent pratiquement sans coup férir, et font leur jonction à Versailles, où s'installeront bientôt le Quartier général du roi de Prusse et la chancellerie de la Confédération du Nord.

Les Parisiens entendent la canonnade et voient affluer dans leurs murs les réfugiés des campagnes environnantes. Quand on dénombrera les rationnaires, on totalisera plus de deux millions de bouches à nourrir!

Pourtant la confiance règne. Avant le 4 septembre déjà, sous le ministère Palikao, on a accumulé des quantités considérables de farine et de bétail. De son côté, le gouvernement de la Défense nationale, trouvant les arsenaux et les magasins dégarnis (on a stupidement entassé les réserves à Strasbourg et à Metz), a activé puissamment les fabrications de fusils, cartouches, gargousses, d'une nouvelle pièce de campagne se chargeant par la culasse, et de wagons blindés. La métallurgie privée s'est appliquée à produire à plein rendement, sur ses fours à réverbère. C'est entre les arrondissements toute une patriotique émulation. La « Société chimique » de Paris, président C. Friedel, entouré de membres de l'Institut, ouvre une souscription pour que l'on fonde au moins 1 500 de ses canons, qui coûtent chacun 5 000 francs. On lève des volontaires d'appellations diverses, même une compagnie de *Guetteurs parisiens* parmi les réformés et les enfants de douze à quatorze ans.

Les fortifications, conçues sous Louis-Philippe par Thiers, partisan résolu (contre tant d'autres experts) de l'enceinte continue, à la Vauban, datent de 1844. Elles sont pourtant solides, de taille et d'épaisseur à tenir un assaillant en respect. Autrement inquiétant est le problème des troupes.

Le seul corps régulier qui a échappé à Sedan, le 13e — de 15 000 à 20 000 hommes — a été adroitement ramené de Mézières par Vinoy. Avec lui deux régiments d'active, les 35e et 42e de ligne, rappelés de Rome, des mobiles, dont 18 000 évacués de Châlons par Trochu et les marins de l'amiral de La Roncière Le Noury affectés à la défense des forts de Romainville, Noisy, Rosny, Ivry, Bicêtre, Montrouge, aux batteries de Montmartre et de Saint-Ouen et au service d'une flottille de canonnières sur la Seine. Au total combien de combattants vraiment instruits? Disons : 75 000. Si l'on peut faire état de 400 000 soldats, le reste est fait de recrues encore inutilisables, et surtout de cette garde nationale hétéroclite, hâtivement pantalonnée de bleu à bande rouge, dont on discutera tant.

Tout le monde avec Victor Hugo.

Pourtant la confiance règne. Tout le monde pense plus ou moins comme Victor Hugo, rentré d'exil et dont on a lu la fière proclamation du 9 septembre, aux Allemands :

Réfléchissez!
Pourquoi cette invasion? Pourquoi cet effort sauvage contre un peuple frère?
Qu'est-ce que nous vous avons fait?
Cette guerre, est-ce qu'elle vient de nous? C'est l'Empire qui l'a voulue, c'est l'Empire qui l'a faite. Il est mort. C'est bien.
Nous n'avons rien de commun avec ce cadavre.

Il est le passé, nous sommes l'avenir.

Il est la haine, nous sommes la sympathie.

Il est la trahison, nous sommes la loyauté.

Il est Capoue et Gomorrhe, nous sommes la France...

(...) Nous avons eu Vercingétorix comme vous avez eu Arminius. Le même rayon fraternel d'union sublime traverse le cœur allemand et l'âme française...

(...) Non, on ne détruit pas Paris. Parvînt-on, ce qui est malaisé, à le détruire matériellement, on le grandirait moralement. En ruinant Paris, vous le sanctifierez. La dispersion des pierres fera la dispersion des idées. Jetez Paris aux quatre vents, vous n'arriverez qu'à faire de chaque grain de cette cendre la semence de l'avenir. Ce sépulcre criera Liberté, Égalité, Fraternité! Paris est ville, mais Paris est âme. Brûlez nos édifices, ce ne sont que nos ossements, leur fumée prendra forme, deviendra énorme et vivante, et montera jusqu'au ciel, et l'on verra à jamais sur l'horizon des peuples, au-dessus de vous, au-dessus de tout et de tous, attestant notre gloire, attestant votre honte, ce grand spectre fait d'ombre et de lumière, Paris.

Maintenant, j'ai dit, Allemands; si vous persistez, soit, vous êtes avertis, faites, allez, attaquez la muraille de Paris. Sous vos bombes et vos mitrailles, elle se défendra. Quant à moi, vieillard, j'y serai sans armes. Il me convient d'être avec les peuples qui meurent, je vous plains d'être avec les rois qui tuent.

Bien que cette littérature ait été relancée à tous échos par d'autres, de moindre souffle, tout se déroule comme si les Allemands n'avaient cure de Victor Hugo.

Ils sont 180 000 qui prennent position sur une circonférence de 150 kilomètres et se retranchent. Trochu n'attend pas qu'on lui livre cet assaut en force, qu'il pressent. Il harcèle l'ennemi, fait réoccuper les collines du sud, depuis Ivry jusqu'à Meudon, et le 19 septembre, profitant du mouvement des colonnes en marche vers Versailles, il lance à l'attaque 26 000 hommes et 70 pièces, tout le nouveau 14e corps et une partie du 13e, appuyés sur Clamart, Châtillon, Fontenay-aux-Roses, Bagneux. Objectif : Villacoublay, le Petit-Bicêtre, Verrières-le-Buisson.

Ducrot commande. Après Sedan il a réussi à s'évader et protestera toujours, en réponse aux accusations de Bismarck, qu'il n'avait aucunement donné sa parole. L'affaire débute assez bien, du côté de Verrières et du Petit-Bicêtre, mais une forte artillerie, camouflée dans les taillis, se débusque et fait un massacre. On s'avise très vite aussi qu'il ne suffit pas de distribuer des chéchias à mèche pour avoir de vrais zouaves, et à la lisière du bois de Meudon, de jeunes recrues de la division Caussade s'affolent et jettent leurs fusils, entraînant avec eux les mobiles. Intervient bien un régiment de cavalerie — pauvre régiment arlequin formé de cuirassiers, chasseurs, gendarmes, carabiniers — qui s'efforce d'arrêter la déroute. Mais elle se rue vers les portes de Paris, en criant, bien sûr, à la trahison. Dès le soir, Gambetta fait afficher une proclamation dénonçant les lâches et les déserteurs. Les fuyards sont empoignés, amenés au bureau de la place, 7, place Vendôme, jugés en cour martiale, et promenés dans Paris, bandes honteuses, la capote retournée, la visière du képi sur la nuque, et portant dans le dos des écriteaux infamants.

C'est pour les populations, un déprimant spectacle et pourtant leur moral résiste. La majorité a toujours foi en Trochu et foi en la République. Le 20, comme la nouvelle vient de se répandre de la démarche de Jules Favre à Ferrières, le gouvernement répète haut et ferme que toute sa politique tient dans la formule : « ni un pouce de notre territoire, ni une pierre de nos forteresses ». Blanqui a même ajouté dans son journal : « ni un écu de notre bourse ». Et ce ne sont pas les extrémistes qui ont lancé le mot d'ordre de la lutte « à outrance » : on l'a lu dans la *Revue des Deux Mondes*.

Zut à ton armistice!

Après l'échec de Ferrières, le *Journal officiel* publie que, la Prusse prétendant annexer l'Alsace et la Lorraine par droit de conquête et poser, comme condition préalable à un armistice, l'occupation des places assiégées et du fort du Mont-Valérien, plus la reddition de la garnison de Strasbourg, voilà la France placée entre le devoir et le déshonneur :

« Paris résistera jusqu'à la dernière extrémité. Les départements viendront à son secours et, Dieu aidant, la France sera sauvée. »

Fiers propos auxquels la rue fait largement écho en applaudissant les monologues gouailleurs sur la « machine à coudre », la mitrailleuse à « faire danser les Prussiens », ces Prussiens qui ont insinué que les Parisiens auraient peur... « Peur? Dans quel dictionnaire ça se trouve, ce mot-là? Peur? Nous n'avons peur que d'une chose, c'est de ne pas avoir les jambes assez longues pour vous reconduire

aussi vite que vous courrez, et jusqu'à Berlin! » Puis on reprend
en chœur le refrain :

> *Ah! zut! à ton armistice,*
> *Bismarck nous n'en voulons pas!*

Et l'attention se reporte sur les petits combats qui se livrent
autour des remparts, pendant qu'à l'intérieur se poursuit l'instruction de la garde nationale et des mobiles. D'anciens officiers et sous-
officiers, devant des foules sympathiques leur apprennent l'art de
cadencer le pas et de charger le fusil. On forme des compagnies
dites de marche. L'entrain est indéniable. Les hommes valides de
toute condition découvrent le sentiment, alors nouveau dans la
bourgeoisie, d'un devoir militaire égal pour tous. On prend goût
au son du clairon et au roulement du tambour. Des ambulances
s'ouvrent dans les théâtres et les salles de concert, on collecte, dans
des casques à pointe ramassés sur les champs de bataille, de l'argent
pour couler des canons. On entonne à tout propos des hymnes patriotiques. La nuit, on patrouille et on perquisitionne chez les suspects,
car la fièvre obsidionale monte, et on a tendance à déceler partout
des espions de Bismarck, ou des provocateurs de la police impériale.

Les pauvres, les riches, et le plan de Trochu.

Les premières difficultés matérielles sont apparues à la fin de
septembre, on a taxé le pain et la viande, fermé des boulangeries
et boucheries abusives, et Jules Simon préside une commission des
subsistances. Au début d'octobre, on n'a plus droit par individu
qu'à 100 grammes de pain par jour, puis à 60, puis à 50, et bientôt
le cheval même est rationné. De cette pénurie, comme toujours,
seuls souffrent réellement les pauvres, ceux qui n'ont pas le moyen
de payer 25 francs un poulet et à n'importe quel prix les légumes
frais maraudés entre les lignes. Et voilà des arguments quotidiens
pour ces journaux d'opposition dont le nombre, de jour en jour,
augmente. *La Patrie en danger* décrit les « orgies gastronomiques »
des restaurants à la mode, et Tridon menace les riches d'une révolte
populaire : « La faim justifie les moyens. » Félix Pyat, pour ne pas
être en reste, réclame dans *Le Combat* la mise en commun des vivres,

et table commune sur la place publique : « Partageons les cartouches et le brouet! Fraternité d'armes, égalité de risques, égalité devant le Prussien! »

Apparaît alors, assez discrètement pour commencer, un certain « Comité central républicain » des vingt arrondissements, assez mystérieusement constitué. Il lance un manifeste dont certains signataires sont connus dans les clubs de quartier, les autres non. Ils s'appellent Beslay, Camélinat, Chassin, Châtelain, Claris, Cornu, Dupas, Duval, Johannard, Lanjalley, Lefrançais, Longuet, Michel, Mollin, Pagnerre, Perrin, Ranvier, Roy, Toussaint, Vertut. Ils trompettent que Paris s'ensevelira sous ses ruines plutôt que de se rendre, exigent la levée en masse, la réquisition de tout ce qui peut être utilisé pour la défense, la suppression de la préfecture de Police, l'élection d'une Commune. Reçus par Jules Ferry à l'Hôtel de Ville, ils se font confirmer qu'il n'est pas question de traiter avec l'ennemi. Sur la date des élections, la réponse est plus évasive, mais pour l'instant le Comité central n'insiste pas.

Belleville, par contre, insiste, Belleville où s'est imposé Gustave Flourens, lequel s'est fait attribuer par Trochu le grade singulier de « major de rempart » et qui commande 6 000 citoyens en armes. Gustave Flourens, trente-deux ans, étonnamment barbu, très jeune successeur de son père à la chaire d'anthropologie du Collège de France, est tenu, hors des faubourgs, pour un illuminé. Éloquent, certes, « il fallait le voir à la tribune, portant la cravate blanche et l'habit noir, dressant sa taille élevée que la maigreur rendait plus haute encore, relevant sa longue figure pâle à barbe rousse... ». Ainsi l'a vu Jules Claretie. Destitué par l'Empire, il est allé se battre en Crète, en est revenu auréolé d'intrépidité invincible. Capable de toutes les audaces, comme de mettre la main au collet d'un commissaire de police, mais se nourrissant souvent d'illusions sur la résonance de ses phrases. Emprisonné par l'Empire, libéré par le 4 septembre, il brûle de partir, latte en main, à la tête de ses bataillons. Il les a rassemblés le 5 octobre sur la place de Grève pour réclamer la sortie en masse et, déçu, démissionne : « Pour sauver Paris, clame-t-il, il faudra en venir aux mains avec ces gens-là. » Le fait est qu'en dehors de Belleville, de Montmartre, de Montrouge, l'opinion est toujours avec Trochu, et c'est en vain que Blanqui puis Sapia tenteront de provoquer des troubles : au dernier moment, devant l'attitude des bataillons modérés, ils échoueront.

Louis Trochu, cinquante-cinq ans — Sébastopol, Solférino, puis
un ouvrage d'assez dure critique sur l'*Armée française en 1867*
présente cette particularité, homme de droite, d'être apprécié par
les républicains. Il est volontiers prolixe, amateur de redondances,
assez porté à invoquer Dieu ou sainte Geneviève. Mais il a la réputation d'un militaire qui ne se contente pas de traîner son sabre
et d'attendre les ordres, la réputation d'un militaire qui pense
et qui ne s'est pas laissé tromper par Le Bœuf. On n'ignore pas, et il
le rappelle à l'occasion (il a déposé un document sur la question
entre les mains de maître Ducloux, notaire) qu'il fut en juillet le
seul général à désapprouver l'entrée en campagne et à prévoir
« un grand désastre ». Maintenant on croit, on continue de croire qu'il
a dans sa tête « un plan ». Il l'écrira en toutes lettres, le 16 octobre,
dans une lettre au maire de Paris, en se félicitant des perfectionne-
ments de la défense qui rendent l'enceinte inabordable : « M'inspirant des désirs qui nous sont communs à tous, et des responsabilités
que personne ne partage avec moi, je suivrai jusqu'au bout le plan
que je me suis tracé, sans le révéler, et je ne demande à la population de Paris, en échange de mes efforts, que la continuation de la
confiance dont elle m'a jusqu'à ce jour honoré. »

On commence bien à trouver que Trochu manque un peu de
fougue, mais on admet qu'il ait ses raisons. Et l'on guette, pour
s'exalter, les moindres nouvelles des rencontres *extra muros*.

Elles se résument toutefois, les unes après les autres, dans le
même scénario : des actions trop importantes pour des reconnaissances, et trop peu importantes pour de véritables sorties. On
annonce des succès, et puis on revient sur les positions de départ.
Ce qui donne au communiqué du chef d'État-Major Schmitz :
« Solide reconnaissance offensive, très bien faite, excellente retraite. »
Pourtant les assiégeants n'ont toujours autour de Paris que les
mêmes 180 000 hommes, et il eût été possible de jeter sur un point
quelconque de cette ceinture un nombre au moins égal de combattants. On préfère temporiser.

Le 30 septembre, Vinoy a attaqué sur L'Haÿ-les-Roses, Chevilly-
Larue, Thiais, Choisy-le-Roi, mais pour évacuer ensuite le terrain
conquis. Il en est de même quelques jours plus tard du côté de
Bagneux, Clamart, Châtillon : après cinq heures de canonnades
et de fusillades, souvent à l'avantage de la ligne et des mobiles de
l'Aube et de la Côte-d'Or, on s'aperçoit qu'il faudrait, pour exploiter

ces légers succès, des troupes fraîches et rien n'a été prévu. On entend une fois de plus sonner la retraite.

Opération de plus grande envergure le 21 octobre, et cette fois les Allemands se demandèrent s'il ne s'agissait pas d'une véritable percée. Trois colonnes, aux ordres des généraux Berthaut et Noël et du colonel Cholleton, marchent sur Buzenval, La Malmaison, Bougival, La Jonchère. Après une préparation d'artillerie, fantassins, zouaves, tirailleurs de la Seine et mobiles de Seine-et-Marne enlèvent les positions en face, y compris la redoute de Montretout, parviennent presque au ravin de Saint-Cucufa. C'est, du côté allemand, une véritable surprise et, dans Versailles, tout un remue-ménage. Les portes de la ville sont fermées, des canons mis en place aux carrefours, Moltke monte à cheval, et le prince royal lui-même, pour aller suivre des hauteurs de Beauregard et de Marly les phases de la bataille. Les chassepots ont décimé le 46e régiment prussien, et le général von Kirchbach se demande s'il ne va pas plier. Il est sauvé par trois régiments de landwehr qui accourent, et, à la nuit tombante, les Français reviennent en arrière. « Nous ne sommes pas encore à Versailles », se répétaient le soir les officiers déçus. Les quelque 10 000 hommes lancés en avant ce jour-là avaient entrevu une chance d'y parvenir. Mais il ne s'agissait encore que d'une « reconnaissance offensive » sans idée de poursuite. Paris, aux premières heures, avait applaudi la victoire, mais ce sera pour apprendre ensuite que l'affaire se solde par la perte de deux canons enlevés par les Prussiens.

L'affaire du Bourget.

Là-dessus, Trochu paraît se persuader qu'il n'est plus question de se battre en rase campagne. Il abandonne Gennevilliers, Montretout, Brimborion, Villejuif, et l'assiégeant se rapproche, resserrant l'encerclement. A cette heure le peu de ravitaillement en provenance encore des fermes de banlieue est coupé et Paris privé de toutes communications avec le reste du pays.

Un câble télégraphique immergé dans le fleuve a été repéré par les Allemands qui ont branché une dérivation. Bientôt, il faudra recourir aux ballons.

C'est un isolement qui explique l'extrême tension des esprits parisiens, alors précisément que Bismarck se convainc de l'impossibilité d'ouvrir une brèche et de prendre la ville de vive force : « La tâche des armées allemandes, laisse-t-il écrire à Berlin, est une des plus difficiles dont l'histoire militaire ait gardé le souvenir. »

Et voici qu'une heureuse nouvelle va allumer soudain l'enthousiasme des assiégés : la prise du Bourget.

Le Bourget est alors un village dont l'intérêt stratégique sera interminablement discuté. Pour le général de Bellemare, gouverneur de Saint-Denis, il est important de le réoccuper, afin de menacer les batteries prussiennes de Pont-Iblon et de Blanc-Mesnil. Le vendredi 28 octobre à trois heures du matin, il envoie 300 francs-tireurs dits « de la presse » exécuter, aux ordres du commandant Rolland, un coup de main qui réussit parfaitement. Les Prussiens, surpris pendant leur sommeil, s'enfuient par les fenêtres. Vers dix heures, ils reviennent, mais quatre compagnies de mobiles de la Seine les repoussent. Ils sont à nouveau repoussés à midi, deux nouveaux bataillons de ligne étant survenus. Alors les obus s'abattent et mettent le feu aux maisons, mais les barricades dressées par les Français résistent toujours. Avec les renforts accourus de Saint-Denis ils sont maintenant 3 000, qui reçoivent le samedi plus de 2 000 projectiles. Ils tiendront jusqu'à dimanche, presque à jeun, sous la pluie, devant 15 000 Allemands regroupés, avec 48 canons.

Ici se place un incident que les polémiques d'après la guerre ont mal élucidé. Les deux seules pièces dont disposaient les Français sont subitement attelées et enlevées au galop vers Paris. Du coup, la moitié de la petite troupe se démoralise et recule par la voie ferrée. Les 1 500 qui restent se défendront furieusement, de mur en mur, et cloueront sur place le régiment de la garde prussienne Reine-Élisabeth, assez osé pour s'avancer vers eux, musique en tête et drapeau déployé. Il faut que le général von Budritzki lui-même mette pied à terre, relève le drapeau tombé et ramène ses bataillons à l'assaut.

A midi, les défenseurs ne sont plus qu'une poignée autour du commandant Brasseur, du 128e de ligne, du commandant Baroche du 12e mobiles, du lieutenant de francs-tireurs Solon, de l'officier des mobiles O. de Verrie. Le dernier épisode se déroule dans l'église, où les grenadiers d'un autre régiment Kaiser-Franz doivent grimper jusqu'aux fenêtres pour foudroyer les survivants. Le prince de Wurtemberg renverra à Brasseur son épée et le dispensera, en captivité, de saluer les officiers allemands.

Jusqu'au bout les Français ont cru qu'on allait les secourir. Or, ce combat qui a coûté aux Allemands 36 officiers et plus de 3 000 hommes, un des plus sanglants qui se soient livrés autour de Paris, sera étrangement traité par le commandement. Un village d'une importance très secondaire, prétendra le *Journal officiel*, et un « manque absolu de vigilance », proclamera Trochu. On ne saura jamais à qui incombe au juste la lourde responsabilité d'avoir abandonné à eux-mêmes les soldats de Brasseur et les mobiles de Baroche. Les habitants mettront en cause violemment le général de Bellemare. Celui-ci rejettera la faute sur un de ses inférieurs. On ne s'étonnera pas, après la joie causée par le succès du vendredi, que le dimanche soir la reprise du Bourget provoque sur les boulevards des mouvements de colère.

L'Hôtel de Ville envahi.

Une colère qui, au matin du lundi éclate dangereusement. Trois nouvelles à la fois : la perte de Metz, le recul du Bourget, et le projet d'armistice, c'était trop pour les nerfs à fleur de peau des Parisiens.

Mal informé, le gouvernement de la Défense nationale a commencé par démentir un article du *Combat* annonçant que Bazaine avait envoyé un colonel au camp du roi de Prusse pour traiter au nom de l'empereur. Les numéros du *Combat* ont été brûlés sur les Boulevards, et Félix Pyat stigmatisé comme un agent de l'ennemi. Il faut convenir que ledit Pyat forçait souvent la note en racontant n'importe quoi, et en incitant ses lecteurs à des prouesses patriotiques qu'il ne prétendait nullement inscrire à son actif personnel. Mais Pyat invoquait le témoignage de Flourens, et Flourens celui de Rochefort. Et le 30, Jules Favre était obligé de faire savoir, coup sur coup, l'arrivée de Thiers à Paris pour proposer, d'accord avec les grandes puissances neutres, un armistice, et la reddition de Bazaine et de son armée « après d'héroïques efforts que le manque de vivres et de munitions ne leur permettait plus de continuer ».

Depuis ces derniers jours, la population et la garde nationale ont été fortement ébranlées par la propagande révolutionnaire. Si la petite bourgeoisie compte toujours sur Trochu, les faubourgs

ouvriers lui reprochent de se méfier des Parisiens, de n'avoir pas foi
dans leur ardeur, de retarder cette fameuse « sortie torrentielle »
dont on parle dans les clubs et les débits. Les orateurs extrémistes
éteignent peu à peu la voix des autres, et de bonne heure, ce 31,
toute une foule se porte vers l'Hôtel de Ville, réclamant la déchéance
du gouvernement, et la mise en place d'une Commune élue, révolutionnaire et omnipotente.

Un malentendu complique tout : les maires de Paris, maires provisoires désignés dans les vingt arrondissements (dont Tirard, IIe,
Ranc, IXe, Henri Martin, XVIe, Clemenceau, XVIIIe), ne discernent
pas tous ni tout de suite qu'entre Commune et municipalité, il y a
plus qu'une nuance. Beaucoup parmi ces vingt ne retiennent qu'une
idée : nous ne sommes pas des élus, les ministres non plus, il faut les
élections. Que l'on vote donc! Ils acceptent.

Mais dans l'opinion populaire ils n'existent déjà plus guère, ces
maires provisoires. De bonne heure, le 31, les tambours battent le
rappel, surtout dans les arrondissements numérotés de XIII à XX,
ceux de récente annexion parisienne. Des bataillons de la garde
nationale se mettent en marche, une fois de plus, vers la place de
Grève, accompagnés d'une foule qui crie : « Guerre à outrance!
Pas d'armistice! A bas les traîtres », et qui chante ce qu'elle sait de
La Marseillaise.

Bientôt la place grouille de manifestants en képis — mais la
crosse en l'air — ou en civil, agitant drapeaux et casquettes. Des
députations sont admises à l'Hôtel de Ville, parlementent, mais le
calme ne revient pas pour autant. Les grilles sont forcées, les cours
envahies, les escaliers, les salles. En pure perte, Trochu a tenté de
raisonner ces excités, parce que Paris est imprenable, parce qu'on
fabrique une artillerie invincible, parce qu'il veut lui aussi une guerre
sans merci, une guerre à outrance. On ne le croit pas. On ne l'entend
même pas. L'émeute est partout. Il semble alors qu'un coup de feu
a été tiré à l'entrée de la salle du Trône. A peine l'a-t-on entendu.
On était occupé à conspuer à son tour Rochefort, monté sur une
table.

« Des élections municipales, citoyens? Mais elles vont avoir lieu,
c'est décidé!

— Non! Non! La Commune!

— Mais, citoyens, répond Rochefort, vous ne comprenez pas que
c'est la même chose? »

Il hausse les épaules. Une poussée le bascule. C'est l'instituteur Lefrançais qui prend sa place, bientôt supplanté lui-même par Flourens, en colonel, botté à l'écuyère, un gros pistolet à la ceinture, exultant. Il va lire, annonce-t-il, les noms du nouveau gouvernement, dit de salut public.

Où en sont les choses au-dehors? La garde nationale est divisée, fatiguée de trop de rappels abusifs. Certains bataillons amenés par le général Tamisier refusent de marcher. Tout est confusion. Comment savoir dans ce tumulte, dans ces rugissements, ce qui se passe au juste à l'intérieur? On ne sait même pas, à l'état-major de Trochu, que le gouvernement est prisonnier!

Le gouvernement prisonnier.

Car il l'est, effectivement, dans cette salle du Conseil où Étienne Arago, après avoir tenté de rétablir le calme en promettant à la cohue des élections municipales, fait sa rentrée pour retirer son écharpe. Un manifestant vient de porter la main sur lui :

« Ils l'ont souillée par leurs insultes! Je ne la reprendrai que lorsque l'honneur du magistrat sera vengé! »

Puis le tohu-bohu s'installe autour de la table au tapis vert où les ministres sont assis, faisant de leur mieux pour conserver une impassibilité romaine. « Telle était l'intensité de la foule, écrit Jules Simon, que nous nous trouvions serrés comme dans un étau. » Trochu, pris à partie par des inconnus vociférants allume cigare sur cigare; il a toutefois, dans ce scandale, retiré ses épaulettes et sa plaque de la Légion d'honneur. Garnier-Pagès, Jules Favre essaient encore de se faire entendre, mais n'y parviennent pas. Un « enragé », coiffé du bonnet rouge, bat du tambour. Écouteront-ils Flourens?

Ils l'écoutent mal. On saisit quand même :

« Citoyens, vous avez renversé un gouvernement qui vous trahissait. Il faut en constituer un autre. On vous propose de nommer les citoyens *Flourens* (réclamations nombreuses), *Millière, Delescluze, Rochefort* (Non! Non! Si! Si!), *Dorian* (applaudissements dans toute la salle), *Blanqui, Félix Pyat...* »

Sans doute n'était-ce pas là toute la liste prévue. Mais dans la salle on étouffe de plus en plus, « le flot montait toujours et menaçait de s'écraser lui-même ». Flourens se contente d'ajouter que

les membres du gouvernement déchu sont gardés à vue comme
otages « jusqu'à ce qu'ils aient donné leur démission de bonne
grâce ».

Cependant les vainqueurs ne sont pas si tranquilles, ignorant
eux-mêmes la façon dont, au-dehors, Paris réagit. Et voici que
Pierre Dorian prend la parole pour refuser le poste qu'on lui offre :
la Guerre. Non. Il est, de son métier, fabricant, fondeur de canons,
et il ne veut être que cela. Et puis, il n'abandonnera pas ses amis
de la Défense nationale. Tant pis pour ceux dont les clameurs
l'appellent à la dictature comme pour ceux qui le sifflent. Non,
il ne sera pas du ministère Flourens.

Et pourtant l'émeute sera perdante.

Peu à peu, comme il arrive, une grande lassitude s'empare de
l'assistance égosillée, qui a faim et soif. Flourens lui-même est
aphone, vacillant, de moins en moins rassuré par les rumeurs du
dehors, il a l'impression d'être cerné. Ne raconte-t-on pas que des
bataillons du centre de Paris arrivent au secours des ministres bloqués par l'émeute? Et brusquement la chose se confirme : Ernest
Picard ayant donné l'alerte, le commandant Ibos, du 106e — le
faubourg Saint-Germain — réussit à pénétrer dans l'Hôtel de Ville,
et audacieusement monte avec ses hommes, dégage Trochu, Jules
Ferry, Emmanuel Arago, Pelletan. Comment ont-ils pu? Plusieurs
insurgés ont dû favoriser cet escamotage. Flourens se ressaisit seulement pour empêcher la sortie de Jules Favre, qui demeure avec
Jules Simon, Garnier-Pagès, Magnin et Le Flô sous la menace des
baïonnettes bellevilloises. Si on essaie de les délivrer, ordre de leur
brûler la cervelle.

Impavide, dans la salle voisine, le comité de salut public délibère; il nomme Eudes préfet de la Seine et préfet de Police un
certain Rigault. Seulement plusieurs comités de salut public déli-
bèrent séparément, et on s'y perd. D'autant plus que des forces
importantes se concentrent au-dehors. Vers une heure du matin,
c'est une manière de sauve-qui-peut : les mobiles du Finistère
sont là, ils sont entrés par le souterrain de la caserne Lobau et
montent l'escalier au pas de charge. Vont-ils ouvrir le feu sur les
tirailleurs de Flourens? Les otages ne vont-ils pas être massacrés?

Miraculeusement, grâce à Le Flô qui intervient en bas-breton, l'effusion de sang est évitée.

Il faudra toutefois deux heures encore pour qu'un « arrangement » libère les prisonniers. Et encore qui peut dire s'il y eut, comme l'affirme Flourens, arrangement ratifié? Pierre Dorian eût souhaité obtenir la décision, conforme à celle des maires provisoires, de procéder sans délai aux élections municipales. Jules Favre s'y est refusé, Jules Simon aussi, ne voulant s'engager à rien tant qu'ils seraient aux mains de l'émeute.

Jules Ferry s'est-il montré plus accommodant? C'est lui finalement que Trochu a placé à la tête de la garde nationale pour libérer l'Hôtel de Ville. Il attaque la porte de la place Lobau quand Delescluze se présente avec Dorian, rediscute et semble accepter l'évacuation pure et simple. Mais ce sont encore d'interminables tergiversations, et Jules Ferry, à bout de patience, emmène une forte colonne à l'assaut de la salle même où Flourens harangue encore ses tirailleurs. Ceux-ci perdent contenance, et c'est à Jules Ferry de monter sur la table.

« Vous êtes mes prisonniers, dit-il. Sachez que j'ai 50 000 hommes derrière moi, que vous êtes à notre merci. Je veux bien pour aujourd'hui vous faire grâce, mais sortez à l'instant, et souvenez-vous que, si vous tentez un nouveau coup, nous serons sans pitié. »

Blanqui et Flourens — le premier se trouve mal et doit s'appuyer sur le bras du général Tamisier — sortent entre deux haies de gardes nationaux; leurs troupes leur emboîtent le pas. Les ministres séquestrés l'ont échappé belle. Ils se retirent à leur tour sous les ovations et rentrent chez eux. Jules Simon ne dormira qu'une heure, une délégation de professeurs venant le réveiller pour une augmentation de traitements.

Un plébiscite écrasant.

La guerre civile, de justesse, a été évitée, et les Parisiens, qui, toute la nuit, ont entendu battre le tambour, ont peine à comprendre que Trochu l'a emporté. Et tout de suite, à la préfecture de Police et au conseil réuni au Quai d'Orsay, la question se pose : peut-on laisser l'émeute impunie? Certes, le gouvernement n'est que provisoire, mais il est obéi dans toute la France et il est le seul capable d'assurer la défense nationale; il faut donc arrêter ceux qui, depuis le 4 septembre, compromettent cette défense nationale et qui ont nom Blanqui, Flourens, Delescluze, Millière, Tibaldi : les partisans de la répression, Trochu, Jules Favre, Ernest Picard, Jules Ferry ne manquent pas d'arguments. Mais les autres non plus, Garnier-Pagès, Jules Simon, Dorian, qui savent la police désorganisée et peu sûre, les juges militaires pusillanimes, et certains quartiers aux mains des révolutionnaires armés.

Ce qui pèsera surtout en faveur de l'indulgence, c'est l'attitude de l'honnête Dorian qui estime sa parole plus ou moins engagée dans les pourparlers de la nuit, et menace de démissionner si l'on procède à des arrestations. Or, écrit Jules Simon, « sa retraite aurait été un malheur public », l'opinion populaire le tenant pour irremplaçable à la fabrication des armes. On se résigne donc pour l'instant à laisser courir les chefs de l'insurrection.

Quant aux élections municipales, bon gré mal gré, il faudra se résigner à les faire.

On a commencé par lacérer les affiches signées Dorian, président, et Victor Schœlcher, vice-président de la commission, convoquant les inscrits le jour même, mardi 1er à midi. Étienne Arago, maire, a bien signé lui-même, mais dès onze heures il fait placarder sur les murs qu'en raison de l'impossibilité morale et matérielle d'ouvrir le scrutin si tôt, la décision est suspendue. Il en résulte une nouvelle effervescence. Dans plusieurs arrondissements, on parle de passer outre et de former une « Commune de Paris ». Le gouvernement discute toujours et le temps presse. Son hésitation est facile à comprendre : dans quelle situation se verra-t-il, lui investi par une vague acclamation de la rue, devant des représentants de la population régulièrement désignés dans un scrutin contrôlé? La solution qui prévaut est d'une incontestable habileté. Des élections, oui : le samedi 5, pour un maire par arrondissement et trois adjoints. Mais auparavant, le jeudi 3, on déposera dans les urnes des bulletins de réponse *oui* ou *non* à la question suivante :

La population de Paris maintient-elle, oui *ou* non *les pouvoirs du gouvernement de la Défense nationale?*

C'est un retour au procédé discrédité du plébiscite, même si on le baptise référendum, mais il n'y avait guère, pour le gouvernement, d'autre issue. Celle-ci était même plutôt géniale.

Quarante-huit heures de polémiques murales où les partisans de la Commune paraissent un peu pris de court, et sans incident, 557 996 *oui* écrasent 62 638 *non*. C'est pour ce qu'on appelle le « parti républicain de l'ordre » un triomphe inespéré. On a voté en masse contre l'émeute.

« Vous nous ordonnez de rester au poste de péril que nous avait assigné la révolution du 4 Septembre, proclament Trochu et ses ministres : nous y restons avec la force qui vient de vous, avec le sentiment des grands devoirs que votre confiance vous impose... Donnant au monde le spectacle nouveau d'une ville assiégée dans laquelle règne la liberté la plus illimitée, nous ne souffrirons pas qu'une minorité porte atteinte aux droits de la majorité, brave les lois, et devienne, par la sédition, l'auxiliaire de la Prusse. »

Du coup, à la demande du nouveau préfet de Police, Cresson — successeur d'Édouard Adam, démissionnaire —, on ne balance plus à engager des poursuites pour complot destiné à renverser, à main armée, le gouvernement. Blanqui, il va sans dire, demeure introuvable, et Félix Pyat, mais sur vingt-trois mandats d'arrêt, quatorze seront exécutés. Ils visent notamment Tibaldi, Vésinier, Vermorel, Lefrançais, et aussi Ranvier, Jaclart, Bauer, Tridon qui, également arrêtés, seront relâchés.

Les élections municipales des maires et des adjoints confirmeront la tendance : en dehors de Mottu, Delescluze et Ranvier, qui l'emportent dans les XIe, XIXe et XXe, les partisans de la Commune sont nettement perdants.

La tentative de coup de force a fortement raffermi le gouvernement de la Défense. Clément Thomas, vieux soldat républicain exilé par l'Empire, remplace comme commandant supérieur des gardes nationales de la Seine le général Tamisier, fatigué, et fait connaître sans tarder qu'il exigera de la discipline. Discrètement, Henri Rochefort s'est retiré.

Peu soucieux de se retrouver à l'Hôtel de Ville dans les mêmes périls, le gouvernement se réunira désormais au Louvre. Le voilà nanti d'un vote de confiance pour, à la fois, continuer à lutter, maintenir l'ordre et poursuivre la négociation d'un armistice; celui-ci ne saurait être, a affiché Trochu, qu'« un hommage rendu à l'attitude de la population de Paris et à la ténacité de la défense ».

Mais entre-temps la scène s'est transportée à Versailles.

12

Trochu : d'un plan à l'autre

Thiers n'avait été nanti à Tours que de pouvoirs incomplets. Il a reçu à Paris, de Jules Favre, au ministère des Affaires étrangères, et au terme d'une résolution unanime, ceux qu'il fallait « pour négocier et conclure l'armistice, dont l'idée avait été conçue et l'initiative prise par les puissances neutres ».

Sans trop savoir ce qui se passait déjà autour de l'Hôtel de Ville — mais on ne le savait guère non plus dans Paris —, il a regagné, dans l'après-midi du 31, le pont de Sèvres, sous le couvert de Ducrot, retraversé la Seine sous le vent et la pluie. Les Prussiens, exacts au rendez-vous, l'ont repris en charge pour le ramener à Versailles. Dès le lendemain à midi, le voilà, à nouveau, devant Bismarck.

Où en sont-ils l'un et l'autre? Bismarck est le vainqueur, assez homme du monde quand même pour ménager en paroles son interlocuteur — mais, au fond, plus que pressé d'en finir. Il est en difficulté, sinon avec Moltke, du moins avec tous ces généraux qui, ouvertement, l'excluent, lui, ce civil, de toutes les délibérations militaires. Chancelier de la Confédération du Nord, et malgré sa casquette et malgré ses éperons, il ne peut même pas en connaissance de cause consulter son roi, parce qu'on l'informe à peine de la situation. Ce dont il enrage. Et puis il est d'avis, comme Roon, que ces neutres se font de plus en plus encombrants, qu'ils en viendront bientôt à se mêler de ce qui ne les concerne pas, ce qu'il faut à tout prix éviter. Donc, trouver avec la France, même la France de Trochu et de Jules Favre un quelconque terrain de dialogue direct, pour remonter un peu le moral de ses troupes réellement déçues par ce siège, elles qui croyaient si bien rentrer chez elles pour la Noël. Quel succès pour Bismarck, s'il pouvait obtenir ce dialogue! Il souhaite d'autant plus une conclusion rapide qu'il se sent, sur ses arrières, contesté, suspecté, tout près d'être lâché et par ses militaires, et par les princes empêtrés dans les intrigues sur la restauration de l'Empire allemand.

La position de Thiers est encore plus précaire, malgré ses pouvoirs. Il se sait à la merci des emphases de Gambetta comme des roulements de tambour de Flourens. L'ancien orléaniste préférerait certes représenter une autre France que celle du 4 Septembre. Sa conception présente du devoir, envers la patrie et envers lui-même, lui commande néanmoins d'accepter le rôle historique qui lui échoit, comme au seul en mesure de le tenir.

Les voilà face à face, Bismarck consentant de bonne grâce à s'exprimer en français. Dans un rapport daté du 9, et adressé par lui aux ambassadeurs des quatre puissances — Angleterre, Russie, Autriche et Italie — qui ont émis ou appuyé une proposition d'armistice, Thiers relatera les conversations de ces quatre jours. Très vite, sans qu'on se soit vraiment arrêté aux billevesées diplomatiques de Cassel, où les derniers bonapartistes s'efforcent encore, en exil, de reconstituer un gouvernement, pas plus qu'aux intentions prêtées à Eugénie, de rentrer tapageusement en scène, les deux interlocuteurs ont établi la liste des cinq points à débattre :

1º le principe de l'armistice, ayant pour objet éventuel d'arrêter l'effusion du sang et de donner à la France les moyens de constituer un gouvernement fondé sur l'expression de la volonté de la nation;

2º la durée de l'armistice, en raison des délais nécessaires pour la formation d'une Assemblée souveraine;

3º la liberté des élections pleinement assurée dans les provinces maintenant occupées par les troupes prussiennes;

4º la conduite des armées belligérantes pendant l'interruption des hostilités;

5º enfin, le ravitaillement des forteresses assiégées, et spécialement de Paris, pendant l'armistice.

Thiers reconnaît que sur le principe de l'armistice comme sur sa durée — vingt-cinq jours, semble-t-il admettre — Bismarck a très vite répondu oui. Il formule des réserves sur la représentation des populations alsaciennes et lorraines, mais n'insiste pas trop, accepte que l'on désigne des notables. L'entente se fait également sur la fixation d'une ligne de démarcation entre les deux armées, là où elles se seraient arrêtées le jour de la signature. Broutilles. Le vrai problème est celui du ravitaillement de Paris pendant la suspension des hostilités.

A Versailles : six jours pour rien.

On y arrive et, ici, on bute. Thiers fait valoir qu'un armistice n'a pas de sens si les deux belligérants ne se retrouvent après dans la même situation qu'avant. Bismarck ne s'y oppose pas, mais discute sur les quantités. Combien de bœufs, de moutons, de porcs, de viande salée, de quintaux de blé et de farine, de bottes de fourrage, de tonnes de charbon? Thiers a ses chiffres en poche, mais Bismarck, ici, se flattera de l'avoir joué :

« Il est facilement décontenancé, et il le laisse voir. Il trahit tout de suite ce qu'il éprouve et il se laisse rouler... C'est ainsi que je l'ai amené à m'apprendre que Paris n'avait plus de vivres que pour trois ou quatre semaines. »

La discussion s'échauffe. Bismarck exige la livraison d'un fort. On échange des répliques, puis des excuses. Bismarck veut en référer à ses militaires. Or, le jeudi 3, à la reprise des pourparlers, il montre un visage soucieux et communique à Thiers des rapports d'avant-postes faisant état d'une révolution dans Paris et d'un nouveau gouvernement proclamé.

La montre de Bismarck retarde, celle de Thiers aussi. Ils décident d'envoyer un homme de confiance, Cochery, aux nouvelles. Cochery revient : l'insurrection a été matée. On respire, et on rediscute d'un éventuel ravitaillement de Paris. Mais, entre-temps, les généraux prussiens sont intervenus, protestant contre un tel répit donné aux Français pour prolonger la résistance de leur capitale et organiser leurs armées de province. Bref, ils reviennent à la charge pour exiger « des équivalents militaires », en d'autres termes : « Un fort, plus d'un peut-être! »

Cette fois, Thiers bondit :

« C'est, en fait, demander Paris, puisque nous vous donnerions le moyen de l'affamer ou de le bombarder. En traitant avec vous d'un armistice, vous ne pouviez jamais supposer que la condition serait de vous abandonner Paris même, Paris notre force suprême, notre grande espérance, et pour vous la grosse difficulté, qu'après cinquante jours de siège, vous n'avez encore pu surmonter. »

C'est, comme à Ferrières, l'échec. Courtoisement, il est entendu qu'avant qu'on se sépare, chacun rédigera et communiquera à l'autre son récit de ce qui s'est dit.

Thiers, pourtant, s'obstine. Il croit à sa haute vocation de pacificateur, offre de tenter encore une démarche à Paris. Le lendemain, il franchit à nouveau la Seine et, à Billancourt, retrouve Jules Favre, qu'accompagne le général Ducrot. Ce qu'il leur apprend les hérisse. Au bord de l'eau, son manteau soulevé par les bourrasques, agitant sa canne, il entreprend encore longuement Jules Favre, boutonné dans sa redingote, qui secoue son haut-de-forme. Et pourquoi pas, en fin de compte, des élections sans armistice? Ducrot s'est éloigné de quelques pas, allumant cigare sur cigare, détaché.

« Mais vous êtes fous! glapit Thiers, voyant les visages fermés.

— Non, répond Jules Favre, nous sommes devant d'autres réalités. »

Des élections sans armistice? Proposition en effet saugrenue. Des élections, alors que l'ennemi fait la loi dans un quart de nos départements, y lève des réquisitions, y perçoit les impôts, qu'en Seine-et-Oise le préfet s'appelle Brauchitsch, alors qu'à Reims et à Orléans les civils sont tenus d'obéir à des *ordres* signés du grand-duc Frédéric-François Grævenitz, alors que le comte de Fürstenstein, préfet, réglemente en Seine-et-Marne la vente et le colportage du gibier, alors qu'il y impose un cours forcé de ses *frédérics* d'or, de ses *thalers, florins* autrichiens *groschen* et *kreuzers,* et qu'il autorise ou interdit à sa guise les déplacements d'une commune à l'autre? Voter dans de pareilles conditions? Avec des sentinelles ennemies devant les urnes? On se demande par quelle aberration Thiers a pu prendre sur lui de proposer l'inacceptable. Il est persuadé, au fond, que toute résistance est impossible, que mieux vaut traiter tout de suite, parce que ce sera à moindre prix.

C'est Jules Favre qui prend congé, rappelant qu'il n'a pas qualité pour engager, seul, le gouvernement, et qui renvoie Thiers à Versailles, où on lui répondra.

Le lendemain, dimanche 6, Cochery rapporta la réponse. Laquelle est, il va sans dire, qu'en voilà assez : le chargé de mission est déjà

allé assez loin, trop loin, on lui enjoint de quitter immédiatement le
Quartier général prussien et de se rendre à Tours. Qui donc aurait
osé soumettre aux Parisiens cette absurdité?

Thiers n'a plus qu'à faire ses adieux à Bismarck. Ils expriment
tous deux leurs regrets comme il convient entre hommes de bonne
compagnie :

« Le Ciel vous a fait un joli cadeau en vous donnant votre esprit,
dit Thiers, mais convenez qu'il vous a fait un plus beau présent en
vous donnant Napoléon III comme adversaire. »

Il confiera plus tard :

« Un sauvage de génie. »

Bismarck de son côté l'a trouvé facile à bluffer, mais attrayant :

« La mousse déborde de sa pensée comme d'une bouteille débou-
chée... C'est un brave petit gaillard chenu, respectable, aimable avec
de bonnes manières de la vieille France. Il m'a été pénible d'être
aussi dur avec lui que je l'ai dû... Les vauriens le savaient bien, c'est
pour cela qu'ils l'ont mis en avant. »

Façon de parler. Gambetta, quant à lui, avait dans un télégramme
du 4, expédié par pigeon, dit au gouvernement de Paris sa façon de
penser, devant ces négociations d'armistice :

« Vous nous livrez, à proprement parler, aux entreprises armées
des Prussiens qui ne rencontrent dans nos généraux et nos troupes,
travaillées par vos tâtonnements pacifiques et électoraux qu'une
molle et insuffisante résistance. Tous ces gens-là se diront : « A quoi
bon se battre puisqu'on va traiter? »

Que se serait-il produit à Tours, si Thiers avait réussi?

*L'argument stratégique pour l'annexion de l'Alsace
et de la Lorraine messine.*

On écrira dans la suite, sur une affirmation de Thiers devant la
commission d'enquête, qu'il eût été possible, entre le 1er et le 5
novembre, d'obtenir pour la France une paix moins douloureuse que
celle de Francfort, que Bismarck se serait alors contenté de l'Alsace,
voire d'une neutralisation de l'Alsace, avec trois milliards, peut-être
deux.

C'est une assertion gratuite que rien, absolument rien, ne peut étayer.

La fixation du montant de l'indemnité de guerre — tant le

chiffre d'un seul milliard paraissait alors fabuleux — a pu être considéré et reconsidéré. Quant aux clauses territoriales de la victoire allemande, il y a beau temps qu'elles étaient connues et professées dans l'État-major de Moltke.

Le liséré vert incluant la portion de la France à revendiquer a été dessiné de longue date par les cartographes berlinois, sans qu'il fût à l'origine, un des buts de guerre du chancelier. Il n'a sûrement pas cherché le conflit pour s'agrandir au-delà du Rhin. Un an auparavant, il confiait encore : « Et pour finir, si la Prusse remportait la victoire, à quoi cela mènerait-il? Si l'on y gagnait encore l'Alsace, il faudrait alors occuper continuellement Strasbourg. Mais c'est impossible, car à la fin les Français trouveraient tout de même de nouveaux alliés, et alors cela pourrait devenir terrible... » Bismarck, comme le remarque Emil Ludwig, n'aime pas les Français, mais qui aime-t-il au fond? Dans aucun de ses écrits ou de ses discours, on ne trouve l'expression d'ennemi héréditaire. Il a même approuvé à la mi-août, cette déclaration de Frédéric-Charles soulignant que le peuple français n'avait pas été consulté sur le déclenchement de cette guerre. Toutefois, une demi-douzaine de batailles heureuses l'ont bel et bien retourné.

C'est le 3 septembre à Donchery que le prince royal dit avoir eu vent de l'intention de Bismarck de ne pas rendre l'Alsace, de la garder pour en faire une terre confédérale ou impériale. Le 24 octobre, à Versailles, il a ouï parler d'une lettre d'Eugénie à Guillaume, acceptant de céder Strasbourg et ses environs, plus la Cochinchine. En réalité, du témoignage de Bismarck lui-même, le projet d'annexion fut officiellement approuvé en conseil du roi de Prusse « entre Gravelotte et Sedan ». Très précisément le 22 août, il y fut question en clair de l'Alsace plus Metz et ses environs. Le vin aidant, on suggéra même à dîner d'aller jusqu'à la Marne, et d'adjoindre la Champagne à une sorte d'État neutralisé de huit à dix millions de sujets, sous protectorat allemand, ce qui excita immédiatement les convoitises badoises, hessoises et bavaroises, peu appréciées de Berlin. Nul ne conteste toutefois, et Bismarck l'admettra le 2 mai 1871, que la possession de Strasbourg était devenue, selon lui, le « préalable » de la consolidation confédérale ou impériale.

Reste surtout ce document péremptoire qu'est la réponse du roi de Prusse, datée du 26, à Eugénie, alors disposée à faire de Bazaine le lieutenant général de l'Empire :

Après avoir, pour sa défense, fait d'immenses sacrifices, l'Allemagne veut être assurée que la guerre prochaine la trouvera mieux préparée à repousser l'agression sur laquelle nous pouvons compter, aussitôt que la France aura réparé ses forces et gagné des alliés. Seule cette triste considération, et non le désir d'agrandir ma patrie, dont le territoire est assez grand, m'oblige à insister sur des cessions de territoires, lesquelles n'auront d'autre but que de faire reculer le point de départ des armées françaises qui, à l'avenir, viendront nous attaquer.

Ce texte, longtemps conservé dans les papiers d'Eugénie, fut remis par elle, en 1918, au président du Conseil, Clemenceau. Il confirme assez que du côté prussien comptaient fort peu, pour annexer l'Alsace et la Lorraine messine, les raisons d'appartenance raciale, linguistique ou historique, les vraies raisons étant d'ordre strictement militaire. Les généraux ne voyaient, pour l'avenir, de sécurité possible que derrière un glacis vosgien. D'abord, Bismarck les a laissés dire, et avec eux le roi de Wurtemberg, se plaignant de la frontière du sud découverte devant la France. « Tant que Strasbourg sera une porte de sortie pour une armée de 100 000 à 150 000 hommes ayant toujours baïonnette au canon, l'Allemagne ne pourra jamais arriver à temps sur les frontières du Haut-Rhin avec des forces égales. » Il a d'abord fait, lui, plus politique que militaire, la sourde oreille, dût-il plus tard prétendre le contraire. Puis, on l'a moins souvent entendu répéter, qu'il ne tenait nullement à prendre l'Alsace et la Lorraine. Seulement, les généraux reviennent à la charge : Strasbourg — il le répétera à son tour — c'est la clef de la maison, et Metz représente la valeur de 120 000 hommes. Louis XIV ! Napoléon ! N'est-ce pas toujours la France qui attaque et envahit l'Allemagne ? C'est un devoir élémentaire que de conserver les forteresses, d'empêcher qu'elles ne servent à nouveau de points d'appui offensifs. Le *Times* ne publiera-t-il pas un article sur « quatre cents ans d'agressions françaises contre l'Allemagne » ? Pour ces généraux allemands ce sera même une concession cruelle que de « rétrocéder » Toul et Verdun.

De toute façon, ce n'est pas la rupture du 6 novembre et la continuation de la lutte qui ont coûté à la France la cession de l'Alsace-Lorraine. Elle était déjà inscrite dans les conditions de Bismarck, imposées par Roon.

Paris, isolé, fermente.

En revanche, sous peine de nouveaux mouvements de rue, Trochu va se voir obligé de sortir de la défensive et de sa petite guerre de banlieue pour tenter un coup décisif.

Le 31 octobre, dans l'Hôtel de Ville envahi, ne l'a-t-on pas entendu prononcer des paroles énigmatiques : « Et dire qu'il ne me fallait plus que quinze jours pour tout sauver! » Voilà le moment venu de démontrer que son plan, son fameux plan, existe bien, que les caricaturistes et les chansonniers ont tort de le prendre aussi férocement pour cible.

Trochu, étrange personnage de militaire très « conforme » dans le peu d'indulgence dont il fera preuve envers ses pairs et ses subordonnés, surtout terriblement verbeux, ne se lassant pas de haranguer et de proclamer. On lui reproche ses prières à sainte Geneviève, et ses propos sur l' « héroïque folie » de la défense. Au fond, depuis que l'armée régulière est tombée prisonnière à Sedan et à Metz, il n'a qu'une très médiocre confiance dans ces troupes levées et armées au petit bonheur. Pourquoi dès lors persiste-t-il à dire le contraire? Car il ne cesse de le prétendre, de l'écrire et de l'afficher, plus avocat décidément que ses collègues avocats du ministère.

Sous lui, cependant, Paris renforce sa défense, dans un climat d'émulation. On glorifie les prouesses du sergent Hoff, Alsacien du 107e d'infanterie, qui surprend les sentinelles ennemies et les expédie dans l'autre monde. On blague les batteries assiégeantes, dont pourtant les tirs se rapprochent. Les ménagères font queue à la porte des boulangeries et des boucheries; le pain noircit de jour en jour, la viande fraîche de cheval disparaît peu à peu devant les salaisons, puis devant l'âne et le mulet. Les journaux témoignent que le patriotisme de la population ne se laisse pas alors entamer. On fond de plus en plus de canons, on monte de plus en plus de mitrailleuses de Reffye à manivelle. Si l'Empire s'était montré capable d'un tel effort, l'armement français, dès Frœschwiller et Forbach, eût fait taire l'autre!

Le drame, c'est l'isolement de Paris, encerclé de feu. La capitale n'est plus reliée avec les départements que par pigeons voyageurs et par ballons. Le service aérostatique d'Eugène Godard enverra au-delà des lignes ennemies, malgré les balles et les obus, 65 « sphériques », 10 tonnes de correspondance, 2 millions et demi de lettres avec 164 voyageurs. Dans un mince tuyau fixé à une plume du pigeon arrivent de microscopiques messages que l'on déchiffre à la lampe grossissante avant de les transcrire pour les destinataires. Quant aux ballons-poste gonflés à la gare d'Orléans, ils arriveront presque tous à destination, à l'exception de la *Ville-d'Orléans*, qui se retrouvera en Norvège, de l'infortuné *Jaynard*, monté par le matelot Prince, et du *Richard-Wallace*, monté par le soldat Lacaze, qui disparaîtront en mer.

Sans éclat, l'administration de la ville a été remaniée. Étienne Arago, démissionnaire, cède la mairie centrale à l'énergique Jules Ferry, qui va connaître les temps les plus difficiles. Force sera de compter avec les fausses nouvelles répandues par les journaux et les orateurs extrémistes. Ce sont victoires imaginaires diffusées par Blanqui, par Félix Pyat, attaques contre le gouvernement, qui permet aux riches de se gaver pendant que les pauvres n'ont rien à manger, attaques surtout contre Trochu, le temporisateur.

Toute cette fermentation baigne dans un climat d'héroïsme, de dévouement et de surenchère. On décrète que la statue de Strasbourg, à la Concorde, sera coulée en bronze : voilà une idée, mais on oubliera de le faire. On recrute des « Volontaires vétérans », voire dix bataillons de femmes, les « Amazones de la Seine », pour servir aux remparts (comme s'il n'y avait pas assez d'hommes) et sur les barricades : képi noir, pantalons à bande rouge orange. On réquisitionne le soufre et le salpêtre. On répète qu'il faut 1 500 pièces se chargeant par la culasse.

Et comment empêcher que ne s'en mêlent de doux loufoques, comme cet architecte Thobois, inventeur d'un moyen de se déplacer « dans les airs et contre le vent », qui ne demande que 200 000 francs et la libre disposition de la place du Carrousel pour, en un mois, faire rendre gorge à l'Allemagne ? Pendant que les efficaces, animés par Pierre Dorian, fabriquent des armes et des munitions, les démagogues et les fantaisistes sévissent aussi, nourrissant de balivernes un bon peuple que l'Empire a négligé d'instruire, et dont la crédulité n'est pas le moindre défaut. Comment en serait-il autrement avec cette quinzaine de clubs où l'on entrait pour cinq ou dix sous, club des Folies-Bergère, du Collège de France, des Montagnards, du Casino Cadet, « où l'on allait chercher un peu de chaleur, évoque Jules Claretie, à la lumière des lampes à pétrole, et un peu de vie au

contact des citoyens suspendus à quelque parole vibrante »? Bien
sûr, c'était la saison des exagérés, des rodomonts. Et pourtant, qui
ne s'attendrira pas, comme l'auteur de *La Révolution de 1870-1871*,
sur ce « pauvre et généreux peuple qui écoutait tous ces discours,
qui les applaudissait, qui croyait à la victoire, à la ruine certaine
de la Prusse, à tout ce qu'on lui répétait chaque soir, à tout ce qui se
produisait de renseignements, de passions, de colère, dans ces lieux
publics... Pourquoi, oubliant ou dédaignant tout ce qui se débitait
d'étrangetés dans les discours, le général Trochu n'écoutait-il point
les applaudissements, ne saisissait-il pas l'électricité batailleuse qui
se dégageait de ces agglomérations d'hommes et de femmes? ». Au
fond, que voulait la foule? De l'action... « Pourquoi n'agit-on pas?
Pourquoi ne sort-on pas? Pourquoi ne combat-on pas? »

Et puis, restait dans les mémoires parisiennes — elle avait bien
sûr, filtrée — cette proclamation de Gambetta arrivant à Tours : la
capitale est inexpugnable, elle ne peut être ni prise ni surprise, avec
ses 400 000 gardes nationaux, ses 100 000 mobiles, ses 60 000 trou-
piers, le million de cartouches qu'elle produit par jour : « Non! il
n'est pas possible que le génie de la France se soit voilé pour toujours, que la grande nation se laisse prendre sa place dans le monde
par une invasion de 500 000 hommes. Levons-nous donc en masse,
plutôt que de subir la honte du démembrement! »

Les Parisiens ne parlent que de cette levée de masse. Trochu, lui,
prépare son plan. Car ce plan existe véritablement, il devait
le révéler plus tard, le 14 juin 1871, devant l'Assemblée nationale.

Quelle est la situation? Le cercle d'investissement s'est de plus en
plus étroitement refermé. Les Allemands tiennent, à l'ouest, Bougival, La Celle-Saint-Cloud, Saint-Cloud, Sèvres, Meudon, Clamart.
Au sud, Châtillon, Bagneux, Bourg-la-Reine, L'Haÿ, Chevilly,
Choisy-le-Roi; à l'est, Bonneuil, Ormesson, Chennevières, Champigny, Villiers, Gournay, Gagny, Livry; au nord, Aulnay-lès-Bondy,
Blanc-Mesnil, Le Bourget, Dugny, Épinay-Saint-Denis. Prussiens,
Wurtembergeois, Saxons, Bavarois bloquent Paris sans solution de
continuité. En revanche, les Français sont en mesure, s'ils savent
garder le secret de leurs déplacements, de jeter sur un point donné
une force supérieure à celle des assiégeants, les Allemands ayant,
pour amener des renforts, beaucoup plus de chemin à faire.

La sortie projetée sur la Basse-Seine.

Poussé par l'opinion, Trochu a donc mis à l'étude une « sortie », et son plan, qu'il qualifiera lui-même de « très simple, très pratique, très hardi », est en effet celui qui, sur la carte, semble le plus indiqué. Il a cogité, il est parvenu à cette conclusion que la direction où l'ennemi l'attend le moins est celle de Rouen et du Havre.

De ce côté, la boucle de la Seine forme la presqu'île de Gennevilliers que les autres ont peu défendue, parce que trop facile à défendre, d'où son idée de sortir avec le soutien du Mont-Valérien entre Chatou-Bezons-Argenteuil, avec, pour objectif, Cormeilles-en-Parisis. A gauche, le fleuve protégerait l'opération, et à droite la proximité de l'armée du Nord. De Cormeilles on atteindrait Pontoise, et, à marches forcées, Rouen et la mer. Tel était ce plan. Voilà le secret de ces redoutes dans la presqu'île, armées chacune de pièces de gros calibre, le secret aussi des ponts de bateaux qui s'échelonnaient sur ce parcours. Bref, 50 000 hommes devaient traverser « bruyamment » Paris, se porter à l'est, et inquiéter l'ennemi à Bondy; 50 000 autres devaient, le lendemain de cette démonstration, passer le fleuve près du « Point-du-Jour », marcher en avant, traverser l'Oise et aller, *via* Rouen, jusqu'à la mer. C'était résoudre, grâce à la riche Normandie, le problème du ravitaillement de la ville investie, se renforcer des mobiles de la Seine-Inférieure et de l'Eure, tourner les Allemands, le long de la côte, peut-être avec l'appui de la flotte, de toute façon avec celui des francs-tireurs en action dans le pays de Bray et des « éclaireurs de la Seine » qui, de la région d'Évreux, houspillent l'ennemi jusqu'à Maule et à Mantes.

Au total, un plan bien combiné, non par Trochu, du reste, mais, par son « vaillant collaborateur » auquel il rendra toute justice, Ducrot.

Ducrot pense, comme Trochu maintenant, que les Allemands ne risqueront plus l'assaut, ne risqueront plus de se faire décimer devant les remparts, qu'ils préféreront attendre que la famine, ou l'émeute, leur livre Paris. Mais alors, force est aux Parisiens, sous peine d'être tôt ou tard condamnés à la reddition, force est aux Parisiens de tenter quelque chose. Ducrot partage-t-il la méfiance de son chef à l'égard de ces régiments de « pékins » battus à Châtillon et à Chevilly? Il se peut, mais il est, lui, pour l'offensive en Allemagne du Sud, pour soulever les Badois, Wurtembergeois et Bavarois. Enfermé dans Paris, il bout d'impatience et, à la longue, finit par faire sortir Trochu de son inertie. Oh! sans entrain excessif, certes. Si Ducrot, avec « l'ardeur de son imagination militaire », voyait là le salut, il ne le voit, lui, Trochu, nulle part. Il n'a pas d'imagination militaire, en quelque sorte. Il se résout néanmoins à chercher le salut partout, et se met à l'œuvre avec « une fiévreuse activité ».

Fiévreuse est peut-être beaucoup dire. Mais Trochu s'emploie sérieusement à préparer cette sortie par la Basse-Seine. Plus tard, Aurelle de Paladines, en ces termes sommaires dont les généraux de tous les temps usent si volontiers les uns à l'égard des autres, exercera à son tour sa verve aux dépens du « chef illustre » chargé de la défense de Paris, se gaussera de son « imagination vive », et qualifiera de « chimérique », compte tenu des approvisionnements à transporter et du convoi à mettre en route, ce plan de ravitaillement par l'ouest. On croit tout de même avoir compris que le dessein de Trochu n'était pas de faire rentrer dans Paris tant et tant de rations — la famine n'était pas alors imminente — mais de renverser, par un acte d'audace, le cours de la guerre. Aurelle de Paladines lui-même n'eût probablement pas pu satisfaire très longtemps les populations en leur communiquant le matin : « Solide reconnaissance offensive, très bien faite, excellente retraite » ou : « Troupes repliées sur leurs positions avec un ordre et un aplomb très remarquables; en somme journée très honorable. » A la date où nous sommes, l'opinion exige une autre pâture.

On ne fera pas grief à Trochu d'avoir conservé pour lui-même et ses collaborateurs immédiats le secret de son plan. Trop souvent, les Allemands ont été avertis des intentions parisiennes sans même avoir besoin des rapports de leurs espions, rien qu'en observant les signaux du Mont-Valérien. Il n'informe donc que Jules Favre. En acceptant toutefois que celui-ci, par l'intermédiaire d'Arthur Ranc, en ballon, mette au courant Gambetta.

Tout était prêt, mais une nouvelle : Coulmiers!

Après le 31 octobre, on accélère les choses. Trois armées sont constituées : Clément Thomas avec les bataillons de marche de la garde nationale, 133 000 hommes; Ducrot avec 8 divisions d'infan-

terie et 1 de cavalerie, 105 000; Vinoy avec 6 divisions, 70 000. Plus
les 25 000 marins, fusiliers et canonniers de l'amiral La Roncière.
Une très puissante masse de manœuvre.

L'heure semble venue de préparer maintenant les Parisiens à
l'événement. Trochu le fait le 14 novembre, en une proclamation
aux citoyens, à la garde nationale, à l'armée et à la garde nationale
mobile.

Proclamation assez filandreuse. Il affirme, intrépidement, que sur
l'armistice proposé par les neutres la Prusse était prête à accepter
les « conditions » du gouvernement de la Défense nationale, si la
« fatale journée » du 31 octobre n'avait tout remis en question. Il
rappelle l'œuvre accomplie en deux mois pour la défense de Paris,
et ajoute que « le temps presse ». Mais il presse aussi l'ennemi, et :
« Il ne serait pas digne de la France, et le monde ne comprendrait
pas, que la population et l'armée de Paris, après s'être montrées si
énergiquement préparées à tous les sacrifices, ne sussent pas aller
plus loin, c'est-à-dire souffrir et combattre jusqu'à ce qu'elles ne
puissent plus ni souffrir ni combattre. Aussi, serrons nos rangs
autour de la République, et élevons nos cœurs! »

Le même jour, Jules Favre, en un style tout autrement direct,
annonce aux habitants et aux défenseurs de Paris :

« C'est avec une joie indicible que je porte à votre connaissance la
bonne nouvelle que vous allez lire. Grâce à la valeur de nos soldats la
fortune nous revient, votre courage la fixera; bientôt nous allons
donner la main à nos frères des départements, et avec eux délivrer
le sol de la Patrie. Vive la République! Vive la France! »

La bonne nouvelle, datée du 11, de Tours et signée Gambetta,
c'est la prise d'Orléans par le général d'Aurelle de Paladines, avec
plus d'un millier de prisonniers : « La principale action s'est concen-
trée autour de Coulmiers dans la journée du 9. L'élan des troupes a
été remarquable malgré le mauvais temps. »

Coulmiers, a dit le pigeon voyageur?

Personne ne sait trop à Paris où se trouve au juste Coulmiers,
mais c'est une explosion de joie. On en avait grand besoin. Le même
jour, on a coupé le gaz dans les cafés. Le bruit court bien, venu de
Hambourg, que la navigation sur l'Elbe est arrêtée, sous la menace
d'une flotte française de débarquement. Mais Hambourg, c'est loin.
Coulmiers?

On se penche sur les cartes : Coulmiers, à une vingtaine de kilomètres d'Orléans, à gauche, une bourgade. Mais dont le nom est déjà sur toutes les lèvres. Coulmiers!

C'est l'armée de la Loire qui remonte vers Paris. Alors il n'est plus question de se frayer un passage vers la Normandie. Plus tard, Trochu parlera méchamment d'un « accident heureux » dont a bénéficié Aurelle. Pour le moment, une vague d'opinion se soulève « jusque dans les régions du gouvernement » : on le « somme », dit-il, et Gambetta surtout, de ne plus penser à autre chose qu'à aller au-devant d'Aurelle.

« Il me fut impossible, écrira-t-il, de résister à ce courant. Il fallut donc abandonner mon premier plan... Je ne crois pas que jamais général en chef ait rencontré un accident plus douloureux... »

Cette sortie sur la Basse-Seine, fixée au 20 novembre, il ne reste plus qu'à la décommander, ce que Trochu fait à contrecœur.

Tout l'intérêt, tous les espoirs se sont reportés vers le sud, et l'on attend Aurelle par la route de Fontainebleau.

13

L'échec de la grande sortie
sur la Marne

Coulmiers! Gambetta a quelques raisons de triompher. Ce civil impétueux ne s'est pas laissé émouvoir par les militaires pusillanimes. Sans doute a-t-il tendance à croire à l'efficience du verbe, mais ces officiers rappelés d'un peu partout, d'Afrique, des dépôts ou de la retraite, avaient grand besoin d'être stimulés, et leur hiérarchie d'être rajeunie par une infusion d'éléments neufs. Gambetta a bousculé les traditions, institué des nominations à titre auxiliaire, des mesures d'avancement sans condition d'âge ni d'ancienneté, ni même de nationalité. L'avocat borgne, à la voix tonnante et à la décision prompte, a vite fait de s'imposer et de faire rentrer les récalcitrants dans le rang : à trente-deux ans, il est d'avis, comme plus tard Clemenceau, que la guerre est une chose trop sérieuse pour la laisser aux mains des professionnels.

Il a rétabli l'ordre dans les régions politiquement troublées, Marseille, Lyon, Toulouse, Limoges, et fait en sorte que cet ordre soit républicain. Il saura se faire obéir des généraux comme des préfets. Non sans grincements de dents : il suffit de se reporter aux souvenirs d'Aurelle de Paladines. Mais ceux qui hésitent ou murmurent n'ont pas la partie belle, et le prestige des grands chefs n'est pas tel qu'ils puissent se permettre de regimber beaucoup quand ils reçoivent des messages impératifs, même signés Freycinet. Moyennant quoi, Guillaume Ier entendant un jour citer Schiller : « Puis-je faire sortir des armées de terre en frappant le sol du pied ? » répondra gravement : « Je connais cependant quelqu'un qui a fait cela, c'est Gambetta... »

Il commettra, certes, des fautes, on en commettra en son nom, et ses proclamations nous paraissent aujourd'hui d'une boursouflure bien démodée. Mais personne aujourd'hui ne s'exprimerait non plus comme Jaurès.

C'est Gambetta qui, après la prise d'Orléans par les Bavarois, a arrêté à Salbris la retraite d'Aurelle de Paladines. A vrai dire, von der Tann se montre en la circonstance assez timoré, laissant les Français se reconstituer en Sologne. Le 15e corps atteint bientôt l'effectif de 60 000 hommes pendant que le 16e en formation en rassemble 35 000 en avant de Blois, de Vendôme, dans la forêt de Marchenoir.

Aurelle de Paladines et l'armée de la Loire
La libération d'Orléans.

Aurelle, placé à la tête des deux corps formant l'armée de la Loire, commence par restaurer l'autorité et la discipline, et visite tous les bataillons : « Il leur parla sans phrases étudiées, mais d'une voix assurée, forte, animée, sans autre éloquence que celle qui partait d'un cœur vivement ému... » C'est lui-même qui écrit, mais il est hors de doute que sous son impulsion ces troupes prennent ou reprennent figure. Certaines y auront quelque mérite, comme ces mobiles arrivant du Puy-de-Dôme avec, en guise de havresacs, des musettes soutenues par des cordelettes, ou ces zouaves envoyés d'Algérie en tenues de toile. Les exhortations patriotiques, renforcées d'interventions énergiques auprès de l'intendance pour qu'elle fasse son métier — sans oublier le rôle des cours martiales — organiseront en quelques jours, vaille que vaille, ces éléments hétéroclites. Il est honnête de souligner *en quelques jours*, car Freycinet l'accusera d'avoir perdu une semaine pour se porter vers Paris avant l'arrivée des troupes de Frédéric-Charles.

Tout de suite agacé, bientôt froissé par le langage un peu suffisant du délégué de la Guerre, qui croit devoir entrer dans les détails comme s'il s'adressait à un sous-officier, Aurelle obéit pourtant, se réservant de publier plus tard une image peu flatteuse de cet ingénieur des mines qui se prenait pour un stratège, avec son apparence chétive, sa pose embarrassée, ses cheveux gris et rares à quarante-trois ans, son regard malveillant. Bref, les rapports entre les deux hommes ne sont pas des plus chaleureux. Ils ne changent d'ailleurs rien aux contretemps qui viennent retarder l'opération :

la pluie, les terrains bourbeux, impraticables à l'artillerie, le manque
de matériel ferroviaire, et surtout la nouvelle, catastrophique, qui
transpire le 28 octobre au soir par les avant-postes, de la capitulation
de Metz. La proclamation de Gambetta, par surcroît, est reçue
plus que mal par les cadres. Aurelle, néanmoins, reprend le 7 l'exécution du plan. Il a franchi la Loire à Blois avec le 15ᵉ corps et
s'est établi face à l'est, entre Beaugency et Marchenoir, où Chanzy
a remplacé Pourcet au commandement du 16ᵉ corps. En amont,
Martin des Pallières doit passer par Gien et se rabattre vers l'ouest
sur les arrières de l'ennemi.

Les combats d'avant-garde tournent fort bien pour les Français
dont les jeunes troupes se heurtent à de fortes colonnes ennemies
alertées par un remue-ménage très mal camouflé. Celles-ci débouchent
de Baccon en direction de Saint-Laurent-des-Bois. Chasseurs à pied
et dragons les repoussent dans Vallière, capturant une compagnie
entière. Voilà un succès prometteur. Mais c'est le 9, que s'ouvre
l'action principale contre le triangle Baccon-Coulmiers-Huisseau-
sur-Mauve.

Baccon, sur une hauteur, quoique protégé par des murs crénelés
et des barricades, est enlevé aux Bavarois à la baïonnette, et le
général Peytavin, l'épée à la main, emmène trois bataillons à la
conquête du parc de la Renardière. On approche de Coulmiers,
d'où l'artillerie allemande tonne furieusement. Mais surprise! Cette
fois, l'artillerie française s'avance adroitement, s'établit sur le
mamelon de Champdry et prend l'avantage. Dans les terres dénu-
dées, les infanteries de Peytavin et de Barry — lui aussi l'épée à la
main — se déploient impeccablement, pénètrent dans les vergers
et les jardins, et font entendre des « Vive la France ». Pour prendre
le bourg même, il faudra l'intervention de nouvelles batteries
amenées au Grand-Lus pour aider les mobiles de la Dordogne, le
7ᵉ chasseurs de marche et le 31ᵉ de ligne à vider les maisons de leurs
défenseurs. Cependant qu'au nord, l'amiral Jauréguiberry déborde
l'Ormeteau et Champs. Les Bavarois battent en retraite vers
Saint-Péravy-la-Colombe et Patay. La journée est aux Français!
A la nuit tombante, ils ont pris 2 500 Allemands, deux canons, des
voitures de bagages et tiennent Huisseau-sur-Mauve, les lisières
du bois de Montpipeau, Rozières, Gémigny, Saint-Sigismond, contrô-
lant tout l'ouest d'Orléans.

C'est le jour venu que l'on découvrira le décor vide : il n'y a plus d'Allemands. Ils n'ont pas attendu que la poche se referme sur eux, ils sont partis. Précipitamment, mais en assez bon ordre d'ailleurs, puisqu'on ne les a pas gênés. Ils sont même revenus dans le Nord, avec des attelages, récupérer audacieusement devant les Français des pièces perdues, et cette insolence confirme qu'ils ne sont pas en déroute. Le capitaine d'état-major général Karnatz écrira dans son rapport : « La retraite s'effectua avec une tenue excellente et avec fierté. »

Après tant de revers et tant de démonstrations de l'insuffisance militaire impériale, ce réveil de l'armée républicaine sera quand même un événement considérable. Car c'est aussi la délivrance d'Orléans, évacué d'urgence par les occupants, qui remontent vers Artenay en abandonnant un millier de blessés et de malades.

Mais se demandera-t-on tout de suite : pourquoi ne les a-t-on pas talonnés?

Une vive polémique, plus tard, opposera Freycinet et Aurelle, le premier blâmant le manque d'énergie du second : « Après la prise d'Orléans, écrira-t-il dans *La Guerre en province*, on aurait réussi. » Et l'on s'étonne en effet qu'un aussi net succès n'ait pas été autrement exploité. On conçoit que les prévisions de marche de la division des Pallières aient été dépassées, qu'elle n'ait pu arriver qu'à Chevilly, trop loin pour prendre les Allemands entre deux feux. Mais comment a-t-on permis aux Bavarois de se retirer dans la nuit vers Étampes sans être le moindrement inquiétés? Et que penser de ces trente escadrons du général Reyau, qui n'ont rien fait pour se porter en avant et sabrer ce repli? Les commentaires allemands, les alarmes suscitées à Versailles et qui s'expriment dans le journal du prince royal révèlent assez qu'il était facile, en la circonstance, d'anéantir les troupes de von der Tann.

La neige qui, au crépuscule, s'est abattue sur la campagne, oui. Les chemins défoncés, soit. Aurelle fera état surtout de l'inexpérience de ses divisions — qui viennent pourtant de faire leurs preuves. Les pertes subies? Elles ne dépassent pas 1 500 tués ou blessés, celles des Allemands paraissent beaucoup plus graves. Et cette cavalerie qui, à deux heures et demie, se retire du combat et retourne à Prénouvellon, laissant libres les routes de Chartres et de Paris?

Mais la route de Paris reste barrée.

Le général d'Aurelle de Paladines avancera deux autres raisons. D'abord la menace d'une irruption de flanc des 100 000 hommes du prince Frédéric-Charles arrivant de Metz à marches forcées et déjà signalés du côté de Montargis. Ensuite les décisions antérieurement prises qui, prétend-il, n'avaient jamais concerné qu'Orléans, la libération d'Orléans et l'établissement autour d'Orléans d'un camp retranché capable de défier tous les efforts adverses. Il n'avait jamais été question, soutiendra-t-il toujours, de continuer l'offensive vers Paris, jamais.

Venu à Villeneuve-d'Ingré le 12 pour féliciter l'armée, Gambetta rappellera dans sa proclamation :

« Avant-garde du pays tout entier, vous êtes aujourd'hui sur le chemin de Paris. N'oublions jamais que Paris vous attend, et qu'il y va de notre honneur de l'arracher aux étreintes des barbares qui le menacent du pillage et de l'incendie. »

Mais il ne semble pas avoir formellement préconisé une action immédiate, apportant seulement l'assurance que Trochu ne va pas tarder à sortir avec 160 000 hommes pour donner la main aux armées de province.

En attendant, von der Tann s'est arrêté entre Angerville et Toury, où il se reconstitue rapidement. Frédéric-Charles, venu des bords de la Moselle par Troyes et Nemours, a fait choix de Pithiviers pour quartier général. Et le grand-duc de Mecklembourg s'est porté d'Étampes dans la région de Chartres, pour battre les campagnes beauceronne, percheronne et la bordure normande, menaçant Châteaudun, Nogent-le-Rotrou et Le Mans. Très vite, ce sont 120 000 hommes et 400 bouches à feu qui sont massés entre la Loire et Paris.

Les jours passent. Un très gros travail est accompli pour faire d'Orléans à la fois une place forte et une base de départ éventuelle. On y établit des batteries de grosses pièces de marine. Maintenant, le général d'Aurelle de Paladines a sous ses ordres cinq corps d'armée : 15e (Pallières), 18e (Billot, puis Bourbaki), 20e (Crouzat), 16e et 17e (Chanzy et Sonis), mais il se montre de plus en plus temporisateur, contrairement à Chanzy, qui piaffe, et voudrait se donner de l'air. Gambetta, de son côté, trépigne, et le 19, Freycinet, prétendant (exagérément) qu'on dispose de 250 000 hommes, fait savoir en clair qu'on ne peut demeurer sur la Loire, « Paris a faim et nous réclame ».

Gambetta, devant les objections d'Aurelle, finit par employer les grands moyens et donne directement des ordres aux généraux. L'attaque est fixée au 29 avec comme objectif Fontainebleau, mais d'abord Pithiviers et Beaune-la-Rolande. Et comme Aurelle proteste à nouveau, il s'entend répliquer que des nécessités supérieures commandent de « faire quelque chose », et qu'on ne peut pas passer l'hiver à Orléans.

C'est Crouzat qui conduit l'opération. Le 20e corps doit pousser vers le nord, depuis Boiscommun, Montbarrois et Saint-Loup-les-Vignes, le 18e par Maizières et Juranville. Celui-ci part le premier, enlève ces deux bourgades, mais aux Côtelles, il est cloué au sol, à trois kilomètres à droite de Beaune, et devra batailler tout l'après-midi pour déboucher à Foncerive.

A gauche, le 18e a dépassé Orme et l'Orminette, on va entrer dans Beaune quand un régiment de renfort sauve les Allemands presque encerclés. Peu après, c'est la division Stulpnagel qui surgit, venant de Pithiviers, et contre-attaque. Crouzat doit faire sonner la retraite. Encore une journée où les mobiles se sont fort bien tenus, quoique dépourvus d'équipements et, souvent, de souliers. Ils s'entendent féliciter d'avoir, par leur vigoureuse pointe, arrêté les mouvements tournants de l'ennemi sur Le Mans et Vendôme. Mais ce sont 3 000 hommes hors de combat, et encore un échec.

Pour l'instant, du reste, il n'est plus question de Fontainebleau. On attend le message de Paris annonçant la sortie.

Le voici. Il arrive le 30 novembre. Il est daté du 24, mais il a été confié à ce ballon que la tempête a entraîné en Norvège! « Les nouvelles reçues de l'armée de la Loire, écrit Trochu, m'ont naturellement décidé à sortir par le Sud et à aller au-devant d'elle, coûte que coûte... Mardi 29 l'armée extérieure commandée par le général Ducrot, abordera les positions de l'ennemi, et si elle les enlève, poussera vers la Loire... »

Ducrot : objectif Melun et Fontainebleau.

De mauvaise grâce, mais consciencieusement, Trochu a rédigé son nouveau plan. Il a choisi d'attaquer à l'est, sur la rive droite de la Seine, vers Melun et Fontainebleau. En franchissant la Marne en face de Champigny et de Noisy-le-Grand.

Le moral des Parisiens, relevé par la victoire de Coulmiers, est au plus haut quand ils voient, le dimanche 27, défiler par la rue de Rivoli et les quais, fantassins, mobiles, fusiliers-marins avec de longues files de canons de campagne et de voitures. Un matériel beaucoup plus lourd d'artillerie de forteresse et de pontonnerie a été transporté plus discrètement, les jours derniers, entre la Seine et la Marne et dans la boucle de Saint-Maur. Le lundi au soir, toute la IIe armée — 150 000 combattants — bivouaque le long de la rivière, entre le plateau d'Avron et le fort de Charenton. Tous les hommes ont reçu plus de 100 cartouches et six jours de vivres. Les murs se sont recouverts de littérature enflammée. Appel du gouvernement à l'union et à la discipline. Appel de Trochu : « Le sang va couler de nouveau... Mettant notre confiance en Dieu, marchons en avant pour la patrie! » Proclamation de Ducrot : « L'ennemi a envoyé sur les bords de la Loire ses plus nombreux et ses meilleurs soldats; les efforts héroïques et heureux de nos frères les y retiennent... Pour moi, j'en fais le serment devant vous, devant la nation tout entière : je ne rentrerai dans Paris que mort ou victorieux; vous pourrez me voir tomber, mais vous ne me verrez pas reculer. Alors, ne vous arrêtez pas, mais vengez-moi! »

Ducrot, Auguste-Alexandre, cinquante-trois ans, porte en son cœur une haine tenace de l'Allemand. C'est un général à la mode du Premier Empire, toujours au plus fort de la mêlée, très haut sur son cheval. Un entraîneur d'hommes, qui croit, lui, à l'offensive. Fait prisonnier après Sedan et interné à Pont-à-Mousson, il s'est évadé, ce qui lui vaut la rancune acharnée de Bismarck. On ironisera sur lui, après la bataille de la Marne, parce qu'il a dit « mort ou victorieux ». Mais nul n'osera insinuer qu'il a tourné bride devant la mitraille : on l'aura vu, de sa main, pourfendre devant Villiers un fantassin saxon.

Pendant la nuit, les positions ennemies sont canonnées derrière Argenteuil et Bezons : diversion. Au lever du jour, autre diversion sur La Malmaison et Buzenval. Puis c'est une feinte de Vinoy sur

L'Haÿ, Thiais et Choisy-le-Roi. On devrait, pendant ce temps, passer la Marne sans encombre entre Joinville et Nogent. Mais qu'arrive-t-il? C'est manqué. Une crue subite, paraît-il : peut-être aussi une déficience du génie, et du commandement, qui n'a pas veillé à l'exécution des ordres. Dans le public, c'est la consternation et la cote des généraux baisse brutalement : faut-il donc renoncer à compter sur eux, s'ils savent si mal leur métier? En tout cas, voilà les Allemands suffisamment avertis : ils voient le plateau d'Avron fourmillant de Français, mettant en place des batteries, ils voient des troupes se masser sur le champ de manœuvre de Vincennes. Ils ont vite compris.

Pas assez vite, néanmoins, pour s'opposer, le mercredi 30, au franchissement de la rivière. Le temps est redevenu clair, il paraît même que le niveau de l'eau a baissé. Bref on a pu jeter deux ponts, et à neuf heures les premières divisions, Blanchard et Renault, accèdent déjà aux pentes de Champigny et du Plant, soutenues par le feu de la redoute de la Faisanderie. Simultanément, la division Susbielle, au sud, s'empare des coteaux de Mesly et de Montmesly — avec même, de ce côté, un peu trop d'impétuosité, car les Wurtembergeois, sous le feu des batteries de Charenton et de Gravelle, contre-attaquent bravement et font reculer les mobiles de la Vendée et de l'Ain, blessant mortellement le général Ladreit de La Charrière, vieux brave très populaire.

On s'aperçoit sans peine que la ligne de résistance principale des Allemands passe par les hauteurs de Villiers, de Cœuilly et de Chennevières. Ici les Français tomberont sur « du dur ». Jusque-là, ils ont progressé, ne rencontrant de vives oppositions que dans les rues de Bry-sur-Marne et de Champigny. Leur droite, par contre, rejetée sur Créteil, n'a pu couper aux renforts allemands la route venant de Versailles.

Malgré tout le mordant de Ducrot, les zouaves du 2ᵉ corps (Blanchard) ne délogent pas les Saxons du parc de Villiers. Son artillerie, amenée, ne peut se maintenir sur les hauteurs, et après des fortunes diverses, il terminera la journée dans une position critique, tandis que le 1ᵉʳ (Renault) se fait fusiller et mitrailler devant Cœuilly et devant Chennevières. Honneur sauf, notera-t-on, car si les liaisons n'ont pas été très sérieusement assurées, du moins le clairon Ranc et le tambour Chevalier, du 42ᵉ, auront-ils vaillamment sonné et battu la *charge* et *halte*, et le *retrait*, aussi tranquille-

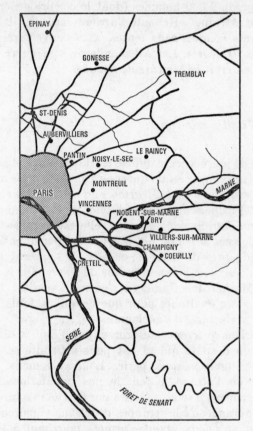

Siège de Paris (Est).

228

ment qu'à l'exercice. Quant au 3ᵉ corps (Exéa), il arrive beaucoup trop tard pour, comme prescrit, prendre l'adversaire à revers par Noisy-le-Grand. Force est, pour les Français, à la brune, d'arrêter le combat, sans avoir atteint sur les crêtes, leurs objectifs essentiels. Après avoir perdu 5 000 hommes (dont le célèbre général Renault, surnommé en Afrique « Renault l'arrière-garde »), ils coucheront sur ces versants conquis sans tentes, sans couvertures, sans feux, par un gel de 10 degrés. Les Allemands ne sont guère mieux partagés, si l'on en croit le *Mercure de Souabe*.

Cet Épinay n'était pas le bon.

Mais en fin de journée a été diffusé par le vice-amiral commandant à Saint-Denis un compte rendu qui créera un incroyable malentendu : *Dans l'après-midi, la brigade Henrion s'est emparée du village retranché d'Épinay*. Fusiliers marins et mobiles de la Seine ont enlevé ce village *avec un entrain remarquable*. Telle est, semble-t-il, une des dépêches apportées à Tours, dès le jeudi 1ᵉʳ par le ballon le *Jules-Favre* descendu près de Belle-Ile-en-Mer. Il s'agissait évidemment de l'une des diversions prévues autour de Paris pour faciliter l'opération sur la Marne. Mais Gambetta s'en saisit aussitôt. La tentative de sortie est assez exaltante pour que devant la foule réunie dans la cour de la préfecture, il s'exclame :
« Les Prussiens peuvent mesurer aujourd'hui la différence qui existe entre un despote qui se bat pour satisfaire ses caprices et un peuple armé qui ne veut pas périr... L'envahisseur est maintenant sur la route où l'attend le feu de nos populations soulevées. »
Malheureusement, il se laisse entraîner très loin en faisant applaudir par les Tourangeaux les troupes d'Orléans vigoureusement lancées en avant et « deux grandes armées marchant à la rencontre l'une de l'autre ». Et en communiquant par télégraphe aux préfets, sous-préfets et généraux que « cette même journée du 30, dans l'après-midi, a donné lieu à la pointe vigoureuse de l'amiral La Roncière, toujours dans la direction de L'Hay et Chevilly. Il s'est avancé sur Longjumeau et a enlevé les positions d'Épinay, au-delà de Longjumeau... »
Gambetta, manifestement, a pris Épinay-lès-Saint-Denis, au nord

de Paris, sur la rive droite de la Seine, entre Gennevilliers et Enghien, pour Épinay-sur-Orge, en Hurepoix. Erreur n'est pas compte. Toujours ces cartes, dont on se servait si mal!

Devant le froid, les généraux renoncent.

Le 1er décembre, sur le front de la Marne, il ne se passe pratiquement rien, que des canonnades françaises parties du plateau d'Avron. Ducrot, accompagné sur tous les points chauds par les « éclaireurs de la Seine », du commandant Franchetti, revigore comme il peut ses divisions fatiguées et éprouvées. En face, Fransecky achemine des forces considérables, et le samedi 2, avec l'ordre de rejeter les Français derrière la Marne et de détruire les ponts, il attaque sur toute la ligne, à l'aube : les Saxons sur Bry, les Wurtembergeois sur Champigny.

Les Français, engourdis par le froid et le ventre vide, sont d'abord surpris, mais se ressaisissent à la voix de Ducrot, accouru de Poulangis au galop. C'est encore une journée de combats farouches dans Champigny, au Four-à-Chaux, on se tue pendant des heures à bout portant; les ruelles de Bry sont jonchées de cadavres. Pourtant les Allemands ne parviendront pas, jusqu'au soir, à reprendre les crêtes, et devront à nouveau se retrancher sur place. Trochu, parcourant les lignes de tirailleurs, est acclamé. Jules Favre et le gouvernement expriment aux généraux leur admiration. Et le bruit ne court-il pas de l'arrivée de l'armée de la Loire pour le 4 en forêt de Fontainebleau?

Pourtant, devant le froid qui s'aggrave encore pour ces troupes sans abri dans des campagnes dévastées, les généraux tombent d'accord : il serait fou de persévérer. Les pertes atteignent plus de 6 000 hommes, dont 414 officiers. Sur les versants, les mourants cessent d'appeler. Les survivants, pendant trente-six heures, auront vécu de pain et de biscuits. Nombre d'entre eux qui se tireront de là resteront des invalides. Si les Allemands, de leur côté, paraissent découragés, c'est qu'ils comptent plus encore de tués et de blessés, au moins 7 000.

Demander encore aux troupes, par un tel temps, de nouveaux sacrifices? Ducrot, la mort dans l'âme, donne l'ordre de la retraite.

Mais alors, s'étonnera le bon peuple, à quoi rimait cet ordre du jour de l'après-midi, signé Jules Favre, annonçant que les Prussiens se repliaient et que la garde nationale de Clément Thomas allait s'en mêler?

La retraite, le 3, s'effectue sans dommages, à la faveur d'un brouillard épais, les Allemands d'ailleurs ne cherchant pas à l'inquiéter. En quelques heures, les mobiles auront été dirigés sur le fort de Nogent, et l'armée sur le bois de Vincennes, où elle dresse ses tentes. C'est, pour le moral parisien, un écroulement.

Un télégramme de Moltke à Trochu.

Les Parisiens — presque tous — ont cru frénétiquement à la trouée invincible. Puisque Gambetta avait réussi à électriser la province, puisqu'un général victorieux, du nom d'Aurelle de Paladines, avait surgi, puisque l'ennemi avait été vaincu à Coulmiers, le miracle était pour demain; les Allemands, écrasés par le nombre, allaient lever le siège et retourner chez eux, rien ne pouvant résister au peuple en armes.

L'offensive sur la Marne a suscité un fol espoir. On a tressé des lauriers pour Ducrot, l'opposition s'est reproché d'avoir mal jugé Trochu. Même si l'opinion s'est énervée, le 1er, parce qu'on ne chargeait pas tout de suite l'ennemi à l'arme blanche et qu'on semblait s'attarder en chemin, le télégramme de Trochu à son chef d'état-major Schmitz, le 2 au soir, était de nature à élever les cœurs : « Cette deuxième grande bataille est beaucoup plus décisive que la précédente... Nous avons combattu trois heures pour conserver nos positions, et cinq heures pour enlever celles de l'ennemi, où nous couchons. » Qui pouvait supposer que les troupes, au réveil, seraient ramenées à leur position de départ?

Les Parisiens refusent d'abord d'ajouter foi à ces histoires. Puis une rage les saisit. On leur a donc encore menti? A moins qu'on ne les ait une fois de plus trahis? Les Boulevards s'agitent, les clubs palabrent en permanence. On somme Ducrot de s'expliquer. Il le fait le 4 dans un ordre du jour daté de Vincennes aux soldats. S'il a repassé la Marne, c'est parce que l'ennemi avait eu le temps de concentrer devant eux toutes ses forces et qu'il n'a pas voulu les conduire à un « désastre irréparable ». Seulement, « vous l'avez compris, la lutte n'est suspendue que pour un instant; nous allons la reprendre avec résolution ».

Les Parisiens commencent par gronder, puis s'interrogent. Si pourtant c'était vrai que la bataille de Champigny n'était qu'une feinte? Si d'autres dispositions étaient maintenant prises de haut, pour une autre sortie, beaucoup plus massive, beaucoup plus torrentielle, et décidée à l'heure vraiment propice, en liaison avec la puissante armée de la Loire?

Trochu et Ducrot ne se font pas prier pour donner l'assurance qu'un autre plan, le bon, est à l'étude. L'artillerie du plateau d'Avron demeuré aux mains de l'armée française pourrait, supposent-ils, fournir une nouvelle base de départ, entre Bondy et Le Bourget. Ils s'appliquent sur-le-champ à réorganiser les divisions, à compléter l'encadrement. Le 5, leur travail est déjà assez avancé, quand parvient à Trochu ce télégramme du comte de Moltke :

Il pourrait être utile d'informer Votre Excellence que l'armée de la Loire a été défaite près d'Orléans, et que cette ville est récupérée par les troupes allemandes.

Si toutefois Votre Excellence juge à propos de s'en convaincre par un de ses officiers, je ne manquerai pas de le munir d'un sauf-conduit pour aller et venir.

Agréez, mon général, l'expression de la haute considération avec laquelle j'ai l'honneur d'être votre très humble et très obéissant serviteur.

Le croirait-on? Cette nouvelle atterrante est d'abord accueillie comme un piège, dont on se rit. Même au gouvernement.

Les officiers allemands ne s'amusent-ils pas à intercepter des pigeons voyageurs et à les remettre en liberté munis de dépêches fantaisistes? C'en est une de plus. Un mensonge, une ruse, une fanfaronnade!

Pourtant le message présente de telles marques d'authenticité que Trochu, très dignement, accuse réception, en ajoutant qu'il ne croit pas devoir faire vérifier cette communication. Puis il placarde pour la population :

« Cette nouvelle, qui nous vient de l'ennemi, en la supposant exacte, ne nous ôte pas le droit de compter sur le grand mouvement de la France accourant à notre secours. Elle ne change rien ni à nos résolutions ni à nos devoirs.

« Un seul mot les résume : Combattre! Vive la France! Vive la République. »

De la même encre, Gambetta signera le 5 au soir, à Tours, une circulaire faisant connaître à la France que, d'après les dépêches du ballon *Franklin*, les pertes de l'ennemi ont été si considérables « que pour la première fois de la campagne, il a laissé passer une rivière en sa présence, en plein jour, à une armée qu'il avait attaquée la veille avec tant de violence... Grand effet moral produit dans Paris ».

Le moins que l'on puisse dire, c'est que Paris est excédé de ces morceaux de bravoure. Et encore ignore-t-il que Gambetta est en train de rédiger cette autre dépêche, qui partira le 8 décembre, à une heure du matin pour les préfectures :

La translation du siège du gouvernement de Tours à Bordeaux a été décidée aujourd'hui; elle aura lieu dans la journée de demain. Continuez à m'adresser vos dépêches à Tours jusqu'à demain soir 9 décembre à minuit. Ne soyez pas inquiets de cette translation qui a uniquement pour but d'assurer la parfaite liberté des mouvements stratégiques des deux armées composées avec l'armée de la Loire.

La situation militaire, malgré l'évacuation d'Orléans, est bonne; et le général Chanzy, depuis deux jours, lutte avec succès contre Frédéric-Charles et le refoule. Nos ennemis jugent eux-mêmes leur situation critique. Patience et courage, nous nous tirerons d'affaire. Ayez de l'énergie, réagissez contre les paniques, défiez-vous des faux bruits et croyez en la bonne étoile de la France. Mes collègues se rendent à Bordeaux; je pars demain pour l'armée de la rive droite de la Loire.

Consternation.

Ainsi, Moltke n'a pas menti.

Et Trochu a été dupe d'informations controuvées, comme Gambetta lui-même. Mieux vaut pourtant ne pas retenir pour la gloire du général Trochu, son intervention à la tribune de l'Assemblée nationale, les 13 et 14 juin 1871, plus précisément cette appréciation portée par lui sur le « succès » de Coulmiers, « dû à l'habileté avec laquelle le général en chef (Aurelle) avait su réunir une troupe *maxima* contre le point qu'occupait l'ennemi avec une troupe *minima* », et qualifiant le résultat d' « accident heureux ». Aurelle se donnera naïvement beaucoup de mal pour prouver qu'il n'avait attaqué von der Tann qu'avec une partie de son armée, alors que, justement, tout l'art de la guerre, à travers les âges, a été de rassembler au bon moment et à la bonne place de plus gros bataillons pour battre les moins gros... Passons aussi sur la leçon d'école de guerre infligée après coup par Aurelle, démontrant à Trochu que son plan de sortie par la Basse-Seine était une ineptie. Ces aménités sont, entre généraux perdants, monnaie courante. Et passons enfin sur les contestations Aurelle-Freycinet qui se prolongeront en 1872.

A la date où nous sommes, Paris atterré, vient d'apprendre que l'armée de la Loire, loin d'accourir à sa délivrance, a été battue. Comment est-ce possible?

14

Les armées de province :
triple désillusion

On a donné des péripéties de l'armée de la Loire deux versions contradictoires. Celle du général d'Aurelle de Paladines et celle de Gambetta. Il semble néanmoins possible de dégager l'essentiel des événements.

Au reçu, si malencontreusement tardif, le 30 novembre, de la dépêche de Trochu annonçant la sortie sur la Marne pour le 29, tout naturellement Gambetta a ordonné de reprendre l'offensive de la Loire vers Fontainebleau, par Pithiviers. D'urgence Freycinet se transporte au Quartier général de Saint-Jean-de-Ruelle, voit Aurelle et Chanzy, écarte leurs objections. Exécution le 1er décembre au matin. On se porte au-devant de Ducrot. Tout le monde croit que Ducrot descend à la rencontre.

Les Allemands, il va sans dire, sont avertis. Certain ordre du jour de Frédéric-Charles traitant la France de « terre impie », et l'armée française de « bande de brigands » à exterminer, et ajoutant que le moment est venu de vaincre ou de mourir, ne laisse à cet égard aucun doute.

Les Français attaquent néanmoins comme prévu. A gauche, le 16e corps (Chanzy) sur Janville et Toury, le 17e (Sonis) derrière lui; le lendemain 2, mouvement concentrique parti de la forêt d'Orléans, à droite, des 15e (des Pallières) 18e et 20e (Bourbaki). On se donnera la main à Pithiviers.

« A Paris! A Paris! »

Officiers et soldats sont transportés par la nouvelle — malheureusement controuvée — des victoires de Ducrot. Au nord de Patay, la division de l'amiral Jauréguiberry enlève Gommiers, Guillonville, Terminiers, puis, dans l'après-midi, enfonce le front allemand à Faverolles, Villepion, Nonneville. Chasseurs à pied improvisés, jeunes fantassins du 3e de marche et mobiles de la Sarthe à peine instruits se comportent comme des anciens et les chassepots, selon l'expression consacrée, « font merveille ». Les baïonnettes aussi. Ce sera le combat de Villepion.

Effectivement, von der Tann a plié jusqu'à Orgères. Le 2 décembre, au réveil, on se communique dans les bivouacs français une note au crayon : « Grande victoire par le général Ducrot qui a forcé les lignes ennemies. » A la même heure, nous l'avons dit, on s'imaginait à Champigny que l'armée de la Loire approchait de Fontainebleau.

Quand les Français repartent « sous un clair soleil d'hiver » à l'attaque des Allemands établis sur la ligne Orgères-Loigny-Lumeau-Poupry, une immense clameur retentit : « A Paris! à Paris! »

Von der Tann discerne très vite que le château et le parc de Goury seront sa meilleure position de résistance. Il y envoie brigade sur brigade. L'amiral Jauréguiberry, de son côté, se renforce. L'artillerie du général Bourdillon décime des Bavarois qui se déploient imprudemment dans la plaine. Voilà les défenseurs allemands de Goury en grand péril : « Encore une demi-heure, relate un journaliste d'outre-Rhin, et le corps de von der Tann était anéanti, et la plupart des canons tombait aux mains de l'ennemi. L'ordre ne se maintenait plus convenablement, les troupes de divers régiments se trouvaient mêlées, et le découragement commençait à s'emparer d'elles. »

Goury, le 2 décembre : un combat encore où la « fortune de guerre » aurait pu souffler autrement. Peut-être le commandement français l'y eût-il aidée si, mieux renseigné, il avait massé assez de monde et de bouches à feu contre les Bavarois cernés. Mais on n'a pas saisi l'instant, et à deux heures de l'après-midi une « forte et claire canonnade » précède l'irruption des Prussiens de la 17e division. Cette fois, ce sont les Français qui évacuent Loigny.

Faute d'artillerie suffisante, la division Maurandy a échoué devant Lumeau et recule jusqu'à Terminiers. Trois fois le village d'Écuillon est repris par les mobiles limousins. Chanzy place à Terre-Noire une batterie de 12 qui contient quelque temps les Allemands. Mais ceux-ci, en rangs épais, remarquablement encadrés, affluent de toutes parts; une charge de cavalerie essaie même de tourner les

Français par la gauche. A ce moment apparaissent les spahis du général de Sonis, qui survient avec le 17e corps. La chance va-t-elle basculer? Jauréguiberry, s'il avait assez de canons, pourrait s'ouvrir la route d'Orgères — mais il n'a pas ces canons.

C'est enfin autour de Loigny en flammes que l'on se bat le plus farouchement. Les dragons allemands n'arrivent pas à entamer la brigade Bourdillon. Il lui faut pourtant céder du terrain, tandis que dans le cimetière du village deux bataillons du 37e de marche, commandants Varlet et de Fouchier, sont encerclés. Pour tenter de les dégager, Sonis appelle à lui les 300 zouaves pontificaux du colonel Athanase de Charette, dénommés « volontaires de l'Ouest », et avec eux des mobiles des Côtes-du-Nord et des francs-tireurs de Tours et de Blidah. Quelque 800 hommes s'avancent sous les obus, en terrain découvert.

Folle bravoure, et noble sujet de tableau héroïque pour Royer. Mais les Français, comme il est de tradition, ne peuvent rien contre le nombre. Sonis s'écroule. Charette, blessé, ramène ses survivants sur Villepion, avec leur Sacré-Cœur brodé, qui a changé cinq fois de mains. Les pertes sont effroyables. Toutefois, à la nuit tombée, les trois divisions de Chanzy se replieront sans difficulté sur Termi-niers et Patay.

Quant au 15e corps, engagé à droite, il s'est heurté aux Prussiens en avant de Poupry, et a eu grand-peine à se maintenir sur ses positions. En fin d'après-midi, Aurelle établira son Quartier général à Artenay. Ses liaisons sont perdues, et il lui faudra attendre minuit pour recevoir des nouvelles de Chanzy!

Elles ne sont guère optimistes ces nouvelles. Chanzy ne renonce pas à repartir en avant, mais il est indispensable que le 15e corps opère une diversion. Il ne fait pas mystère, en outre, de l'abattement du 16e : « Beaucoup de troupes ont quitté le champ de bataille en désordre... Je crois que nous avons devant nous toutes les forces ennemies accourues pour nous écraser. » Peu après il fera parvenir un autre message : on ne saurait compter sur le 17e corps : « Beau-coup d'hommes sans souliers, pas de distributions faites, tous très fatigués. »

Dans ces conditions, Aurelle se convainc qu'il ne saurait plus être question d'insister : plutôt grand temps de rentrer sous Orléans. C'est ici que se situe — datée de Tours, 2 décembre, quatre heures du soir — une lettre signée Gambetta qui donne une idée des divergences de vues entre le général en chef et son ministre de la Guerre. Celui-ci a renoncé à donner directement des instructions aux corps d'armée : il n'en demeure pas moins persuadé que l'ennemi ne pense pas sérieusement à barrer la route de Pithiviers, mais bien plutôt à « masquer son mouvement vers le nord-est, à la rencontre de Ducrot ». L'armée de la Loire, selon lui, n'a devant elle qu'une « fraction isolée », et le gros de l'armée « doit filer sur Corbeil ». Il continue à croire que Ducrot terrorise les Allemands.

Mais c'est Artenay.

Aurelle ne manquera pas de hausser les épaules quand se confirmera la jonction du prince Frédéric-Charles et du grand-duc de Mecklembourg pour attaquer en force le 3, face à Artenay. Cette journée du 2, qui a coûté aux Français 7 000 hommes et 5 000 aux Allemands laissera aux premiers une impression de dispersion et d'inefficacité. Malgré la vaillance de diverses unités, on n'a pas gagné un pouce en direction de Paris. On n'a pas réellement soutenu Chanzy. Les corps d'armée, voire les divisions ont combattu isolément, selon l'inspiration de leurs généraux. Excédé, dirait-on, des ordres reçus de Tours, il semble qu'Aurelle ait laissé les choses aller, et ne se soit ressaisi que trop tard. Est-il concevable que les 18e et 20e corps, cantonnés autour de Bellegarde-du-Loiret, soient demeurés trois jours durant inemployés?

Les Allemands, eux, ont eu vite fait de se contenter et, le 3 au matin, ils sont arrivés devant Artenay. Dans cette localité, dans La Croix-Briquet, dans Chevilly, dans Cercottes, des combats acharnés vont encore se livrer, sous le vent qui rabat des rafales de neige. L'artillerie allemande de campagne surclasse la française, avant que se fassent entendre, d'Orléans, les grosses pièces de marine. Des châteaux, des fermes, des moulins, comme à Anvilliers offrent des possibilités de défense, mais les Prussiens, impeccables comme à la manœuvre, les enlèvent tambours battants. Côté français, ce sont des bataillons de fuyards que la ville voit revenir. En vain Aurelle lui-même s'efforcera-t-il, sur la route, de lutter contre cette débandade : les soldats, à bout de forces, glacés, affamés, n'écoutent plus personne. Même débâcle à droite, après la perte de Chilleurs-aux-Bois. Le général des Pallières y assiste impuissant : certains régiments s'égarent, d'autres abandonnent leurs pièces dans les fossés, deux bataillons sont oubliés à Courcy-aux-Loges, à l'entrée de la forêt.

La perte d'Orléans : Aurelle relevé de son commandement.

Pour Aurelle, la préoccupation dominante est maintenant de ne pas se laisser enfermer dans Orléans, comme l'empereur à Sedan. Certes des tranchées ont été creusées, des batteries mises en place, avec des poudrières pleines. Mais trop grave est à ses yeux la démoralisation de l'armée. Le 4, à quatre heures du matin, il télégraphie à Gambetta que la défense de la ville est impossible, que l'ennemi est là, qu'il faut se retirer sans perdre de temps, les 16e et 17e corps sur Beaugency et Blois, les 18e et 20e sur Gien, le 15e en Sologne.

Gambetta accueille très mal cette dépêche et réplique aussitôt pour exprimer sa « douloureuse stupéfaction ». Le commandant en chef, jusqu'à présent, s'est fait battre en détail, mais n'a-t-il pas encore sous lui 200 000 combattants? L'évacuation serait un désastre voyons, au moment où Ducrot cherche à joindre l'armée de la Loire. Et Gambetta de confirmer ses instructions de la veille qui dans les événements étaient passées un peu inaperçues : opposer « une résistance indomptable ».

Aurelle s'énerve : « Je suis sur les lieux et mieux en état que vous de juger de la situation... »

Ensuite, on ne suit plus très bien. A l'arrivée à Orléans de Martin des Pallières, c'est Aurelle qui change d'avis et décide d'organiser la résistance. Mais entre-temps Gambetta et la Délégation s'étaient ralliés à l'idée de l'évacuation... Ils se hâtent de féliciter Aurelle de ne pas l'avoir retenue. Tout ce dialogue sur le fil, dans la matinée et au début de l'après-midi, est assez incohérent. Finalement, Aurelle change encore d'avis. Tous les officiers supérieurs qu'il exhorte lui répondent que leurs soldats ne tiennent plus. L'armée a envahi les cafés, pendant que la cavalerie allemande se promène aux abords des retranchements. Gambetta lui-même, qui a annoncé sa venue à Orléans par le train, doit faire machine arrière, des uhlans tirant sur la locomotive. C'est trop. A quatre heures, l'ordre d'évacuation est donné. Les marins la couvriront. Ils n'abandonneront

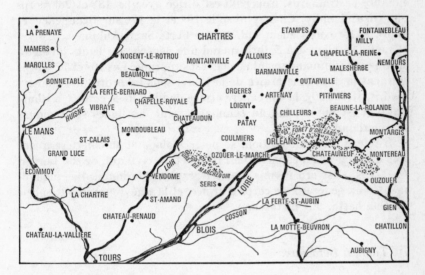

L'armée de la Loire.

leurs pièces qu'après les avoir enclouées. L'artillerie sur roue et les convois de munitions pourront passer sur la rive gauche.

De justesse. Car Frédéric-Charles demande la reddition de la ville. On veut gagner du temps, mais le prince n'accorde qu'un délai d'une heure sous peine de bombardement, de pillage et d'incendie.

On ne peut même pas, faute d'explosifs, faire sauter le pont de pierre. A onze heures et demie, les Allemands entrent, capturant nombre de traînards. Bourbaki est dirigé avec les 18e et 20e corps sur Gien et Sully, Chanzy avec le 16e et le 17e sur Beaugency et Blois, le 15e corps, plein sud, sur La Ferté-Saint-Aubin.

Le 6, Aurelle est à Salbris quand une dépêche de Tours lui signifie que son commandement en chef est supprimé. Les 16e et 17e corps forment la deuxième armée de la Loire, sous les ordres de Chanzy, les 15e, 18e et 20e, la « première armée de la Loire », confiée à Bourbaki. Il est appelé, lui, au commandement des lignes stratégiques de Cherbourg.

Il refuse cette affectation, se porte malade et se consacrera dès lors à dénoncer l'incapacité de Freycinet, ce civil qui, de son bureau de Tours, s'est cru permis, par télégraphe, d'ordonner des mouvements aux généraux de corps d'armée, et la « fiévreuse impatience » de Gambetta, le « dictateur ».

De Tours à Bordeaux.

En effet, l'ingérence de Freycinet, qui voyait les choses en théorie, et de loin, n'a pas toujours été heureuse. Et en effet, Gambetta, emporté par son tempérament de tribun méridional, a souvent abusé de l'emphase.

Mais à la date où nous sommes, après les défaites subies et sur la Marne et sur la Loire, on admirera surtout que grâce à Gambetta et Freycinet, ni Paris ni la province n'aient désespéré.

La province surtout, où les conservateurs — royalistes et bonapartistes — sont demeurés solidement implantés. La Délégation n'est pas discutée en principe, car rien d'autre n'existe pour représenter la France, mais elle l'est de plus en plus dans ses actes. Gambetta, par sa voix de bronze, a d'abord soulevé les foules. Mais il a forcé son talent, annoncé de fausses victoires et dissimulé trop de vrais échecs. Les campagnes sont moins que les villes sensibles aux mots. On n'oubliera pas que le paysan est assez misérable, qu'on n'a guère pris la peine, sous l'Empire, de l'élever à l'idée de nation, qu'il ne voit guère plus loin que ses terres et son clocher. Ces beaux parleurs de Tours, dont on affiche les phrases, ne les convainquent qu'à demi.

Et soudain, les campagnes apprennent qu'Orléans est perdu et que ces beaux parleurs ne sont plus à Tours, qu'ils ne sont transportés à Bordeaux, après avoir discuté des avantages de Périgueux, de Poitiers ou de Clermont. Elles ignorent heureusement, les campagnes, dans quel désarroi on a entassé en wagons toute l'administration, et emballé les archives. Et comment dans Bordeaux pris au dépourvu, l'installation du gouvernement a ressemblé d'abord à un campement de nomades, les ministères et les ambassades se logeant au petit bonheur dans les casernes et dans les hôtels. Bordeaux devait avoir droit trois fois au même spectacle de guerre.

Pour quelques jours, Gambetta est resté à Bourges avec l'armée de Bourbaki, et Glais-Bizoin est allé visiter le camp de Conlie. Leurs deux collègues, Adolphe Crémieux et l'amiral Fourichon passent vigoureusement des revues, font sonner les clairons et battre les tambours. Plus bruyamment encore qu'à Tours vont se retrouver là, pour manifester leur ardeur patriotique, tout ce que les provinces voisines peuvent équiper de combattants résolus ou fantaisistes. Et très vite, dans le climat bordelais, la politique se rallume : les clubs, la presse et même un conseil municipal de tendance beaucoup plus jacobine que girondine. Aussi violemment qu'à Paris on attaque la droite, mais aussi la Délégation elle-même accusée de se laisser circonvenir par la droite. Gambetta, revenu, reprendra assez bien la situation en main. Mais non sans commettre la faute d'écouter certains préfets trop zélés et de pousser trop vite à la dissolution des conseils généraux réputés suspects : par décret du 25 décembre, ils seront remplacés par des commissions départementales désignées. Décret « illégal, attentatoire à la liberté, injurieux à la nation » protestera *L'Union de l'Ouest*, d'Angers, tandis qu'à Chambéry, *La Gazette du Peuple* s'enhardira jusqu'à proclamer l'erreur commise en confiant la direction de la guerre à un avocat : « La France a supporté bien des dictatures, mais il n'en est une qu'elle n'a jamais supporté longtemps, c'est la dictature de l'incapacité. » Hélas, elle en a subi et en subira encore quelques autres.

Et pourtant, quel que soit l'acharnement de ses détracteurs, la Délégation fait front. Ceux qui ne veulent plus de cette guerre n'osent trop élever la voix.

Vainqueurs mais harcelés.

Résister encore est-elle une idée si folle?

Il est hors de doute que, même après la débâcle d'Aurelle, la valeur combative de l'armée allemande a grandement baissé. Elle a subi de lourdes pertes. Les effectifs ont fondu, les fiers uniformes du début sont en piteux état. Bosselés les casques à pointe, à chenille, à boule, à cimier, à plateau qui ont étincelé sur les routes. Les blancs cuirassiers ont tourné au gris et les verts chevau-légers au noir. Les fantassins manquent de chaussures, certains marchent en sabots : quand ils arrivent dans une localité de quelque importance, leur premier souci est de se faire livrer des bottes, demi-bottes et souliers.

Les princes allemands installés à Versailles, tout à leurs marchandages autour de la restauration du défunt Empire, ne paraissent pas s'inquiéter outre mesure de la situation. Il n'en est pas de même pour Frédéric-Guillaume et pour Bismarck qui redoutent fort de voir les assiégeants de Paris attaqués par les armées de province et pris entre deux feux, d'autant plus que les Bavarois de von der Tann n'inspirent aux Prussiens qu'une médiocre confiance, et que les canons Krupp s'usent très vite... Bref, il y a du côté allemands, malgré toutes les victoires remportées, une indéniable lassitude. Et une nervosité entretenue par le harcèlement des francs-tireurs, toujours en action quoiqu'on les fusille.

Guy de Maupassant, dans *Boule de Suif,* a été sévère pour ces partisans et leurs « airs de bandits ». Leurs chefs, écrit-il, avaient été nommés « pour leurs écus ou la longueur de leurs moustaches » et prétendaient soutenir seuls la France agonisante « sur leurs épaules de fanfarons », mais ils redoutaient parfois leurs propres soldats « gens de sac et de corde, souvent braves à outrance, pillards et débauchés ». En fait, il y a en cette fin de 1870, deux sortes de francs-tireurs. Dans les départements, des compagnies franches se sont constituées avec l'encouragement des autorités, comme celle de Lipowski, que l'on a vue se distinguer à Châteaudun, ou celle de Franchetti, dont les éclaireurs couvrent Chanzy. Celle de Colmar, conduite par le lieutenant Kœnig, a traversé le Rhin le 30 août à la faveur de la brume, et saboté la station badoise de Bellingen, coupant les fils télégraphiques, enlevant les rails et ramenant sur la rive française sept pontons allemands. Ce sont là de véritables unités, tant bien que mal encadrées et disciplinées.

Mais sont également entrées en campagne sous la même appellation, de simples bandes errantes, plus ou moins contrôlées, capables de hauts faits, mais aussi de méfaits, et dont les interventions n'ont pas toujours été appréciées des populations. Elles donneront trop souvent aux Prussiens des prétextes à représailles sauvages, conformément à ces « lois de la guerre », ces fameuses lois dont personne n'a jamais nulle part découvert le véritable texte. Ils n'en contribuent pas moins à miner le moral des envahisseurs qui ne s'attendaient pas du tout à un hiver de guerre.

A la mi-décembre les Allemands sont largement vainqueurs. Ils occupent près de la moitié du territoire français, y prélèvent argent et denrées. Frédéric-Charles, après la prise d'Orléans, croit bien n'avoir plus qu'à marcher vers l'ouest pour disperser les derniers débris de l'armée de la Loire, peut-être même faire prisonnière dans Tours cette arrogante Délégation. Et pourtant, il va trouver devant lui, sur la rive droite du fleuve, plus de 100 000 hommes commandés par un chef résolu, cependant que Bourbaki rassemble à Bourges 140 000 combattants, que le 24e corps se forme à Lyon sous Bressolles, les 22e et 23e dans le Nord sous Faidherbe.

La « deuxième » armée de la Loire.

Chanzy ne se retire que lentement, avec les 16e et 17e corps qui, le 5 décembre, s'établissent face à l'ennemi, de Poisly à Beaugency. C'est à Josnes qu'il reçoit le commandement de la « 2e armée de la Loire », que va renforcer le nouveau 21e corps, improvisé par le capitaine de vaisseau Jaurès, « bombardé » général de brigade de l'armée auxiliaire et placé à la tête de trois divisions. Elles n'existent à vrai dire que dans l'imagination créatrice de Freycinet, et pourtant en quelques jours — ce qui tient du prodige — le nouveau corps d'armée sort du Mans pour se rendre au front. Oh! ce ne sont pas des troupes à faire défiler à Longchamp. Les officiers supérieurs, comme les servants des canons, ont été fournis surtout par la marine. La division Rousseau est faite d'un régiment de marche (des récupérés des dépôts), de mobiles et mobilisés de la Corrèze et de la Sarthe, du 13e bataillon de chasseurs à pied, de mobiles de la Loire-Inférieure et des Deux-Sèvres, de trois menues compagnies de francs-tireurs, Volontaires de la Dordogne, Phalange niçoise, Éclaireurs de la Sarthe. Bientôt, les mobiles de l'Orne sont obligés de renvoyer au Mans 300 hommes sans souliers. On n'a pas de pièces de rechange, ni de graisse d'armes. L'artillerie est traînée par des chevaux de réquisition, avec colliers de paille et traits en corde. Les cavaliers en pantalons de toile, la plupart avec des képis, certains avec un devant de cuirasse, font « peine à voir ». Troupes plus que précaires dont on ne sait jamais quelle contenance elles feront au baptême du feu et qu'il faudra parfois encadrer de dragons pour arrêter les fuyards et les envoyer devant les cours martiales. Pourtant les Allemands ne voient pas sans appréhension éclater cette « guerre nationale » toute nouvelle : « De chaque ferme, de chaque fourré, exposera l'officier d'état-major von der Goltz, les patrouilles recevaient des coups de feu; avant d'avoir rien vu, elles avaient déjà subi des pertes... A l'exception de quelques esprits tenaces, chacun était rassasié des combats heureux... Le désir d'obtenir enfin un instant de repos était très répandu partout. » Même quand leurs préfets installés dans la Somme, la Seine-Inférieure signent Sulzer, Cramer.

Gambetta, en sa fougue oratoire, exagère à son habitude, en se proclamant, le 20 décembre, convaincu que « les Prussiens ne peuvent rester plus de six mois sur notre territoire » et en leur promettant « un désastre inouï ». Il n'est cependant pas interdit de penser qu'une « résistance indéfinie sans trêve ni limite » peut obliger les Allemands à retourner chez eux, au-delà du Rhin.

Le 23 décembre, dans une dépêche partie de Lyon à l'intention de Trochu, il présentera ainsi la situation en province :

Les Prussiens, sans avoir éprouvé rien qui ressemble à une défaite, sont cependant démoralisés... Sur divers points du cercle qu'ils occupent, ils rencontrent de vigoureuses résistances. Belfort est approvisionné pour huit mois. Toute la ligne de Montbéliard à Dole est bien gardée par les forces de Garibaldi et du général Bressolles. Il en est de même du Morvan et du Nivernais jusqu'à Bourges.

D'un autre côté, l'armée de Bourbaki est dans une excellente situation. Elle effectue en ce moment une manœuvre dont on attend les meilleurs résultats.

Chanzy, grâce à son admirable ténacité, a fait lâcher prise aux Prussiens, et depuis le 16 il s'occupe à refaire ses troupes fatiguées par tant de si honorables combats.

Aussitôt remises, ce qui ne demande que quelques jours, rééquipées et munitionnées, vous pouvez être assuré que Chanzy reprendra l'offensive. Le Havre est tout à fait dégagé, les Prussiens ont même abandonné Rouen après l'avoir pillé, et dirigé leur butin sur Amiens, direction que paraissent avoir prise les forces de Manteuffel pour barrer le passage aux troupes de Faidherbe. Nous augmentons tous les jours notre effectif.

A mesure que les forces s'accroissent, les gardes nationaux mobilisés qui ont déjà vu le feu s'en tirent à merveille, et en peu de temps ce seront d'excellents soldats. Le pays est comme nous résolu à la lutte à outrance. Il sent tous les jours davantage que les Prussiens s'épuisent par leur occupation même, et qu'en résistant jusqu'au bout, la France sortira plus grande et plus glorieuse de cette guerre maudite. Salut fraternel.

Dans la grande débâcle d'un peuple « habitué à vaincre et désastreusement battu » — citons encore Maupassant — il est indéniable que le verbe sonore de Gambetta stimule les énergies défaillantes. Ce diable d'homme a le don de dorer, dans le tableau, les détails les plus noirs. Mais si les campagnes se font revêches, les nerfs des citadins sont toujours à vif, et il faut lutter quotidiennement contre les fausses bonnes nouvelles dont peut donner une idée celles qu'a transmises (sous toutes réserves il est vrai) le préfet Durel, d'Indre-et-Loire : *Paris débloqué, Bismarck bloqué dans Versailles avec 80 000 hommes, 50 000 prisonniers, 50 canons pris, 200 canons encloués. Trochu marche sur Mantes, Vinoy sur Rouen... Les Prussiens qui nous enveloppaient se retirent à marches forcées...* Tour à tour crédule et sceptique, déchaîné et morfondu, le Français de décembre 1870 est maintenant en proie à un sentiment nouveau qu'il faut bien appeler la haine : Gustave Flaubert, en juillet, ne voyait dans cette guerre qu'une imbécillité et une barbarie sans nom, et semblait beaucoup plus alarmé — comme du reste George Sand — par la misère paysanne et les menaces de jacquerie, que par les Prussiens. Et puis, de semaine en semaine, révolté par ces occupants qui prennent tout, et surtout par ces officiers « qui cassent les glaces en gants blancs, qui savent le sanscrit et qui se ruent sur le champagne, qui vous volent votre montre et vous laissent ensuite leur carte de visite... », il sent monter en lui « du fiel jusqu'à la gorge », jusqu'à écrire : « Oh quelle haine! Quelle haine! Elle m'étouffe! Elle m'étouffe! Moi qui étais né si tendre... » Ce qui n'a pas empêché Flaubert, personnellement, après avoir acheté un sac et un revolver, de rendre ses galons de lieutenant de la milice et de retourner à ses pantoufles. D'autres s'emploient plus activement à mobiliser le pays, et l'effort accompli en quelques semaines pour littéralement faire sortir du sol trois armées de province et pour les doter d'un formidable armement en canons, mitrailleuses, fusils et munitions apparaît quasi miraculeux. Il prouve que la Délégation ne s'est pas seulement entourée d'avocats.

La retraite infernale.

Après la perte d'Orléans, Gambetta a d'abord nourri le projet, assez saugrenu, de reprendre tout de suite l'offensive et de tenter son « grand coup » sur Montargis, Fontainebleau et Melun. On lui a fait comprendre qu'avec des troupes en un tel désarroi, c'était donner l'ordre de « prendre la lune avec ses dents ». Il a donc mis au point, avec Freycinet, un autre plan. Dans leur esprit, c'est à Bourbaki, avec son armée de l'Est, qu'incombe désormais le rôle le plus actif : pénétrer en Alsace par la trouée de Belfort, couper les communications de l'ennemi et se rabattre ensuite sur Paris; Chanzy à l'ouest et Faidherbe au nord seconderont les mouvements en temps opportun.

Les Allemands s'y méprennent, supposant que l'effort principal va s'exercer tout de suite sur Paris, l'expédition vers l'est n'étant qu'une diversion. Frédéric-Charles reçoit l'ordre de marcher sans délai, pour rejoindre le grand-duc de Mecklembourg, soit 75 000 hommes et 300 bouches à feu et d'anéantir Chanzy.

Celui-ci a su conserver son sang-froid. Jeune encore — quarante-sept ans —, galopant sur son cheval arabe à longue crinière, il ne s'inscrit pas parmi les « podagres de l'Annuaire » dont parlera Louis Rossel. Il saura pendant plus d'un mois livrer jour après jour ce que les Allemands appelleront les combats de la « retraite infernale ». A Josnes, Villorceau, Cravant, Beaugency, Trevers, Origny, Villejouan, Ourcelle, il se cramponnera, contre-attaquera avant de se retirer sur le Loir : « Toutes les fois que nous étions parvenus à portée de mousqueterie des Allemands, ils avaient été forcés de reculer

devant la vigueur de nos fantassins et la supériorité du chassepot. »
Ah! si Bourbaki...

Ce sera, en cette fin de décembre, la stupéfaction générale. Pourquoi Bourbaki, dont on attendait un mouvement sur Amboise,
n'a-t-il pas bougé? Pourquoi a-t-il laissé inactifs ses trois corps
d'armée qui pouvaient soulager Chanzy? Le délégué Freycinet dénoncera le 16 la responsabilité de Bourbaki devant l'histoire alors qu'il
n'avait contre lui que les trois brigades, 8 000 hommes, de von der
Tann... Toujours est-il que Bourbaki ne fait rien pour Chanzy et que
celui-ci, sous la neige et dans la boue, doit rétrograder à partir du
11 décembre par Morée, Fréteval, Vendôme, où de durs accrochages
se produisent encore. Les Allemands, décidés à en finir avec lui, le
talonnent vers la Sarthe et l'Huisne.

Malgré diverses réactions des colonnes mobiles lancées par Chanzy
aux abords de Droué, Montoire, Château-Renault, Vendôme, Ville-
porcher, Villechauve, les pointes d'avant-garde allemandes viendront
insulter Tours et occuper Saint-Calais. Dans les premiers jours de
janvier, les troupes françaises, harassées, sont refoulées en direction
du Mans. Tel est l'acharnement sauvage de ces combats retardateurs
que des scènes horribles sont signalées : à Lavardin, un spahi algé-
rien crève les yeux d'un prisonnier, un autre Africain, à Villiers-
Faux, a les poignets coupés par les gens d'en face. Après d'ultimes
affaires à Chahaignes, Ardenay, Connerré, Parigné-l'Évêque, Changé,
c'est devant la capitale du Maine que va se livrer le 11 la bataille
décisive.

Chanzy hors de combat.

Trois corps d'armée (fort endommagés) sont en demi-cercle autour
de la ville : de droite à gauche le 16e, de l'amiral Jauréguiberry, le
17e du général de Colomb, le 21e du général Jaurès. La veille, Chanzy
a demandé à Gambetta l'autorisation de relever de son commandement tout chef de corps incapable de maintenir sa troupe, celle aussi
de procéder à toutes les nominations, « promotions et révocations
nécessaires. Les fuyards seront ramenés (par la cavalerie) sur les
positions... Ils seront fusillés s'ils cherchent à fuir ».

La bataille, d'abord, s'annonce plutôt heureuse pour les Français,
grâce à Jaurès, qui résiste vigoureusement sur l'Huisne, à Pont-de-

Gennes, grâce à la division de Bretagne, qui interdit l'accès d'Yvré-l'Évêque. Les Allemands parviennent pourtant à se rendre maître du plateau d'Auvours : une contre-attaque du général Gougeard ne récupère qu'une partie du terrain. Mais au-dessus de Changé, sur la route de Parigné-l'Évêque, les positions françaises n'ont pas été entamées, et ce pourrait être une victoire si, à la tombée de la nuit, des mobilisés de Bretagne, pris de panique à la Tuilerie, ne laissaient les Allemands pénétrer dans le centre du dispositif. Les zouaves de Charette ne peuvent reprendre le village et Chanzy, navré, doit télégraphier : « Les généraux déclarent qu'ils ne peuvent tenir; le cœur me saigne, je suis contraint de céder. »

Il faut abandonner Le Mans dont l'Allemand Voigts-Rheetz s'empare aussitôt. Le 14, il s'empare aussi du camp de Conlie, lac de boue où les infortunés mobilisés de Bretagne, avant d'être envoyés au feu, ont été décimés par la variole dans des conditions pitoyables. Chanzy se retire assez correctement sur Alençon et sur Laval. Le voilà pratiquement hors de combat. Son adversaire est également fourbu, à la limite. On ne s'expliquerait pas autrement que les Prussiens, entrés par Pontlieue, pourtant bien placés pour exterminer cette retraite, laissent faire.

Heureusement pour les Français, où en dehors de quelques unités vigoureuses on ne répond plus guère aux ordres. Le 94e de ligne, les mobiles de la Gironde, de l'Orne, du Calvados, de la Sarthe, de Maine-et-Loire, du Lot, les 56e, 43e, 40e de marche, les gendarmes à pied se conduisent, mentionne-t-on, « honorablement ». En fait, le 16e et le 17e corps n'en peuvent plus, et ce sera le 21e de Jaurès qui terminera le mieux la campagne, à Sillé-le-Guillaume.

En peu de temps, les Allemands réduisent, place des Jacobins, place des Halles, à la gare, les derniers défenseurs du Mans. Suivent des scènes de pillage que n'aurait probablement pas approuvées le roi Guillaume, si soucieux de sauvegarder devant l'Europe sa réputation de chevalerie. Frédéric-Charles, lui, a grand appétit, si l'on se reporte à ses réquisitions de table signifiées au maire par son aide de camp, le comte Kanitz.

Maintenant, pour l'armée Chanzy, tout est fini. La grande préoccupation est de ne pas se laisser tourner : « Dans quatre jours, écrit-il à Gambetta le 13 janvier, je serai à Laval, où je vais concentrer l'armée et hâter sa réorganisation. Telle va être désormais mon unique pensée, et j'y réussirai. Si le suprême bonheur de sauver

Paris nous échappe, je n'ai pas oublié qu'après lui, il y a encore la France, dont il faut sauver l'existence et l'honneur. » Hélas! malgré les mitrailleuses qui, sur la Vègre, puis sur l'Èvre, ralentissent l'avance des Prussiens, ceux-ci reprennent leur marche vers l'ouest. Après le combat d'Alençon, la campagne est virtuellement terminée.

Sans autre gloire pour les Français. En dehors de quelques poignées de volontaires parisiens et ornais, Alençon sera surtout défendu par les francs-tireurs de Lipowski, gens de toutes origines : « On y trouve des Anglais et des Américains, des Italiens, des Danois et jusqu'à un Chinois, qui a sacrifié sur l'autel de la République la queue de ses pères. Presque tous sont très jeunes, quelques-uns sont des enfants, mais une même flamme les anime tous... Un Italien, Charles de Amone, commande de 5e bataillon dont il est l'aîné et le plus vaillant. »

Seulement, dans la population, le cœur n'y est plus. Le conseil municipal refuse carrément de faire sauter les ponts, alléguant « qu'il n'est pas sûr que le sacrifice de la ville soit nécessaire au salut de la France ». Et le préfet, Antonin Dubost, remet en sa poche sa proclamation de résistance à outrance. Il ne reste plus à qui peut se sauver qu'à rejoindre son unité : Laval.

L'armée du Nord : Villers-Bretonneux.

Les carnets de route, comme les « historiques » de cette fin de l'année 1870, laissent, avec le recul, le lecteur déconcerté. Du côté français, que de sursauts héroïques, qui se sont soldés par des retraites, et aussi, que de reculs sans gloire dont les Allemands ne surent pas tirer parti!

Tous les narrateurs de cette guerre menée en province par les armées de Gambetta insistent, à juste titre, sur leur inconsistance. On parlait de régiments et de bataillons, mais ce n'était que manière de dire. On avait battu, plus ou moins vigoureusement au gré des autorités locales, civiles et militaires, le rappel des bans, entrepris de faire sortir, en puisant dans les gardes nationales sédentaires, des gardes nationales mobilisées. Cependant se poursuivait la mise sur pied, dans chaque département, des mobiles à habiller, armer et instruire. Existaient heureusement ces unités dites de marche, formées avec les reliquats de l'armée régulière ramassés dans les dépôts, éclopés ou jeunes recrues, encadrées, après la capitulation de Bazaine, d'officiers évadés de Metz.

Envoyé par Freycinet, le 17 novembre, en mission d'information dans le Nord — car on ne sait guère, à Tours, ce qui se passe au-dessus de la Seine — Louis Rossel débarque à Lille le jour même où Bourbaki s'en va.

Bourbaki, devant la progression de Manteuffel vers la Picardie et la Haute-Normandie, avait reçu de Gambetta le commandement du 22e corps, rassemblé à la hâte, grâce à l'énergie du commissaire de la défense Testelin, quelque 22 000 hommes, avec quarante canons, et s'était déclaré d'abord prêt à marcher. Mais à l'usage de ces troupes hétéroclites, le vieux soldat de l'Empire, suspect d'ailleurs aux responsables du pouvoir nouveau, s'est vite découragé et a passé la main au général Farre.

Rossel voit celui-ci s'engager dans les pires conditions : pénurie de chefs qualifiés, armement disparate — chassepots, vieux fusils à percussion, carabines anglaises de marques différentes, antiques caissons d'artillerie en forme de cercueils datant de 1815 — intendance au-dessous de tout, pas de discipline. Pourtant il lui faut sans tarder barrer la route aux Allemands qui, avec des effectifs doubles, attaquent vers la Somme.

Ce sont d'abord, dans l'Aisne, dans l'Oise, la Seine-Inférieure et l'Eure, de sévères escarmouches entre uhlans venus réquisitionner des bestiaux et francs-tireurs accourus au secours des paysans; quand les francs-tireurs ont le dessus, les Allemands reviennent en force pour piller et incendier les maisons. Certaines populations sont terrorisées au point de renseigner l'envahisseur plutôt que le défenseur, et il en résulte parfois, entre militaires et civils, des incidents peu brillants. Mais à la guérilla va succéder la guerre, et ce sont maintenant deux corps d'armée aux ordres de Manteuffel, avec 204 pièces, qui ont reçu mission d'occuper Amiens avant de se diriger sur Rouen.

Farre les attend sur les hauteurs de la rive gauche de la Somme, en arc de cercle au sud d'Amiens, entre Longueau et Villers-Bretonneux. Après divers engagements au Quesnel, à Mézières, à Gentelles, c'est une grande bataille qui se livre le 27. Le général Paulze d'Ivoy s'est avancé avec toute la garnison pour couvrir la ville, et les Français tiendront pendant plusieurs heures, soutenus par une batterie de 12, servie par des marins brestois. Établis sur la route

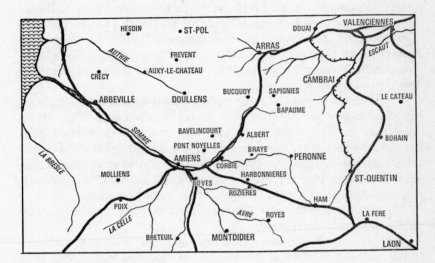

L'armée du Nord.

de Breteuil, ils décimeront longuement les Prussiens. Leur chef, le lieutenant de vaisseau Mesnier, est déchiqueté par un obus, ils se vengent sur celui de l'artillerie ennemie, le lieutenant-colonel von Borkenhagen. Ils seront les derniers à tirer, voire à contre-attaquer, la nuit tombée, sur Dury, avec une autre compagnie de marins amenés par les lieutenants de vaisseau Rolland et Bertrand. Mais le front est beaucoup trop large pour un aussi maigre corps d'armée. Devant Longueau de solides éléments résistent, infranchissables, jusqu'au moment où, sur la droite, des mobiles cèdent près de Boves devant les troupes fraîches acheminées en fin de journée par von Gœben. C'est la retraite en désordre vers Corbie, la vieille cité guerrière, et telle sera la faiblesse des officiers de mobiles que le lendemain le commissaire Testelin prescrira de nouvelles élections pour en désigner d'autres.

Le 29 au matin, après avoir repoussé trois sommations de parlementaires, la citadelle d'Amiens se rendra. Son commandant, le capitaine alsacien Vogel, a été tué dans une embrasure alors qu'il observait l'assaillant. Après la guerre, le conseil d'enquête lui reprochera de n'avoir pas fait tirer sur la ville. En la circonstance, les assiégeants ont jugé commode d'accorder aux officiers l'autorisation de conserver leurs armes, chevaux et bagages personnels.

La défaite de Villers-Bretonneux, c'est la perte, non seulement d'Amiens, mais de Rouen.

Pendant que le 22e corps français, fortement malmené, se retire pour aller se refaire sur Doullens et Abbeville, Manteuffel, sans trop le talonner, poursuit en direction de la mer.

Sur les confins du pays de Bray et du Roumois opère le corps de l'Andelle, qui a remporté un petit succès, le 28 octobre, à Formerie. Plus récemment une opération montée par le général Briand a permis de surprendre et de cerner dans Étrépagny des Saxons mal gardés qui laissent dans l'affaire, outre leurs morts et leurs blessés, une centaine de prisonniers — ce qui vaudra au malheureux bourg un retour vengeur de spécialistes pétroleurs. Mais cette résistance ne pèse guère devant le gros des Allemands qui entre sans coup férir dans la capitale normande par les routes de Darnetal, Bois-Guillaume et Malaunay.

Militaires et civils se rejetteront plus tard la responsabilité d'une carence assez incroyable : on n'a fait ni battre la générale, ni sonner le tocsin... Le climat de Rouen n'est assurément pas, à la date où nous sommes, celui de Châteaudun ou de Belfort.

Briand s'est retiré sur le Havre. Entre-temps l'armée du Nord a reçu, le 3 décembre, un nouveau commandant en chef, Faidherbe.

Faidherbe.

Faidherbe, cinquante-deux ans, de Lille, est un polytechnicien et issu du génie. Il a fait carrière comme presque tous les autres, aux colonies. Une figure originale, mi-stratège mi-érudit. Il ne fait pas fi, lui, de ce qu'on appellera plus tard (bizarrement) la logistique, ni même des cartes.

Assez rapidement, son armée comprendra deux corps, le 22e (Lecointe) et le 23e (Paulze d'Ivoy) que l'on verra à l'œuvre à Pont-Noyelles, Bapaume et Saint-Quentin.

Dans les vues de Gambetta et du gouvernement, son rôle est seulement de diversion, l'action principale revenant toujours à l'armée de la Loire. De toute façon, Faidherbe ne laisse pas ses troupes s'endormir et dès le 10 décembre, un heureux coup de surprise fait tomber aux mains de Lecointe le fort de Ham avec 210 prisonniers, dont 12 officiers ou ingénieurs.

Ce retour offensif alarme Manteuffel, qui décide de chasser les Français des hauteurs bordant un ruisseau, la Hallue, affluent de la Somme, d'où ils menacent Amiens. Le 23 on s'affronte en ligne, sur douze kilomètres, de Daours à Contay, les Allemands faisant donner de la rive droite 80 pièces. En fin de journée pourtant, ils ont perdu Daours, Pont-Noyelles, Querrieux, Beharcourt, Bavelincourt, Fréchencourt. Les Français auraient la victoire — malgré les 8 degrés de froid, ils coucheront au bivouac sur leurs positions — si la nuit venue, ils ne se laissaient reprendre plusieurs villages sans les défendre. Ce qui donne la mesure des capacités de nombre d'officiers élus dans l'art de conserver le terrain conquis!

Mais le froid et la faim obligent décidément Faidherbe à remonter vers le nord, et à s'établir pour quelques jours derrière la Scarpe, entre Arras et Douai. Avec plus de confiance et d'audace, n'aurait-il pas pu reprendre Amiens? On l'a taxé de prudence excessive, comme Aurelle à Coulmiers quand von der Tann se dérobait vers Étampes, comme Chanzy à Beaugency, bien qu'il fût supérieur en nombre, comme Bourbaki devant Héricourt. Il est bien difficile d'en juger.

En tout cas, Faidherbe ne s'attarde pas au repos. Dès le 2 janvier, avec le projet de débloquer Péronne, il attaque vers Bucquoy, Achiet-le-Petit et Achiet-le-Grand pour se rabattre le lendemain par Ervillers sur Bapaume.

Manteuffel tient Grevillers, Biefvillers, Sapignies, Favreuil, Beugnâtre. Les divisions de Bessol, Derroja et Payen enlèvent un à un tous ces villages, et les Français parviennent devant les murailles de la ville d'où part une fusillade intense. Pour s'emparer de Bapaume, que les Prussiens évacuent en toute hâte, la prise de Tilloy par la brigade Pittié pouvant leur couper leur repli, il eût fallu canonner les faubourgs, et Faidherbe ne peut s'y résoudre. Il aura sans nul doute le droit de publier un ordre du jour de victoire, ses troupes ayant encore cantonné sur des positions enlevées de haute lutte. Mais que n'a-t-il, fort d'un tel succès, jeté ses 30 000 hommes pour dégager Péronne?

Vainqueur, il dénombre 192 tués, 1 177 blessés, 800 disparus. Les Allemands en annoncent un peu moins, mais les deux armées ont grand besoin de reprendre leur souffle, et l'acharnement, de part et d'autre, mollit.

Cependant Péronne va tomber. Entourée d'une simple enceinte, la petite ville subit depuis le 28 décembre le feu de 64 pièces établies sur les hauteurs toutes proches. Elle flambe et les pompes sont gelées, alors que les cloches de l'église fondent en lave. La population, enterrée dans des abris sans air ni lumière, voit s'épuiser ses ressources et son énergie. Le commandant Garnier n'entend plus le canon de Bapaume. L'arrivée de nouvelles pièces prussiennes de gros calibre fait redouter l'extermination des femmes et des enfants. Il se résigne à signer, le 9, une capitulation avec les honneurs, et sans réquisition en argent ni en nature.

Péronne a succombé cinq jours après Rocroi, huit jours après Mézières, autre infortunée cité massacrée sous les obus, comme du reste Charleville, pourtant désarmée.

Les Français refoulés sur Cambrai, Douai, Valenciennes et Lille.

Faidherbe avec les 40 000 hommes qu'il a regroupés va tenter une suprême bataille pour soulager Paris. Le 17 janvier, partie d'Albert, une colonne commandée par le colonel Innard entre à

Saint-Quentin, que les Prussiens ont quitté. C'est l'enthousiasme.

Le lendemain, il remporte un léger succès à Vermand, mais le 19, jour de la sortie de Buzenval — des masses allemandes, venues en chemin de fer de La Fère, de Laon, d'Amiens, de Rouen, sont sur lui.

Le 23ᵉ corps de Paulze d'Ivoy est établi le dos tourné à la ville, regardant l'ouest, entre Rocourt, d'où commande Faidherbe, et Fayet. Le 22ᵉ de Lecointe le prolonge face au sud-ouest, entre Gauchy et la route de Chauny. Un violent duel d'artillerie prélude, et les batteries françaises du moulin de Tout-Vent semblent prendre le dessus. Mais des trains et des trains de renforts arrivent aux Allemands et, peu à peu, les divisions de Faidherbe sont repoussées en fin de journée sur les faubourgs. Les dragons du Nord se battent vers Savy contre un régiment de cavalerie prussienne. Le recul s'accentue pourtant, le 22ᵉ corps par Bohain vers Le Cateau, le 23ᵉ par Le Catelet vers Cambrai. A la nuit, les Allemands rentrent dans Saint-Quentin. D'après les estimations de Gœben et de Faidherbe, on doit compter de part et d'autre 3 500 à 4 000 hommes hors de combat. « Ils nous ont laissés battre en retraite sur Le Cateau et sur Cambrai; je ne le comprends pas, déclarera le général en chef français, ils n'ont pas fait usage de leurs 50 escadrons de cavalerie. Il leur aurait suffi d'aller renverser quelques voitures sur la route du Cateau et de Cambrai pour empêcher notre artillerie de passer... Ils avaient perdu toute hardiesse. »

Les Allemands de von Gœben ont néanmoins refoulé les Français vers les places du Nord, entre Cambrai, Douai, Valenciennes et Lille. N'étant pas poursuivies, les troupes de Faidherbe y referont leurs forces très vite et, dès le 10 février, ils auraient pu rentrer en ligne avec les mêmes effectifs qu'à Saint-Quentin : mais le 28 janvier, l'armistice les immobilisera.

Auparavant, le 20, un détachement prussien aura été repoussé de Cambrai, et un autre de Landrecies. Mais un cessez-le-feu sonnera la fin de l'armée du Nord, anéantie par le froid, la misère, les privations.

Si elle n'a pas aidé à débloquer Paris, du moins aura-t-elle préservé Le Havre et une partie du pays de Caux. Les Allemands atteignent la mer à Dieppe, sans pouvoir, une fois Rouen enlevé sans beaucoup d'histoires, redescendre sur Le Havre, où s'est installé Briand. Celui-ci est envoyé à Cherbourg et remplacé par Mouchez. Se livreront encore en Haute-Normandie des combats aux fortunes diverses, à Bourgthéroulde, à Orival, à Château-Robert, à Saint-Romain... Finalement, les Français seront rejetés sur Honfleur et Pont-l'Évêque, où les atteindra, là aussi, la nouvelle de l'armistice.

Dans l'Est, Cambriels.

Nous avons laissé l'armée de la Loire scindée : la « deuxième », qui va, sous Chanzy, livrer sur le Loir et la Sarthe les combats de la « retraite infernale »; la « première », qui se reforme à Bourges, sous Bourbaki, muté de Lille.

L'idée de jeter celle-ci en Lorraine et en Alsace sur les arrières ennemis est de Freycinet. Tout autrement pensait Chanzy, qui proposait une action conjuguée de toutes les forces disponibles, Bourbaki entre Nogent et Château-Thierry, Faidherbe entre Compiègne et Beauvais, lui-même entre Évreux et Chartres. Son plan arrive trop tard, et déjà la Délégation a donné ses ordres : Bourbaki pénétrera vers Mulhouse et Strasbourg par la trouée de Belfort, coupera les communications allemandes et se rabattra sur Paris. C'est-à-dire qu'il s'agit de vaincre l'armée de von Werder qui, depuis la fin d'octobre, occupe tout l'Est de la France, jusqu'à Dijon.

Après la chute de Strasbourg, de Neuf-Brisach, de Sélestat, la Haute-Alsace, à son tour, a été complètement submergée, sauf Belfort.

Dans les Vosges et la Haute-Savoie, on a donné au général Cambriels, comme commandant supérieur de la région de l'Est, quelque 10 000 mobiles et francs-tireurs venus d'un peu partout, mal équipés et mal entraînés, sans aucune cohésion. Ils réussissent d'abord à inquiéter les Allemands dans les défilés, à les harceler à Mutzig, Pierre-Percée, Vaucouleurs, Vézelise. Mais voici que s'avancent les fortes colonnes de Degenfeld, lieutenant de Werder, qui ont franchi les cols et remontent les deux rives de la Meurthe vers Saint-Dié. Les Français doivent abandonner Raon-l'Étape, malgré les protestations d'une population furieuse, et c'est le 6 octobre, la bataille de la Burgonce.

Aux ordres du général Dupré, qui sera lui-même grièvement blessé, les mobiles des Deux-Sèvres, de la Meurthe et des Vosges, le 32ᵉ de marche, les francs-tireurs de Colmar, de Neuilly et de Lamarche, infligeront aux Badois de lourdes pertes, semblant même, l'après-midi, en mesure de les tourner entre Saint-Remy et Étival. Mais finalement ces conscrits qui savent à peine se servir de leurs fusils, mal soutenus par une artillerie dérisoire, ne peuvent rien contre les vieilles troupes d'en face, et se débandent. De Nompatelize et de la Burgonce, ils se retirent vers Bruyères.

Rambervillers, puis Épinal, défendus par leurs seules gardes nationales sédentaires, ne peuvent guère que sauver l'honneur, et Werder y établit son quartier général. Après la perte de Brouvelieures, il n'est plus question pour Cambriels, accouru, de résister sur la Vologne. Craignant d'être cerné dans les Vosges et refoulé sur les Allemands concentrés à Mulhouse, il décide de « ramener tout son monde » sur Besançon. Là se trouve, depuis le 14 octobre, Garibaldi.

Garibaldi.

Quoique « vieux et infirme », perclu de rhumatismes, le héros des guerres de l'indépendance italienne a offert ses services à la France républicaine. Son offre a soulevé l'enthousiasme à Marseille, mais beaucoup moins à Tours. Il est arrivé avec une poignée de compatriotes que grossiront des volontaires de toutes origines et inégalement sûrs, parfois redoutables au feu, et parfois aussi trop tentés de défiler en tenues d'opérette. Surtout, Garibaldi, coiffé d'un bonnet rond à la grecque et boutonné dans sa longue veste à revers rouges, prétend ne dépendre de personne. Il refuse d'aller à Chambéry rassembler une armée pour la jeter dans les Vosges sur les arrières des Prussiens : il veut, tout de suite, monter jusqu'à Dole.

Le voici à Besançon, chez Cambriels. Il ne dispose guère — compagnies franches plus mobiles des Alpes-Maritimes — que de 4 500 « cosmopolites », et d'ailleurs il est entendu qu'il se bornera pour l'instant à un rôle défensif.

Survient Gambetta en personne. Cambriels a été, par les autorités civiles, sévèrement jugé : « Est-il incapable ou coupable? » a-t-on demandé à Tours. Pourtant, au spectacle de ses troupes misérables, en loques et le ventre creux, il semble qu'il se disculpe sans trop de mal. On approuve son projet de camp retranché à Besançon, d'où l'on verra venir.

On voit sans tarder. Werder, parvenu à Lure, a reçu l'ordre de redescendre par Besançon et Dijon, vers Bourges. Et pour commencer, de s'emparer le 22 des ponts de l'Ognon.

Ce 22, comme le lendemain 23, seront pour les Français des journées gagnantes. Grâce aux manœuvres audacieuses de l'inflexible colonel Perrin et de la colonne mobile des Vosges, les bourgs de Cussey, Étuz, Voray, Auxon-Dessus, voient les Allemands culbutés et rejetés au nord en désordre. Leur coup de main sur Besançon a échoué et les jeunes soldats français commencent à se sentir en confiance. Les « moblots » ont reçu des capotes bleues et des pantalons rouges dont ils sont très fiers.

Sur quoi Cambriels, blessé, remet le commandement au général Michel. On peut s'être distingué à la tête des cuirassiers de Morsbronn et n'être plus bon, trois mois après, qu'à rédiger des dépêches alarmistes sur la mauvaise qualité des troupes et les périls de la situation. En quelques jours, l'opinion de Gambetta est faite, et Michel est remplacé par Crouzat. Celui-ci a de l'allant, voudrait reprendre l'opération sur Belfort, et c'est à son corps défendant, le 8 novembre, qu'il quittera sur ordre la capitale comtoise pour aller à Chagny, couvrir Nevers et Lyon.

Dispersant facilement devant eux depuis Gray, les 20 000 maigres recrues levées à la hâte dans la Côte-d'Or par le docteur Lavalle les Allemands, le 28 octobre, se sont approchés par Mirebeau et Varois en vue de Dijon, où les autorités civiles et militaires, assez désemparées, décident d'abord l'évacuation, font partir la garnison vers Beaune, désarmer la garde nationale et noyer les poudres dans le canal. Puis elles se ravisent, aux exhortations du préfet d'Azincourt, et livrent combat : la lutte, le 30, ne durera que quelques heures, l'armement des Bourguignons étant par trop insuffisant. Le colonel Fauconnet est mortellement atteint; le drapeau blanc hissé par la municipalité est abattu par les combattants. Il flotte finalement, et le lendemain une convention intervient à Saint-Apollinaire pour mettre fin aux bombardements et aux incendies, contre une caution de 500 000 francs.

Une remarquable mésintelligence.

Mais Garibaldi? Garibaldi, qui porte le titre de général en chef, commandant du territoire de Strasbourg à Paris?

De Dole, il n'a pas marché au canon. Le pouvait-il? On en discutera longtemps. L'évidence, c'est que Garibaldi excellait beaucoup plus dans la guérilla que dans les combinaisons stratégiques et que l'éparpillement des forces françaises en trois fractions indépendantes, Besançon, Dijon et Dole, affaiblissent dangereusement leur dispositif. « Qu'a-t-il donc manqué, écrira Cremer, pour changer l'importante victoire des Prussiens à Dijon en défaite? Un peu, d'entente entre les trois chefs français, Garibaldi, Fauconnet, Lavalle. »

Pendant plusieurs semaines, les garibaldiens vont prendre l'ascendant, à Genlis, à Brazey. Mais déjà Gambetta s'est rallié au parti d'abandonner la ligne du Jura, et le vieux chef des chemises rouges est à Autun depuis le 9 novembre, avec mission de couvrir le Morvan. Il dispose maintenant de 15 000 hommes en quatre brigades, Bosak-Hauke (officier polonais, qui sera tué sur le front), le colonel Delpech, qui a été maire et préfet de Marseille, et ses deux fils Menotti et Ricciotti. C'est ce dernier que son père avec les chasseurs des Alpes et du Havre, les francs-tireurs vosgiens, dauphinois et dolois, les éclaireurs du Doubs, enverra lancer une pointe offensive jusqu'à Châtillon-sur-Seine. Peu après, les tirailleurs francs-comtois surprendront pareillement les Allemands à Auxon-sur-Aube.

Enhardi, Garibaldi tentera les 25 et 26 novembre une opération d'envergure, en trois colonnes, sur Dijon, où les Allemands font ripaille : mais cette fois sa marche est éventée lors d'une escarmouche à Velars; en outre, personne ne survient pour le renforcer. Il réussira à semer une certaine panique dans l'état-major de Werder, mais ne pourra insister.

Cependant, le jeune général Cremer constitue autour de Beaune une division nouvelle qui, le 18 décembre, à Nuits, remporte sur les Badois un authentique succès. En fait, il s'agissait d'une grande opération montée par le général Bressolles, qui commande à Lyon, pour, avec le concours de Garibaldi, Cremer et Pellissier, chef des mobilisés de Saône-et-Loire, attaquer en force Werder, par la vallée de l'Ouche et par Genlis. Mais Garibaldi n'est plus guère en état de coopérer utilement.

De plus en plus pressantes se font néanmoins les adjurations de Tours pour que l'on sorte de l'expectative. On se prépare donc à aller de l'avant, vers Dijon, tandis que Werder, prenant les devants, descend, à travers les vignobles illustres, sur la petite ville de Nuits, protégée par le plateau de Chaux. Si acharnée sera la résistance des mobiles du Rhône et de la Gironde — malgré l'absence d'artillerie — que les Allemands reconnaîtront avoir subi des pertes considérables et qu'après avoir bivouaqué quelques heures dans Nuits, ils retourneront à Dijon. Un ballon parisien, le *Davy*, a survolé le combat qui sera, du côté français, présenté comme une victoire et, du côté allemand, peu commenté. Les premières nouvelles du nombre des morts provoqueront à Lyon, une violente émeute, et l'assassinat du commandant Antoine Arnaud, auquel le préfet Challemel-Lacour rendra, en présence de Gambetta, des honneurs posthumes.

Une idée de l'armement des troupes françaises de l'Est : dans la division Cremer, le 32e, le 57e de ligne et la 1re légion du Rhône ont des chassepots, le bataillon de la Gironde et la 2e légion du Rhône des remingtons, mais de deux modèles, américain et espagnol; les chasseurs du Rhône des carabines Spencer; les volontaires du lieutenant Joly, des carabines anciennes de chasseurs à pied. On ne s'étonnera pas qu'au cours de l'action, les uns ou les autres se soient trouvés à court de cartouches.

De plus, tout s'est jusqu'à présent déroulé, sur ce théâtre, dans une remarquable mésintelligence qui a opposé les chefs français les uns aux autres, Cremer à Crevisier, Cremer à Ferrer, Cremer à Bourras, et presque tous, y compris Gambetta et Freycinet, à Garibaldi et à son chef d'État-Major, Bordone.

C'est dans ce climat que Bourbaki est envoyé sur Besançon.

Et voici Bourbaki.

Pour opérer son grand mouvement tournant, la « première armée de la Loire » compte les 18e, 20e et 15e corps, outre le 24e de Lyon, soit plus de 100 000 hommes, considérés comme en état de marche. On l'appellera plus commodément l'armée de l'Est.

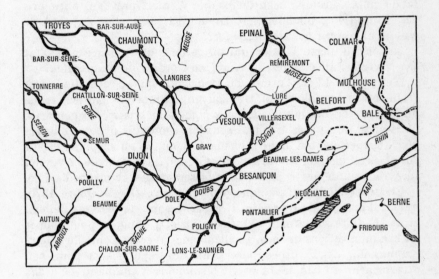

L'armée de l'Est.

Il aurait fallu faire très vite et tomber à l'improviste sur Werder, qui n'en a que 40 000 à lui opposer. Or, le mouvement s'effectue avec une désastreuse lenteur. Ni le personnel des chemins de fer ni les militaires ne sont familiarisés avec l'enlèvement et le débarquement de grosses unités. Des journées précieuses sont perdues dans les gares comme sur les routes. L'intendance ne suit toujours pas. Bourbaki ne sera à pied d'œuvre sur la Saône que le 30 décembre, et voilà beau temps que Werder, prévenu, aura pris ses dispositions, abandonnant Dijon pour se replier au nord de Vesoul et couvrir le siège de Belfort.

Surtout, il alerte Moltke, qui dirige de toute urgence vers l'est des divisions allemandes du Nord, aux ordres de Manteuffel.

L'armée de l'Est, l'armée de Bourbaki, qu'est-ce à dire? Des régiments et bataillons qui, très souvent, étonneront par leur tenue au feu l'adversaire lui-même, assez porté à mépriser ces « gamins ». Mais aussi des unités très mal soudées, conduites par des officiers élus, inexpérimentés. Incroyablement démunies au surplus : il faut sur place réquisitionner des sabots, et quand les mobiles de l'Aveyron recevront enfin des capotes, ils pousseront des clameurs de joie.

Et Bourbaki lui-même : que penser de lui ce 19 décembre 1870, quand il accepte de reprendre Gray et Vesoul, de délivrer Belfort, et de conduire son armée victorieuse jusqu'à Langres, pour couper les communications des armées allemandes avec les ponts du Rhin?

Bourbaki, assez suspect aux yeux des républicains pour son attachement à l'Empire, s'inscrit néanmoins à cinquante-cinq ans — comme précédemment Bazaine — parmi les grands chefs prestigieux, mais comme tous les autres grands chefs, quelque peu paralysé par les foudroyants succès allemands et la découverte d'une guerre qu'ils n'avaient pas su préparer. Déconcerté, surtout, lui militaire de métier, par l'indiscipline de ces mobiles qu'on lui envoie, à peine formés, à peine armés.

Pourtant les Allemands ne sous-estiment pas cette masse qui s'avance contre eux. Ils ont eu le temps — tout juste — de célébrer la Noël à Dijon avant de se retirer, en direction de Gray et de Vesoul. Les Français, qui progressent derrière eux, confient Dijon à la garde de Garibaldi. Le 8 janvier, ils parviennent à Montbozon.

Le 9 janvier, les 18e et 20e corps remontant l'Ognon (Billot et Clinchant) se heurtent sur les deux rives, à Villersexel, aux forces disposées pour leur barrer la route. Mais il arrive aussi que les

Allemands ne soient pas en nombre, et Bourbaki les chasse du bourg. La bataille s'étend à droite et à gauche, animée par un Bourbaki des grands jours d'Afrique et de Crimée : « A moi l'infanterie! » A deux reprises, la landwehr est ramenée à l'assaut du château en flammes. Finalement, ce sont les divisions Feillet-Pilatrie et Penhoat qui se rejoignent dans Moimay. On a perdu de part et d'autre un millier d'hommes, mais malgré beaucoup de maladresses tactiques du côté français, les mobiles de la Corse, des Vosges, du Cher, du Jura ont gagné la journée. Cet incontestable succès se fût transformé en victoire, si le 24ᵉ corps (Bressolles), en marche sur Vellechevreux, s'était rabattu à gauche sur Villersexel. Un exemple de plus des occasions perdues par des généraux sans initiative.

Battus, les Allemands se retirent, à la nuit, vers les Grands-Bois, mais les troupes de Bourbaki, qu'on ne relève ni ne ravitaille, sont incapables de poursuivre et d'écraser celles de Werder. Maître de Villersexel en ruines et rempli de cadavres carbonisés, le commandant en chef de l'armée de l'Est va laisser s'écouler des heures qui permettront à son adversaire de se donner du champ.

Fausse joie pour Belfort.

Freycinet presse Bourbaki. Celui-ci a voulu attendre le 15ᵉ corps, dont l'acheminement par fer jusqu'à Clerval a été désastreux, et ne se remet en mouvement que le 13. Il enlève sans difficulté Arcey. Pourquoi ne s'est-il pas porté plus au nord, vers Lure, pour isoler Werder? Toujours le manque de confiance dans les qualités manœuvrières de ses unités. Le voilà enfin le 15 avec son armée déployée devant la Lisaine, à quelques kilomètres de Belfort.

A sa droite, le 15ᵉ corps doit enlever Montbéliard, le 24ᵉ, au centre, Béthoncourt et Bussurel, le 18ᵉ à gauche doit prendre à revers les positions allemandes.

Werder, très inférieur en forces, a de sérieuses raisons de s'inquiéter, et demande à Moltke l'autorisation de rétrograder encore, au besoin en découvrant Belfort. Mais il reçoit l'ordre, au contraire, de tenir à tout prix jusqu'à l'arrivée de Manteuffel qui descend en toute hâte.

La bataille durera trois jours. Le 15, les Français pénètrent dans

Montbéliard, mais sont arrêtés par l'ancienne citadelle dont les généraux de Bourbaki ignoraient jusqu'à l'existence et d'où le colonel allemand Zimmermann ne se laisse pas débusquer. Quant au mouvement tournant du général Billot, il se déclenche beaucoup trop tard et les avant-gardes ne peuvent atteindre Chagey et Chenebier. Le lendemain 16, les attaques reprennent, mais après une nuit terrible au bivouac, dans la nature, par un froid intense : ceux d'en face l'ont passée au chaud dans les villages. Glacés au réveil, les Français ne peuvent déboucher ni à Héricourt ni à Luze. A gauche, Chenebier est dépassé et les assiégés de Belfort aperçoivent à la lunette les pantalons rouges. Ce sera pour eux une fausse joie : le général Cremer, devant l'extrême détresse de ses bataillons qui n'ont pu ni dormir ni manger, qui n'ont toujours que de méchantes tenues et des semelles de carton, ne veut pas prendre sur lui de les entraîner plus avant. Le 17, Bourbaki voudrait retourner à la charge, mais ce sont les Allemands qui contre-attaquent et reprennent Chenebier. Finalement, Bourbaki rend compte à Tours qu'il lui faut revenir sur ses positions de départ. C'est la fin des grands espoirs de percée vers la Haute-Alsace.

Là-dessus, Manteuffel apparaît sur les arrières de Bourbaki à Gray et à Dole. Garibaldi s'est maintenu, selon les ordres, « inébranlablement » à Dijon, il repoussera même brillamment les 21, 22 et 23 janvier, les assauts répétés des Poméraniens du général von Kettler, et s'emparera à Pouilly du drapeau du 61e régiment : mais que pourrait-il avec ses quelque 12 000 combattants disparates contre les 60 000 qui passent devant lui? On lui reprochera plus tard de n'avoir pas jeté sa minuscule armée des Vosges sur le flanc de Manteuffel. Les populations de la Côte-d'Or semblent avoir jugé tout autrement son rôle, puisqu'elles l'éliront en tête de liste de leurs députés à l'Assemblée nationale. Rôle ingrat, au terme d'une vie d'aventures contradictoires, que contesteront les conservateurs de Bordeaux, déchaînés contre ce révolutionnaire. La Délégation de Tours elle-même ne l'aura admis qu'à regret, soupçonnant vaguement Garibaldi de vouloir, comme prix de ses services, faire restituer le comté de Nice à l'Italie...

La retraite vers Pontarlier.

Maintenant, Bourbaki n'a plus qu'à faire retraite vers Besançon. Peu à peu la guérilla va s'éteindre, qui pendant des semaines a tarabusté les envahisseurs autour de Langres, dans les campagnes de Nogent-le-Roy, Lamarche, Longeaux, Rolampont. Sans grand déplaisir d'ailleurs, pour certaines populations épouvantées par des représailles sauvages et qui préfèrent voir se terminer une lutte à leurs yeux perdue, si évidemment perdue que les commerçants n'acceptent plus la monnaie « obsidionale » créée par le gouvernement qu'avec force difficultés, et en prélevant un escompte de 5 à 7 %!

Clopin-clopant, laissant dans la neige et le verglas des traînards aux membres gelés, grelottant sous le sac, des chiffons enveloppant la tête et le képi, avec ses chevaux affamés et ses voitures boiteuses, la misérable armée de l'Est cherche une ligne de retraite entre Werder, qui la talonne au nord, et Manteuffel, qui la traque à l'ouest.

Le 23 janvier, elle s'écroule à Besançon pour apprendre que la place ne peut rien lui fournir. Est-il vrai que l'intendance, nantie, mais peu soucieuse d'approvisionner ces survenants, lui a conseillé froidement de passer son chemin? Bourbaki prend le parti de gagner la vallée du Rhône en longeant la frontière helvétique. De la Délégation, des blâmes lui parviennent : « Vous n'en sortirez pas, télégraphie Freycinet; vous serez obligé de capituler ou de vous jeter en Suisse... » Freycinet, qui voit les choses de son cabinet, a probablement raison de préférer un regroupement avec Garibaldi pour passer par Dole, Mouchard, Gray ou Pontarlier. Mais la réalité ne laisse guère de choix.

Accablé, ulcéré par les reproches, Bourbaki tente de se faire sauter la cervelle. Clinchant, qui le remplace, n'a plus qu'une route : Pontarlier, dans l'espoir d'atteindre Lyon. Mais Manteuffel, avec sa cavalerie bien ferrée, le devance à l'important carrefour de Salins.

C'est le 29 janvier qu'arrive à Chaffois la nouvelle, accueillie avec soulagement, de l'armistice conclu l'avant-veille à Paris. On ne comprend pas, tout d'abord, qu'il ne concerne pas l'armée de l'Est et qu'elle va subir encore de pires épreuves.

15

Jules Favre négocie l'armistice

De jour en jour, à Paris, les ressources s'amenuisent. Des paniques se produisent, et il faut garder les portes des boulangeries. Le gouvernement a beau afficher le 12 décembre que le pain ne sera pas rationné, on voit le noir succéder au gris, avant l'apparition d'une sorte de pâte où l'on mélange de moins en moins de blé à du seigle, du riz, de la fécule, du son et des barbes d'avoine — et il faudra quand même le rationner.

La pénurie de charbon et de bois de chauffage se fait en outre cruellement sentir, et les souffrances vont rendre de plus en plus intraitable une population surexcitée par les orateurs des clubs dénonçant les accapareurs et les spéculateurs. Force est à Trochu de se rappeler sa promesse formelle : une nouvelle trouée.

Le 21 décembre entre Le Bourget et Bondy.

Ce sera, cette fois, au nord-est, avec l'idée de tendre la main à Faidherbe, qui guerroie vers Amiens. L'armée, après l'échec sur la Marne, a été hâtivement réorganisée, et les généraux, furieux de s'être brisés jusqu'à présent sur des murailles imprenables et des artilleries retranchées, brûlent d'affronter l'ennemi en rase campagne, « à la française » comme on dit fièrement. Encore faut-il que l'ennemi s'y prête de bonne grâce.

On partira donc entre Le Bourget et Bondy, en direction, à gauche, de Stains et de Dugny. C'est encore Ducrot qui est chargé, avec la IIe armée, de l'action principale. A sa droite, Vinoy visera

Ville-Évrard, éventuellement Chelles et Gournay. De fortes diversions seront effectuées du côté du Mont-Valérien, sur Montretout, Buzenval, Longboyau et l'île du Chiard.

L'offensive se déclenche le 21 décembre à l'aube. Mais les Allemands, depuis longtemps alertés, ont massé des divisions, avec la garde prussienne. Les mobiles de la Seine sont arrêtés devant Stains par un feu d'enfer. Au Bourget, les « mathurins » du commandant Lamotte-Tenet s'élancent la carabine en bandoulière et, à la hache, enlèvent la Suiferie, dépassent le chemin de fer, font une centaine de prisonniers et progressent avec le 134e et les francs-tireurs dits « de la presse ». Mais dans la grande rue, ils tombent sur une muraille blanche crénelée. Des deux côtés, les batteries se déchaînent.

Cependant Ducrot a occupé Drancy, la ferme de Groslay et voit devant lui un passage ouvert. Vinoy s'est emparé de Neuilly-sur-Marne et du château de Maison-Blanche; bien soutenu par les canons de marine du plateau d'Avron, il s'est même approché de Chelles.

Et pourtant ce sera encore une journée pour rien. Les « pompons rouges », au Bourget, ont été décimés par notre propre artillerie et ont dû lutter à mort dans un îlot de maisons encerclé avant de regagner leurs lignes par le ruisseau gelé de la Mollette. Alors Trochu a décidé très vite d'en rester là. On critiquera fort, dans la suite, son manque de mordant. Il invoquera le froid de 14 degrés qui fera dans la nuit 900 victimes — et aussi son impuissance à obtenir enfin une rencontre en terrain nu!

Telle est la colère populaire en voyant rentrer dans Paris des troupes une fois de plus défaites, et grelottant si fort que des soldats portent, pour se réchauffer, des bûches enflammées sur les épaules, que Trochu offrira à ses collègues du gouvernement sa démission de gouverneur. On se contente de lui recommander plus d'énergie. C'est le 26. Le surlendemain c'est le plateau d'Avron qu'on abandonne sous les coups de l'artillerie lourde.

Ainsi s'achève, écrit Jules Claretie, le drame lugubre de 1870 :

Paris plongé dans les ténèbres, sans lumière et sans pain, hérissé de baïonnettes, tenu à la gorge, menacé par les gueules des canons Krupp; puis, autour de Paris, cette armée de Teutons, cette forêt de piques et de casques... On se bat dans le Nord, on brûle, on pille, on tue. Les maisons flambent, les murailles tombent, les hommes meurent. Dans la neige et la boue, Chanzy gagne Le Mans à travers les terres ensanglantées du Perche. L'armée de Bourbaki s'ébranle pour marcher vers l'est. Faidherbe tient en respect l'ennemi à travers les plaines picardes où siffle le vent glacé. La Fère succombe, Amiens est pris, Montmédy se rend, Rocroi est bombardé, Mézières est en flammes [...] sans compter l'Alsace et la Lorraine qui pleurent. Voilà la fin de l'année du plébiscite et l'héritage de l'Empire!

Le 1er janvier, du balcon de la préfecture de Bordeaux, 50 000 personnes n'en acclameront pas moins ardemment Gambetta exaltant la République libératrice et bientôt victorieuse, et l'exemple de « nos chers assiégés » parisiens.

Ceux-ci, le même jour, entendront les pièces allemandes concentrer leurs tirs sur les forts de l'est, Nogent, Rosny, Noisy, Montreuil, Bondy. Le 5, c'est le tour d'Issy, de Vanves et de Montrouge. Et soudain, des projectiles semblent s'égarer, tombent à l'intérieur des fortifications sur les quartiers sud, le jardin du Luxembourg, le cimetière Montparnasse, la rue d'Ulm, le boulevard d'Enfer, la rue Saint-Jacques. Que se passe-t-il?

On hésite d'abord à « réaliser » que les Allemands, sans avertissement, bombardent les civils parisiens.

Paris bombardé.

Il y a des semaines que Roon recommande ce moyen, considéré (alors) comme barbare, d'en finir avec ce siège, et Bismarck l'a appuyé de son mieux.

Le chancelier est obsédé par la crainte des armées de province se rabattant sur Paris et prenant les assiégeants entre deux feux. Il redoute tout autant une intervention des neutres, qui pourraient frustrer la Prusse de sa victoire. A-t-il eu assez peur que Jules Favre, à la mi-novembre, ne tirât parti de la situation diplomatique brusquement créée! Saint-Pétersbourg dénonçait le traité de 1856 neutralisant la mer Noire et interdisant à la Russie d'y entretenir des forces navales! Tel est l'émoi dans les cours européennes qu'une conférence sera réunie d'urgence à Londres, une conférence à laquelle le gouvernement de la Défense nationale, de fragile légitimité, est invité directement par l'Angleterre.

C'eût été peut-être pour Jules Favre l'occasion d'abord de se faire reconnaître, ensuite d'élargir le débat, de situer la guerre franco-prussienne dans le cadre d'une délibération internationale. Or, Jules Favre, malgré les conseils d'habileté diplomatique envoyés de Tours par Chaudordy et Gambetta (« L'Europe nous veut, l'Europe nous réclame », insistait celui-ci) a prétendu poser la condition préalable d'un armistice de trente jours avec ravitaillement, ce que Bismarck, bien entendu, a refusé. Puis du temps a été perdu en tergiversations et finalement personne n'est allé à Londres représenter la France. Au grand soulagement de Bismarck, à qui le risque d'une immixtion de tierces puissances a fait passer, avouera-t-il, des nuits blanches.

Car si Bismarck, à Versailles, n'en perd pas pour autant l'appétit et dévore les oies fumées et les lièvres de sa propriété poméranienne, l'anxiété le mine. Il voit son armée perdre 2 000 hommes par mois devant Paris, et se réveille en sursaut après avoir rêvé de Bourbaki passant le Rhin et traversant toute l'Allemagne pour revenir par mer et remonter la Seine! Il tremble à la pensée d'une réapparition du choléra comme en 1866.

L' « hypocrisie philanthropique » l'exaspère, qui règne dans certains milieux berlinois où prédominent des influences anglaises. Il se plaint dans ses lettres de la reine Augusta qui fait pression pour qu'on ne bombarde pas Paris : « La famine est-elle un procédé plus humain? » Bref, il enrage de ces scrupules, alors qu'il doit faire face lui-même à tant d'intrigues, pour obtenir la proclamation de Guillaume Ier empereur. Comme si les Français méritaient tant d'égards, ces gens qui n'ont qu'un vernis de civilisation! D'ailleurs, il suffirait de trois obus incendiaires...

Paris en recevra jusqu'à 500 en une seule nuit. Tirés des hauteurs de Châtillon et de Meudon par 275 pièces de siège, ils tueront ou blesseront une moyenne de 60 personnes par jour, n'épargnant ni les monuments, le Panthéon, la coupole des Invalides, la Sorbonne, ni le Jardin des plantes, Sainte-Geneviève, ni les hôpitaux, la Charité, la Salpêtrière, Necker, les Jeunes-Aveugles, le Val-de-Grâce. Des vieillards, des femmes, des enfants, parmi les 396 morts — chiffre relativement minime pour une dizaine de milliers de projectiles. Beaucoup, il est vrai, se perdent dans les terrains vagues et les jardins, ou n'endommagent guère que les étages supérieurs des immeubles. Les habitants des quartiers atteints ont été partiellement évacués vers le centre.

Très vite les gamins se précipiteront, sans souci du danger, pour récupérer les éclats et les vendre comme souvenirs entre dix et cent sous. En tout cas, cet abominable bombardement, dénoncé par le gouvernement aux cabinets européens comme « une dévastation froidement méditée et n'ayant d'autre but que de jeter l'épouvante dans la population civile au moyen de l'incendie et du meurtre », n'entamera en rien, au contraire, la volonté de résistance parisienne et ne hâtera pas d'un jour la capitulation. Les autorités devront surtout s'employer à recommander la prudence aux curieux trop pressés de regarder de trop près ces cylindres de cuivre rouge tombés sur le pavé d'où jaillissent des flammes bleuâtres.

Des privations inégales.

Mais les privations se font de plus en plus dures, pour le plus grand nombre du moins.

Certes, des gens comme Edmond de Goncourt souffriront peu de la disette, ni sans doute la clientèle des restaurants cossus, où l'on continuera à servir aux habitués des selles de mouton et du pain de luxe. En témoigne cette honteuse médaille d'or offerte après la guerre par quatorze hommes de lettres au traiteur Brébant, grâce auquel ils ne se sont « pas une seule fois aperçus qu'ils dînaient dans une ville de deux millions d'âmes assiégées ». Le sort des riches, en pareilles circonstances, n'est pas celui des autres.

D'autres guerres, dans la suite, feront subir aux grandes villes d'autres privations, et l'on admirera plus tard qu'en janvier les arrondissements aient pu assurer encore, dans le VIIIe, des supplé- ments de 50 grammes de fromage, un demi-kilo de pommes de terre ou 250 grammes de riz, dans le XVIIe de l'huile d'olive et du cho- colat à volonté, avec la seule obligation de prendre en même temps une quantité égale de café, le sucre étant taxé, mais libre. Quant à la ration de viande — de cheval, il va sans dire — elle sera tombée le 16 à 30 grammes par jour, dont 20 % d'os, et le surlendemain la ration de pain « de seigle » à 300 grammes, 150 pour les enfants. On pourra encore se procurer de la charcuterie et de la triperie — toujours de cheval — mais de quelle qualité! Seule contrepartie : le vin qui sera distribué généreusement (et même trop), pour faire oublier dans le peuple la disparition du bœuf bouilli.

Depuis la mi-novembre, les prix des vivres sont devenus inaccessibles aux petites bourses — et la quasi-totalité des familles ouvrières, atteintes par la fermeture des ateliers, sont réduites à la misère si un père, un fils, un frère ne sert pas pour « trente sous » dans la garde nationale. On trouve encore du lait, mais à 2 francs 50 le litre, des œufs, mais à 2 francs, des poulets, mais à 60. C'est le 20 décembre que l'on signale des chiens en vente, « pour manger », 20 francs, des rats, 2 francs, des moineaux 1 franc 25. Au Jardin d'acclimatation, les deux éléphants Castor et Pollux seront abattus pour le menu du Nouvel An, cédés à un revendeur pour 27 000 francs. Quand le premier obus éclate sur la rue Laude, quartier de Montrouge, on paie une feuille de chou 20 centimes. Comment d'aucuns ont-ils pu, après coup, ironiser sur ce dénuement parisien, parce que seuls les pauvres l'ont vraiment connu?

Les pauvres ont cruellement souffert de la faim et, plus encore, du froid, quoi qu'on ait peu à peu brûlé palissades, arbres, bancs et meubles. La mortalité a triplé dans la population civile. Les caves des hôpitaux sont combles, et il n'y a pas assez de corbillards.

Ce qui ne fait que surexciter encore les clubs et les journaux contre le gouvernement Trochu, accusé d'inertie, voire de trahison. On réclame de plus en plus violemment la Commune et la sortie en masse. C'est Delescluze qui prend la tête de l'opposition. Delescluze, Charles, de Dreux, soixante et un ans, vétéran de 1848, ancien déporté sous l'Empire, républicain socialiste à la barbe carrée et à la redingote austère. Le 5 janvier, ses affiches invitent la garde nationale à marcher, une fois de plus, contre l'Hôtel de Ville. Et encore Delescluze, personnellement, se déclare-t-il hostile au désordre et à la violence. D'autres, à ses côtés, vont beaucoup plus loin, et en tant que « délégués » des vingt arrondissements de Paris : le lendemain 6, leur placard rouge vif flamboie partout : *Réquisitionnement général, rationnement gratuit, attaque en masse! La politique, la stratégie, l'administration du 4 septembre, continuées de l'Empire, sont jugées. Place au peuple! Place à la Commune!*

S'inscrivent déjà parmi les signataires des noms que l'on retrouvera, en mars, à l'avant-garde populaire : Charles Beslay, Théophile Ferret, Genton, Léo Meillet, Tony Moilin, Pindy, Theisz, Tridon, Urbain, Édouard Vaillant, Jules Vallès... Et telle est la résonance de cet appel que Trochu éternel afficheur ne put se dispenser de répondre le même jour :

Aux citoyens de Paris,
Au moment où l'ennemi redouble ses efforts d'intimidation, on cherche
à égarer les citoyens de Paris par la tromperie et la calomnie. On
exploite contre la défense nos souffrances et nos sacrifices.
Rien ne fera tomber les armes de nos mains. Courage, confiance,
patriotisme.
Le gouverneur de Paris ne capitulera pas!

Les militaires devraient bien, en tout temps, laisser aux civils le
soin de s'adresser aux civils. De toute façon, ces affiches écarlates ne
donneront lieu qu'à un simulacre de poursuites, et la démission de
Delescluze et de ses adjoints du XIXe arrondissement ne soulèvera
pas grande émotion dans une population occupée, les hommes à
blinder les murs ou à creuser des tranchées, les femmes à faire queue
pour un maigre ravitaillement, les bombardés des quartiers atteints
à chercher refuge n'importe où, dans des sous-sols humides, parmi
les tombeaux du Panthéon... Pour tout le monde l'heure approche
de l'inévitable effort décisif.

On en a délibéré à plusieurs reprises en conseil de guerre : les généraux Vinoy, de Bellemare, Tripier (génie), Guiod (artillerie), Clément
Thomas (garde nationale), Chabaud-Latour, les amiraux La Roncière Le Noury, Pothuau, Saisset. Tous sont bien d'avis qu'on ne
saurait différer l'ultime opération. L'émeute gronde. On somme le
commandement de pénétrer, par les catacombes, sous le plateau de
Châtillon et de le faire sauter. On accuse Trochu et Schmitz d'avoir
laissé des Allemands « déguisés en curés » assister à leurs séances.
En voilà assez. Les escarmouches ne sauraient étancher la soif
d'offensive. C'est la « sortie torrentielle », la « trouée » qu'attend
l'opinion.

Le 18 janvier : l'ultime tentative.

Le 18 janvier, les troupes de Paris se concentrent, régiments de
ligne et de zouaves, bataillons de chasseurs, fusiliers-marins, avec la
garde nationale, en unités de marche, revêtue de capotes bizarres,
du bleu de ciel au noir, en passant par le vert et le gris. Le 19 au
matin, on lit l'appel du gouvernement : *Souffrir et mourir s'il le faut,*
mais vaincre. Vive la République!

On n'oubliera pas qu'à cette date, on reçoit de province des nouvelles encourageantes. Malheureusement, elles sont vieilles de plus de deux semaines, et ni Chanzy, ni Faidherbe, ni Bourbaki ne sont réellement en mesure de faire lâcher prise aux assiégeants. Les Parisiens ne peuvent compter que sur eux-mêmes. L'objectif, cette fois : Versailles.

Soit 100 000 hommes en trois colonnes : à gauche, Vinoy, qui doit enlever Montretout et les coteaux de Saint-Cloud; au centre, Bellemare, avec, comme objectifs, le château de Buzenval et le plateau de la Bergerie; à droite, Ducrot, appuyé sur La Malmaison, entre Longboyau et la Seine.

Mais pour les Français, ce sera la réédition de toutes les opérations militaires mal conduites. Les généraux perdent du temps, n'arrivent pas à aligner leurs horaires. La redoute de Montretout est rapidement conquise, dans le brouillard matinal, ainsi que le parc Pozzo di Borgo. De même que le château et le bois de Buzenval. Toutefois, Bellemare s'arrête sur la route de Garches, devant la ferme crénelée de la Bergerie, attendant Ducrot, accroché dans le parc de Buzenval.

Pourtant, ce n'est pas si mal parti. Bellemare, en fin de matinée, a pris la maison du Curé, s'avance vers la maison Craon, puis entre dans Buzenval. A ce moment le brouillard s'épaissit, paraît-il — ce sera l'excuse officielle. Il semble plutôt que le commandement français, comme toujours, manque d'initiative et, au lieu de foncer sur la Bergerie, qui lui livrerait la route de Versailles, se contente de sacrifier de petits détachements, facilement foudroyés, laissant aux Allemands le temps d'envoyer des troupes fraîches. Au crépuscule, quelqu'un suggérera d'amener d'urgence, sur le champ de bataille, toute l'artillerie de réserve rassemblée entre le pont de Neuilly et le rond-point de Courbevoie, au besoin à bras d'hommes. Mais l'idée vient d'un civil, Viollet-Le-Duc, et les militaires se moquent. Renonçant, comme si souvent, à jeter tous leurs moyens, ils décident de se retirer sur une ligne de tranchées entre la maison Crochard et le Mont-Valérien.

L'impétueux Cipriani, qui s'est battu toute la journée devant Buzenval avec le régiment Rochebrune, accusera dans son récit les chefs d'avoir « trahi » la garde nationale. Celle-ci a été arrosée par les obus français du Mont-Valérien et de Rueil; malgré l'ordre de repli, elle a continué jusqu'à dix heures à tirer : « Dans ce 19 janvier, sans la trahison et l'imbécillité, la trouée était faite, Paris dégagé, la France délivrée. » Sur un tout autre ton, le général Clément Thomas télégraphiera : « La nuit seule a pu mettre fin à la sanglante et honorable bataille d'aujourd'hui. L'attitude de la garde nationale a été excellente. Elle honore Paris. »

Buzenval : « *Ils se sont assez fait tuer.* »

La bataille, en effet, a été, comme tant d'autres « honorable »; mais décousue. Les Parisiens réussissent encore à repousser des contre-attaques, à reprendre le plateau de Garches. Mais ils sont harassés et comme envahis d'un sentiment d'impuissance. Ils ne passeront décidément pas, c'est fini. Au matin du 20, les Prussiens, qui ont déjà perdu 570 hommes, s'attendent à une nouvelle tentative et ont acheminé d'urgence des batteries sur les hauteurs de Saint-Cucufa et de Chaville, apprennent avec soulagement que Trochu se reconnaît vaincu : « Cessons le combat, aurait-il dit, ils se sont assez fait tuer. » Et les troupes découragées, sous leurs peaux de mouton, rentrent dans leurs cantonnements. Un grand chef plus résolu aurait-il pu les ramener au feu? Lui, tout en admettant « l'incomparable bravoure de la garde nationale », reprochera à celle-ci d'avoir manqué d' « esprit d'ensemble », d'avoir tiré par erreur sur un bataillon vendéen, de n'avoir mis en ligne que des « masses armées ». Ce sera faire bon marché de l'insuffisance du commandement. Et que penser de l'outrecuidance de cette dépêche diffusée en province, où l'on montre les Français parvenus « jusqu'aux portes de l'octroi de Versailles », alors qu'ils sont revenus sur leurs positions de départ, perdant 1 300 morts, le double de blessés et de prisonniers? Parmi les tués le peintre Henri Regnault, auteur de la *Salomé*, volontaire du 16e régiment, et l'ingénieur Gustave Lambert, qui préparait une expédition au pôle Nord.

A quoi bon persévérer désormais? De loin, Gambetta s'insurge contre l'impuissance des ministres, les menace de dire ce qu'il pense de leur inaction et de les traiter comme Bazaine. Les partisans de la lutte malgré tout font état des premiers succès de Bourbaki, à Villersexel, mais on saura vite qu'il n'a pas été plus heureux que Faidherbe et que Chanzy. De toute évidence, Paris ne sera plus débloqué.

Continuer la lutte? Il reste treize jours de vivres. Pourtant, devant

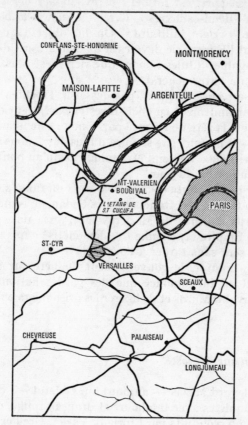

Le siège de Paris (ouest).

l'agitation qui se rallume dans la rue et dans les clubs — « La déchéance! La Commune! » — les ministres et les maires tombent d'accord : parler de traiter serait livrer la capitale à l'insurrection. Trochu, pour sa part, est formel : il revient des bivouacs, les soldats sont des « demi-cadavres », livrer une nouvelle bataille serait commettre un « crime militaire ». On lui objecte que devant la France, devant l'Europe, le devoir est de démontrer « de la manière la plus irréfragable » (Jules Simon) que rien n'est plus possible. On cherche donc un autre général.

Bellemare se récuse. On finit pas dessaisir Trochu — contre son gré — du commandement en chef. Il restera président du Conseil et on le remplace à la tête de l'armée par Vinoy : « Je ne peux accepter que le péril — il ne faut pas se faire d'illusions... nous voici arrivés au moment critique... Je veux être soldat jusqu'au bout », répondra celui-ci dans un ordre du jour.

Vinoy, Joseph, soixante et onze ans, sorti du rang, s'est distingué en Algérie, en Crimée, en Italie, et après Sedan, en ramenant habilement son corps d'armée de Mézières sur Paris. Mais il est ancien sénateur de l'Empire et, comme tel, démonétisé auprès de l'opinion populaire. Il sera sans tarder à l'ouvrage.

Le 21, vers minuit, le gouvernement délibère sur une nouvelle sortie, quand on lui annonce que des gardes nationaux insurgés viennent d'envahir Mazas et de libérer les prisonniers politiques, dont Flourens.

Coup de main sur Mazas.

Sur le boulevard Mazas — aujourd'hui Diderot — c'est une centaine de blanquistes avec tambours et drapeau rouge, qui ont réussi le coup de main, conduits par Cipriani, Varlet, Greffier. Léo Meillet, Henri Bauer ont quitté leurs cellules derrière Flourens qui monte à cheval et galope aussitôt vers Belleville pour sonner le tocsin et tenter de soulever le XXe. Il n'est que mollement soutenu, et disparaît.

Vinoy prend alors des mesures énergiques, fait rentrer dans Paris les mobiles du Finistère, qui occupent l'Hôtel de Ville. Ordre est donné à Exéa de surveiller Belleville, et à Courty d'attendre aux Champs-Élysées.

Ce sera la « sombre journée » du 22 janvier, un dimanche sale, de bruine et de boue. Sur la place de l'Hôtel-de-Ville et aux abords, des détachements de gardes nationaux se groupent, l'arme au pied. Des curieux se mêlent à eux. Selon le rite, une délégation conduite par Tony Revillon demande à entrer. Gustave Chaudey, adjoint au maire, la reçoit, puis une autre. Le ton monte. On réclame la démission du gouvernement, et la mort des traîtres. Mais ce n'est encore qu'une manifestation banale, quand surgit par la rue du Temple, avec des guidons rouges aux baïonnettes, le 101ᵉ bataillon — du XIIIᵉ — qui s'ouvre violemment le passage et va se ranger devant les grilles. Le 107ᵉ — du XVIIᵉ — le suit de près. Brusquement un coup de feu, puis d'autres. Un officier de mobiles qui discute sur les marches est criblé de balles. Les fenêtres s'ouvrent, et les Bretons ripostent. C'est une fusillade générale. On tire des maisons voisines, des angles du quai et de la rue de Rivoli, de l'avenue Victoria. Pendant vingt minutes, rapporte Louise Michel, qui est là avec Cipriani, Simon Dereure, Varlet, Malezieux, Bauer et Sapia (qui sera tué), les balles font « le bruit de grêle des orages d'été ». Puis la troupe accourt et déblaie la place, où l'on relève cinq morts et dix-huit blessés. Un carnage a été évité de justesse grâce à l'intervention de trois officiers de l'artillerie de la Seine qui ont empêché les canonniers mutinés, sur le terre-plein de Notre-Dame, de traîner leurs canons pour appuyer l'émeute : il y avait là soixante pièces dont cinq chargées à mitraille!

Le gouvernement réagit le lendemain, placarde qu'il ne faillira pas à son devoir, crée deux nouveaux conseils de guerre, ferme les clubs, supprime *Le Réveil* de Delécluze et *Le Combat* de Félix Pyat, « dangers publics par leurs excitations à la guerre civile ». Ce qui n'empêchera pas les extrémistes d'accuser de plus belle Trochu et ses « acolytes » de vendre Paris aux Prussiens, de massacrer les citoyens, et de prétendre mensongèrement qu'il n'y a plus de vivres, « quand il en reste pour deux mois ».

Les militaires : « Il faut se résigner. »

Mais *quid* de la dernière sortie « torrentielle », que le général Le Flô estime indispensable, fût-elle sans espoir? L'armée est-elle encore capable d'une action d'importance?

Consultés le 22 dans le cabinet de Jules Simon, les militaires de tous grades répondent presque à l'unanimité par la négative. Les régiments sont démoralisés, la garde nationale de moins en moins disciplinée. A de telles troupes, tout au plus pourrait-on demander de harceler l'ennemi. On peut se faire tuer, certes, mais ce sera seulement pour l'honneur. Le général Lecointe, après une pathétique démonstration, conclut douloureusement qu'il faut se résigner : « Traitons avec l'ennemi tandis que nous avons encore la main sur le pommeau de l'épée. »

Dès lors on ne délibérera plus — secrètement — que des conditions d'une suspension d'armes.

Et d'abord quel négociateur? Ce ne peut être ni Trochu, qu'on a destitué, ni Vinoy, qui ne représente que l'armée. Élire des plénipotentiaires au suffrage universel? Ce serait s'exposer à voir le parti de la Commune l'emporter. Seul Jules Favre est possible, on désigne Jules Favre : « J'avais depuis longtemps prévu, écrira-t-il, que cette dernière et cruelle épreuve me serait réservée. »

Autre question : un armistice pour Paris ou pour toute la France? On convient qu'il faut un armistice général, pour permettre la désignation d'une Assemblée nationale. Pour le reste, on verra les exigences que formulera Bismarck.

Une demande d'entrevue a été adressée au chancelier, devenu depuis quelques jours le chancelier de l'Empire allemand. Le 23 en fin d'après-midi, Jules Favre se met en route, dissimulé au fond de sa voiture pour n'être pas reconnu au poste du bois de Boulogne. En sa tenue triste d' « avocat mal habillé », il franchit au pont de Sèvres le fleuve qui charrie des glaçons et que rougissent les reflets sinistres de Saint-Cloud en flammes. Il arrive à Versailles.

« Je vous attendais », lui dit Bismarck.

Un Bismarck de plus en plus cassant.

Bismarck devrait être un homme comblé. La réalisation de son dessein, la restauration de l'Empire au bénéfice de la dynastie des Hohenzollern, a été consacrée le 18 janvier dans la galerie des Glaces. Mais au prix de quels efforts et de quelles ruses!

La plupart des rois, grands-ducs et landgraves allemands ne pensaient nullement à exhumer la couronne enterrée depuis 1806, lors de l'abdication de François II. Les libéraux étaient encore plus hostiles à ce retour au passé. Il lui a fallu mettre dans son jeu le prince royal, qui ne l'aime pas du tout, circonvenir Louis de Bavière et lui faire recopier une lettre pour Guillaume, vaincre les résistances de celui-ci qui, d'abord, s'est fait tirer l'oreille. Puis qui s'est fâché tout rouge et a menacé de tout rompre la veille de la cérémonie, exigeant le titre d' « empereur d'Allemagne », alors qu'on a prévu « empereur allemand ». Enfin, Guillaume s'est apaisé, et s'est montré assez majestueux, devant ses féaux en grand uniforme, sur un fond de drapeaux germaniques, quand a été lue en son nom sa réponse affirmative à l'appel des princes et des villes libres d'Allemagne lui demandant d'accepter la dignité impériale.

C'est Bismarck qui, blême et haletant, a donné la lecture. Mais après les *hoch* de l'illustre assistance, le nouvel empereur est descendu de son estrade pour serrer les mains des généraux, en affectant de ne pas le voir ce chancelier qui n'a pu lui obtenir le titre d'empereur d'Allemagne. Et Bismarck, au plus mal avec Moltke, perdu parmi les Saxe-Weimar, les Schaumbourg-Lippe, les Mecklembourg-Schwerin et les Oldenbourg a pu remâcher sa rancœur.

Aussi reçoit-il Jules Favre sans égards, lui reprochant durement cette résistance « criminelle » de Paris, qui a fait tuer tant de monde. Puis comme le demandeur en vient à évoquer Ferrières, il le coupe : « La situation n'est plus la même, et si vous maintenez votre principe : *pas un pouce, pas une pierre*, il est inutile de causer davantage. Mon temps est précieux, le vôtre aussi. »

Il donne même à entendre qu'il pourrait conclure la paix avec Napoléon à Wilhelmshöhe et la faire ratifier par le Corps législatif réuni à Cassel. L'empereur aurait avec lui Bazaine, Le Bœuf, Canrobert, et l'armée de Metz libérée fournirait près de 100 000 hommes d'excellentes troupes entièrement acquis à sa cause. Ce n'est pas sérieux, la France n'accepterait jamais le retour de l'homme de Sedan, mais Bismarck parle d'abondance, et sa carrure, en tenue de cuirassier blanc, écrase de tout son poids son maigre interlocuteur, flottant dans sa redingote.

Enfin, le lendemain, on en vient aux conditions qui seraient posées si Paris se rendait. Bismarck accepte un armistice de quinze jours étendu à toute la France, des élections absolument libres, la convocation de la future Assemblée à Bourges. En contrepartie, les Allemands occuperont non seulement les forts, mais Paris : Guillaume et les généraux y tiennent comme à une récompense légitime méritée par leurs soldats. Toutes les armes et munitions seront livrées, y compris celles de la garde nationale, l'armée sera prisonnière dans Saint-Maur et dans la plaine de Gennevilliers. A quoi s'ajoutera pour la ville rendue une contribution d'un milliard.

Jules Favre discute de son mieux et commence par marquer quelques points, obtient le retrait de quelques exigences saugrenues comme la remise d'otages, plus vingt journalistes « pris au hasard » pour entrer avant les Allemands dans les casemates peut-être minées. Mais, dans la coulisse, Moltke demeure si intraitable qu'à plusieurs reprises le ministre « fondé de pouvoir » parlera de reprendre son chapeau et de regagner Paris. Bismarck, lui, menace d'intensifier le bombardement, revient à tout instant sur la faiblesse de son inter- locuteur, qu'après tout Gambetta désavouera peut-être, remet sur le tapis la restauration de Napoléon III.

Finalement, car les vainqueurs ont vraiment hâte de voir les combats prendre fin, le gouvernement est saisi dans la nuit du 24, des « bases de délibération » établies à Versailles. Il espère que l'armistice pourra durer trois semaines, pendant lesquelles il ne sera pas question de parade dans Paris, que l'armée sera seulement internée, que la garde nationale conservera ses canons et ses fusils.

La ligne d'arrêt des hostilités.

La première impression, au Louvre, est nettement favorable : on s'attendait à pis, et on se plaît à constater que, somme toute, le prolongement de la résistance a été payant. On considère surtout comme un véritable succès que la garde nationale puisse conserver ses armes. Il est vrai qu'il n'eût pas été si simple de les lui faire déposer, encore que Bismarck soit allé jusqu'à dire : « Je m'en chargerai, je ne donnerai une bouchée de pain qu'en échange d'un fusil. » Pourtant, il redoute trop une insurrection victorieuse, suivie de la fameuse sortie en masse pour ne pas finalement composer. Jules Favre estime que toucher à la garde nationale serait « porter atteinte à l'honneur de l'héroïque population parisienne »? Soit, « mais vous le regretterez », le prévient Bismarck. Quand éclatera la Commune, Jules Favre, accablé, se frappera la poitrine : « Je déplorerai cette erreur toute ma vie, j'en demande pardon à Dieu **et aux hommes.** »

Le sort de la troupe soulève d'autre part de gros problèmes. Il n'y a pas de place pour elle dans les camps d'Allemagne et il n'est pas sans inconvénient de laisser 100 000 hommes désœuvrés dans Paris, où l'état d'esprit est « détestable ». Jules Favre reçoit mandat d'insister pour que les officiers restent avec leurs hommes et pour que trois divisions demeurent armées pour pourvoir à la sûreté publique. Mandat en outre de ne pas consentir, pour l'indemnité de guerre, plus de cinq cents millions.

Le 25, Jules Favre, à l'unanimité du Conseil, est investi de pleins pouvoirs, et repart pour Versailles, seul, Trochu et Ernest Picard ayant refusé de l'accompagner. Il faudra toutefois, quand viendront en discussion les clauses militaires, mettre en face de Moltke un négociateur d'un grade suffisamment élevé. Peu de volontaires se présentent. On essaiera le général de Beaufort d'Hautpoul, précipitamment remplacé, après des propos de table peu appréciés, par le général de Valdau.

Pied à pied, Jules Favre va se battre — assez efficacement — pour arracher des concessions diverses. Tout se passera comme si Bismarck voulait se dédommager sur la province des conditions modérées dont il s'est contenté pour Paris. La ligne d'arrêt des hostilités partira de Pont-l'Évêque, traversera l'Orne, laissant à l'occupation allemande les départements de la Sarthe, d'Indre-et-Loire, de Loir-et-Cher, du Loiret, de l'Yonne, coupera la Côte-d'Or, le Doubs et le Jura, laissera le Nord, le Pas-de-Calais et Le Havre au contrôle Français. En gros. Mais dans le détail, Bismarck, beaucoup mieux au fait de la situation véritable, se fera livrer diverses positions gênantes encore pour les Allemands. Et surtout on comprendra toujours malaisément comment ont pu être exclues de l'armistice les opérations se déroulant sur les départements du Doubs, du Jura et de la Côte-d'Or ainsi que le siège de Belfort.

Jules Favre alléguera le manque d'informations : Bismarck escomptait la chute prochaine de Belfort, et lui la délivrance de la place, les nouvelles de Bourbaki étant à ce moment bonnes. On finit donc par décider, avant de tracer la démarcation, d'attendre pour en savoir davantage et conclure une « entente ultérieure ». Trochu souligne qu'il ne fit lui-même aucune objection.

Une équivoque, néanmoins, éclatera tout de suite. Ce renvoi à plus tard de la démarcation en Bourgogne et en Franche-Comté implique-t-il que le feu doit néanmoins cesser comme sur les autres théâtres ? « Oui » estime le gouvernement français qui le fait savoir à la Délégation, et il semble bien que le 28, tout le monde considère la bataille comme terminée sur tous les fronts. Mais c'est une interprétation erronée, et les Allemands vont poursuivre leurs mouvements pour acculer l'armée de l'Est à passer en Suisse : le dernier alinéa de l'article 1er de la convention les y autorise du reste explicitement.

« *Paris ne cède qu'à la faim.* »

Le *Journal officiel* publiera cette convention, précédée d'un préambule : « Paris ne cède qu'à la faim. Il s'arrête quand il n'a plus de pain. » Vingt et un jours d'armistice, pour permettre de convoquer à Bordeaux une Assemblée librement élue chargée de se prononcer sur la paix ou la guerre : remise des forts de Paris, toutes facilités données pour le ravitaillement. Pendant l'armistice les Allemands resteront en dehors de l'enceinte. L'armée de ligne, la garde mobile et la marine des forts de Paris seront prisonnières à l'intérieur de la capitale. Demeureront en armes une division de 12 000 hommes, 3 500 gardes républicains, douaniers et pompiers, ainsi que toute la garde nationale. Les officiers conservent leur épée. Les Allemands faits prisonniers depuis le début de la guerre sont libérés, en échange d'un nombre égal de Français. Paris versera 200 millions. L'armistice vaut également pour les deux flottes qui se tiendront de part et d'autre du méridien de Dunkerque.

Bien que tenues secrètes, les négociations ont, il va sans dire, transpiré. Aussi longtemps que le canon a donné, les Parisiens n'ont pas cru à l'inévitable. Le bombardement les a en quelque sorte rassurés, il signifiait que tout espoir n'était pas perdu.

Et soudain, le 26, à minuit, tout s'est tu. Un silence sinistre, mortel, un silence de catastrophe a succédé au fracas des canons. Force est de comprendre que c'est bien la fin.

L'armistice ne sera signé que le surlendemain, mais l'accord s'étant fait sur l'essentiel, Bismarck accompagnant Jules Favre à sa voiture a suggéré de cesser le feu le soir même. « C'est la première consolation, a répondu le ministre français, que j'éprouve dans notre infortune... »

Il a seulement demandé que le dernier coup fût tiré par les assiégés.

Le *Journal officiel* du 27 confirme en quelques lignes. Tant que le gouvernement a pu compter sur l'arrivée d'une des armées de secours, il était de son devoir de prolonger la résistance. Maintenant, refoulées sous Lille, au-delà de Laval et sur les frontières de l'Est, elles ne peuvent évidemment plus sauver Paris, et l'état des subsistances ne permet plus d'attendre. Le devoir « absolu » était de négocier.

C'est, à cette nouvelle, une explosion de colère. Certains bataillons de la garde nationale s'agitent, parlent de marcher contre le Louvre. Des officiers de marine menacent de ne pas rendre les forts, le bruit court que l'amiral Saisset est avec eux, que les francs-tireurs vont les rejoindre. Les plus vives inquiétudes renaissent parmi les ministres, mais ils font face avec une réelle habileté. Ils promettent d'incorporer 1 600 fusiliers-marins dans la division qui ne sera pas désarmée. Ils envoient Dorian à Belleville parlementer avec Flourens, et Dorian convainc Flourens : les faubourgs ne bougeront pas et laisseront même arrêter le colonel Brunel et le commandant Piazza, que l'ultime insurrection voulait mettre à sa tête.

Des scènes déchirantes se multiplient. Des matelots brisent leurs armes en entonnant le refrain du *Vengeur*. Au fort de Montrouge, un capitaine de frégate, Laret de Lamalignie, se loge une balle dans la tête. Un pointeur breton de soixante-dix ans refuse de quitter sa pièce et préfère lui aussi le suicide.

« L'ennemi, proclame le gouvernement, est le premier à rendre hommage à l'énergie morale et au courage dont la population parisienne tout entière vient de donner l'exemple. Paris a beaucoup souffert, mais la République profitera de ses longues souffrances, si noblement supportées. Nous sortirons de la lutte qui finit, retrempés pour la lutte à venir. Nous en sortons avec tout notre honneur avec toutes nos espérances. Malgré les douleurs de l'heure présente, plus que jamais nous avons foi dans les destinées de la patrie. »

Le 29, les Allemands s'avancent sur les ponts-levis des forts évacués, font jouer leurs cuivres, arborent leurs drapeaux.

Il faut dès lors penser à nourrir Paris. Les chemins de fer sont coupés, la Seine obstruée et Bismarck pourra souligner qu'aux premiers jours la population a été réduite aux provisions de l'armée allemande. Mais très vite des jambons et des boîtes de conserve dissimulées reparaissent dans les boutiques, ce qui provoquera quelques pillages (assez mérités). Les campagnes environnantes apportent leurs produits. On revoit du pain presque blanc, qui dans quelques jours ne sera plus rationné, ni la viande de boucherie. On répartit dans les mairies des approvisionnements achetés grâce à un don de deux millions de la Cité de Londres. Bientôt, la poste fonctionnera de nouveau avec les départements non occupés. La compagnie du Nord fait diligence pour procurer du charbon de terre. Des personnes déplacées par les événements rentrent chez elles. D'autres demandent des sauf-conduits pour la province. Nombre de gardes nationaux rentrent chez eux et remettent qui la blouse et la casquette, qui le paletot et le chapeau.

En quelques jours, l'affichage annonçant la fin des restrictions et le retour à la vie normale disparaît sous un autre : les annonces de candidature et les professions de foi. Voter est devenu la grande affaire.

16

Thiers et le pacte de Bordeaux

Jusqu'au bout, Gambetta et son entourage, tout feu tout flamme, auront rejeté l'idée d'une capitulation parisienne. A la mi-janvier, une dépêche de Bordeaux a durement mis en demeure Jules Favre de « sortir tout de suite, sortir à tout prix ». Les armées de secours n'avaient-elles pas forcé 300 000 assiégeants à « courir » sur Chanzy et sur Bourbaki? « Vous n'avez autour de vous qu'un simple cercle de feu... Pourquoi cette persistante inaction? »

Le 27 janvier, alors que le *Times* fait état de négociations en cours, Gambetta tient encore pour invraisemblables ces bruits de « lamentable fin ». Dans une nouvelle dépêche, il oppose la province « qui depuis trois mois prodigue son sang et son or, supporte l'invasion et l'incendie de ses villes » à Paris « systématiquement amolli, énervé, découragé par ceux qui le gouvernent ». Il se désolidarise de Trochu « discoureur infatigable et militaire irrésolu » et se déclare plus que jamais persuadé qu'en prolongeant la lutte, les Français retrouveront la fortune. Il se rend même à Lille pour un dernier appel à la résistance à outrance.

Mais la confirmation parvient à Bordeaux, signée Jules Favre, Versailles, 28 janvier :

Nous signons aujourd'hui un traité avec M. le comte de Bismarck. Un armistice de vingt et un jours est convenu.

Une Assemblée est convoquée à Bordeaux pour le 15 février.

Faites connaître cette nouvelle à toute la France, faites exécuter l'armistice, et convoquez les électeurs pour le 8 février.

Un membre du gouvernement va partir pour Bordeaux.

Gambetta s'indigne, ne réagit toutefois pas dans l'instant. Il attend le 30 pour s'étonner de n'avoir pas reçu d'autres nouvelles, que ces « trois lignes », ni le membre du gouvernement annoncé. Il s'est adressé à Jules Favre à Versailles, mais Jules Favre a regagné Paris et c'est Bismarck qui résume pour Gambetta les clauses de l'armistice et lui annonçant — détail assez stupéfiant — que « les hostilités continuent devant Belfort et dans le Doubs, le Jura et la Côte-d'Or ». Comment Jules Favre a-t-il pu donner à comprendre le contraire, puis laisser pendant deux jours la Délégation dans l'ignorance de cette exception? Tout naturellement disciplinés, les services de la Guerre ont prescrit aux commandants de corps d'arrêter partout les combats. Cet impardonnable oubli (Jules Favre était-il à ce point accablé?) va précipiter le désastre de l'armée de l'Est.

Fin de l'armée de l'Est.

Après la tentative de suicide de Bourbaki, Clinchant conduit les troupes démunies et affamées vers Pontarlier, espérant atteindre Lyon en longeant la frontière. Mais le 28, apprenant que l'armistice est conclu, il ne croit pas devoir défendre les positions de Mouthe. Il a alors la surprise de voir Manteuffel poursuivre ses attaques, en l'avisant que la suspension d'armes ne les concerne pas. Le voilà réduit à télégraphier à Bordeaux, le 1er février, que trouvant coupée sa route vers le sud, il a conclu une convention avec la Suisse pour sauver ce qui peut être sauvé.

Le général Billot couvre la retraite. Le dernier combat est livré à La Cluse et sous le feu du fort de Joux, abandonné par les mobilisés du Doubs, mais réoccupé par le commandant Ploton, une poignée d'hommes se fait tuer pour l'honneur autour du lieutenant-colonel Achilli du 44e de marche. Déjà, avec l'accord du général suisse Hans Herzog, 85 000 hommes, 11 000 chevaux, 202 canons ont commencé à franchir le défilé des Verrières pour chercher refuge en territoire neutre. Cremer a fait enclouer l'artillerie qu'on n'a pas pu emmener.

Ce sont des colonnes pitoyables qui viennent jeter leurs armes et s'écrouler en Suisse. Toutes les relations de l'époque rendent un hommage ému à la générosité spontanée des populations civiles, qui donnent et font ce qu'elles peuvent pour soulager la détresse de ces vaincus en loques, sans semelles, dont les blessures n'ont pu être pansées et qui toussent à se crever les poumons. L'attitude beaucoup moins francophile de certains chefs militaires alémaniques assez enclins à fraterniser avec les Prussiens ne saurait faire oublier le dévouement des habitants des villes et des villages au secours du malheur.

La France, l'année suivante, paiera à Berne le dernier centime dû sur un compte de douze millions de francs, intérêts compris. Ce qui n'acquittera pas la dette de reconnaissance contractée envers les habitants.

Seuls quelques intrépides, dont le général Pallu de la Barrière et le colonel Bourras, du corps franc des Vosges, purent se jeter dans les montagnes pour échapper à l'internement étranger.

Pendant ce temps, les Allemands se concentrent autour de Belfort, auquel un parlementaire annonce la capitulation de Paris : « Possible, réplique le colonel Denfert, mais ici, les soldats républicains ne se rendront pas. »

Et Belfort ne veut pas se rendre. Malgré le bombardement, malgré le déblocage manqué, malgré tant d'espoirs écroulés. A la mi-janvier, on avait vu les Français si proches que l'ordre avait été donné, en signe d'allégresse, de tirer à blanc, et effectivement Werder a bien pensé à lever le siège si Moltke ne lui avait pas adressé des consignes impératives. Mais Bourbaki s'est éloigné. On repousse longtemps les assauts allemands, à l'est, contre les forts des Perches, sans pouvoir empêcher les assaillants de rapprocher la tranchée. Il n'y a pas dans la place une artillerie qui permette de lutter. Blessés et malades succombent. Le 13 février, sur l'ordre du gouvernement, Denfert-Rochereau rend la place, après avoir subi cent trois jours de siège, et reçu 500 000 obus. Le 18, il sort avec la dernière colonne de la garnison qui défile avec armes et bagages, et libre de tout engagement, pour rejoindre l'armée française.

Plus tard finira par tomber Bitche, la forteresse lorraine défendue par le 54e de marche qui ne cédera également que sur ordre, le 15 mars, après une résistance de sept mois. Le lieutenant-colonel Tessier se retirera « enseignes déployées », sans capitulation — avec un drapeau brodé par les femmes de la ville pour qu'on le leur rapporte un jour, quand les Français reviendront.

Fin de la guerre sur mer.

L'armistice prévoit également l'arrêt de la guerre sur mer.

Les grands desseins de l'été 1870, cette fameuse démonstration sur les côtes danoises, se sont évaporés dès les premiers désastres d'Alsace et de Lorraine, et l'amiral Bouët poussant aussi loin que possible, a trouvé la Baltique gelée. Quant à l'escadre de la Méditerranée, dirigée dans les eaux d'Héligoland, après avoir bloqué Wilhelmshafen, elle a été victime d'une trop violente tempête le 5 septembre, et a dû regagner Cherbourg.

Des combats navals n'en sont pas moins relatés au large du Japon, des Açores, du Portugal et devant Brest et Rochefort. Le plus spectaculaire s'est livré devant La Havane, à la suite d'un défi lancé par l'aviso français le *Bouvet* à la corvette allemande *Meteor*. Rencontre indécise, le *Bouvet* ayant éperonné le *Meteor* avant d'être lui-même immobilisé par un boulet dans sa machine — et les officiers espagnols ont mis fin à l'affaire, les deux bâtiments étant entrés dans les eaux neutres. Fin de la guerre navale, dont le décevant bilan ne diminue en rien la part glorieusement prise par le corps de la marine, ses canonniers et ses fusiliers, dans la défense terrestre.

Tandis qu'à Paris, le prince royal se réjouit au Mont-Valérien devant la pièce géante *Valérie* privée de sa culasse, et qu'on retourne contre la capitale, l'artillerie des forts, les services de la guerre en province sont correctement entrés dans le jeu de l'armistice, à dix kilomètres de part et d'autre de la ligne, dans la mesure du moins où les dépêches du Louvre ont été comprises. On n'expliquera jamais clairement que Bordeaux ait été tenu si longtemps dans l'ignorance des clauses exactes. Jules Favre se serait-il méfié à ce point de Gambetta, de ses outrances, et de ses projets d'épurations électorales? A peine s'excuse-t-il, le 31 janvier, de s'être montré jusqu'à présent si bref : « Je n'ai pu vous expliquer les événements de ces derniers jours, et je comprends les sentiments qui vous ont agité, et fait hésiter... » Il se borne à confirmer l'armistice de vingt et un jours, les élections le 8 février, la convocation à Bordeaux le 12, en assaisonnant le tout d'un appel à l'union : « Sacrifions toute division au salut de la patrie. »

Mais l'inévitable incident va éclater. Inévitable, parce que les officiels de Paris et ceux de la Délégation, séparés depuis des mois,

ceux-là le cœur crevé par les échecs et ceux-ci sensibles encore à
l'éloquence des tribuns, voient différemment les choses. Paris a
délégué Jules Simon à Bordeaux pour prendre langue avec Gambetta
mais avec en poche sa nomination au ministère de l'Intérieur
« avec des pouvoirs illimités », et un autre décret faisant passer la
Guerre sous l'autorité du général Le Flô. Ce qui revient à éliminer
celui qui, depuis son arrivée à Tours en ballon, incarne la résistance.

Jules Simon devant une affiche.

Seulement, lorsque Jules Simon, accompagné de son ami Laver-
tujon, débarque le 1er février en gare de Bordeaux, c'est pour lire
sur les murs une violente protestation de Gambetta contre cet
armistice accepté à l'insu de la Délégation : « Non, il ne se trouvera
pas un Français pour signer ce pacte infâme. L'étranger sera déçu.
Il faudra qu'il renonce à mutiler la France; car tous, animés du
même amour pour la patrie, impassibles dans les revers, nous
reviendrons forts et nous chasserons l'étranger. » Appel est fait
aussi bien aux royalistes qu'aux fils des bourgeois de 1789 et aux
travailleurs des villes et des campagnes. Il s'accompagne d'un
décret proclamant inéligibles les anciens ministres, sénateurs,
conseillers d'État, préfets et candidats officiels de l'Empire. Or
Paris, voulant des élections libres, a écarté ces incompatibilités.
C'est le conflit.

Jules Simon ne se heurte pas seulement à Gambetta, mais à
Crémieux, à Glais-Bizoin, à Fourichon. Deux optiques : pour les
uns, la légalité parisienne, pour les autres les injonctions des comités
républicains des départements, toujours en effervescence. Jules
Simon se demande s'il n'aura pas à choisir très vite entre la prise
en main, dictatoriale, de tous les pouvoirs, et l'arrestation. Là-dessus
Bismarck, lourdement, s'en mêle, s'élève contre les incompatibilités
en rappelant les élections libres stipulées dans l'armistice : c'est
fournir à Gambetta un fameux argument contre cette « insolente
prétention ».

Deux nuits de suite, le plénipotentiaire de Paris préférera ne pas
coucher dans sa chambre, redoutant non sans raison d'être « cueilli
au lit » par les gardes nationaux gambettistes, cependant que Thiers,
installé à l'hôtel de France, l'encourage à tenir tête : « Vous avez

un décret, publiez-le... Disposez de moi. Si mon nom ou ma présence peuvent vous servir, me voilà prêt... » Lui aussi, néanmoins, change de domicile. Ce qui sauve la situation, c'est l'arrivée en renfort de Garnier-Pagès, Eugène Pelletan et Emmanuel Arago, porteurs d'un autre décret annulant purement et simplement celui de Bordeaux.

C'est Gambetta qui cède.

Assez vite, Gambetta va sentir qu'il a perdu la partie. Dans un département comme le Nord, le préfet a déjà désigné par leurs noms les inéligibles, mais d'un peu partout, les autres font savoir que l'opinion ne suit pas. Si quelques jeunes officiers bien trempés, tel Louis Rossel, répètent dans les camps que la France possède encore un immense matériel de guerre et des soldats en nombre, qu'elle est toujours en mesure de se battre sur la Loire et, au besoin, en Auvergne, que les Allemands devront bientôt compter avec le « dépérissement » des armées victorieuses et qu'après tout Bismarck peut mourir, ou Moltke..., c'est un fait que la province aspire à la paix et ne s'imagine guère se dressant contre Paris. Alors le 6 février, découragé, Gambetta se retire d'un gouvernement avec lequel il n'est plus « en communion d'idées ni d'espérances ». Voilà le parti de la résistance décapité.

Gambetta, en signant sa démission, a invité les préfets et sous-préfets à faire procéder aux élections le 8 février. Son successeur à l'Intérieur, Emmanuel Arago — on l'a préféré à Jules Simon, trop « marqué » —, se référera à cet appel en soulignant : « Le suffrage universel peut agir dans la plénitude de son droit, sans aucune exclusion ni catégorie. »

La campagne électorale d'une brièveté très insolite, se déroule sans incidents graves, si ce n'est le remplacement de quelques préfets comme Paul Bert dans le Nord et Gent dans les Bouches-du-Rhône. A peine saura-t-on que Napoléon III, de sa prison dorée de Wilhelmshöhe, a jugé opportun de s'adresser au peuple français pour dénoncer l' « usurpation » du 4 septembre, et rappeler qu'il demeure, lui, le « véritable représentant de la nation ». La page impériale est depuis longtemps tournée. Le gouvernement redit que Paris, quand il a déposé les armes, était à la veille de mourir de faim, qu'il était impossible de consulter la Délégation, que l'armistice n'a rien compromis. Un mot dur, en passant pour Gambetta « aujourd'hui si injuste et si téméraire », qui s'entend reprocher d'avoir le 13 janvier arrêté la marche de Chanzy en lui ordonnant ce retrait derrière la Mayenne. En tout cas, élections libres! Éliminer des candidatures, ce serait retourner aux pratiques de l'Empire!

On a remis en vigueur la loi de 1849 — scrutin de liste départemental, à la majorité relative. En quelques heures, des noms sont affichés. En zone occupée, les réunions sont interdites; en zone libre, elles sont rares. A Paris même, si l'on assiste à une floraison de candidatures issues de comités plus ou moins identifiés, la polémique fait peu de fracas. On enregistre des rapprochements étranges. On voit Gambetta en tête d'une formation « révolutionnaire et socialiste », avec Blanqui, Delescluze, Simon Dereure, Garibaldi, Félix Pyat, Jules Vallès, qui sont en même temps les investis de l'Association internationale des travailleurs, 6, place de la Corderie. Ensemble, Louis Blanc, Chanzy, Chatrian, le lieutenant de vaisseau Francis Garnier, Michelet, Rochefort sont présentés par la Ligue antimonarchique. L'Union patriotique propose Thiers, Grévy, Vinoy, La Roncière Le Noury, Saisset, l'Union nationale Thiers, Jules Favre, Ernest Picard, Victor Hugo. Beaucoup de mélis-mélos. Et des professions de foi isolées d'amiraux, d'anti-avocats, d'Alsaciens, de jusqu'au-boutistes et de partisans du retour au travail. Le duc d'Aumale se met sur les rangs, le duc de Chartres aussi.

A Paris la gauche, mais le grand triomphateur c'est Thiers.

Au dépouillement, c'est, à Paris, la gauche qui l'emporte largement : six modérés seulement sur quarante-trois députés. Louis Blanc bon premier devant Victor Hugo, Gambetta, Garibaldi, Edgar Quinet, Rochefort, Saisset, Delescluze, puis Félix Pyat, Dorian, Clemenceau, Littré : Thiers n'est que 20e, Jules Favre 34e. Sont battus : Chanzy, Blanqui, Faidherbe, Flourens, Michelet, Jules Simon, Cluseret. Seul de tous les membres du gouvernement de la Défense, Jules Favre est élu dans la capitale.

Il en va tout autrement en province, où Jules Favre sort des urnes dans l'Aisne, le Rhône, l'Ain, en Seine-et-Marne, tandis que Jules Simon passe dans la Marne, Eugène Pelletan dans les Bouches-du-Rhône, Ernest Picard dans la Meuse, Emmanuel Arago dans la Loire, le Morbihan, la Vendée, les Côtes-du-Nord, les Bouches-du-Rhône et le Tarn.

Gambetta, désigné par neuf départements, Seine, Bas-Rhin, Haut-Rhin, Meurthe, Moselle, Seine-et-Oise, Bouches-du-Rhône, Alger, Oran, opte pour Strasbourg. Bien qu'étranger, Garibaldi a le choix entre les Alpes-Maritimes, la Côte-d'Or, la Loire et Alger.

Le prince de Joinville est député de la Haute-Marne et de la Manche, le duc d'Aumale de la Loire. Seule la Corse a voté pour les bonapartistes, dont Charles-Étienne Conti, ancien chef de cabinet de Napoléon III.

Mais le plus gros succès est évidemment pour Adolphe Thiers, qu'ont élu vingt-six départements, et qui a recueilli deux millions de voix. Il optera pour Paris, et tout le monde convient que le pouvoir ne saurait aller à un autre. Qui pourrait être cet autre? Jules Favre est usé et la majorité rurale a été élue contre Gambetta. Il n'est plus contestable que cette majorité, qui va faire la loi, veut la paix, ne pense qu'à obtenir le départ des occupants, à réparer ses ruines et restaurer sa prospérité. La discordance est totale avec la capitale et les grandes villes — plus les régions de l'Est — où l'on continue à parler de reprendre la lutte, dès la fin de l'armistice, avec des forces et une énergie accrues. Mais à l'arrivée à Bordeaux, quand les nouveaux représentants se comptent, les partisans de Gambetta ne peuvent pas ne pas se sentir écrasés.

« *Majorité rurale, honte de la France* », *jette Gaston Crémieux.*

Dans le tohu-bohu où se retrouvent les « fuyards de Paris », et d'authentiques combattants des armées de province, mêlés à des généraux bizarres qui se pavanent en des tenues trop neuves — sans oublier les personnages douteux qui « grenouillent » en pareil cas, à l'affût d'une place ou d'une affaire —, on a aménagé le Grand-Théâtre en salle des séances pour cette Assemblée de 768 membres. Une petite tribune, de bois blanc est dressée au-dessus du trou du souffleur. Les députés prennent place à l'orchestre et au parterre, le public dans les loges. Les couloirs seront les pas-perdus, et les bureaux se réuniront au foyer. Des tentures hâtivement clouées et des huissiers à chaîne et à favoris confèrent au décor une majesté de pacotille.

Le 12 février, l'Assemblée se réunit, et tout de suite les députés parisiens, encore tout enfiévrés par le siège et le bombardement, se voient noyés parmi ceux des campagnes, qui leur gardent rancune d'avoir prolongé la guerre. Plus que rares sont ceux qui partagent la « rage » de Flaubert déplorant (de sa résidence de Croisset) que Paris n'ait pas brûlé « jusqu'à sa dernière maison ». A Bordeaux on ferait plutôt reproche à Trochu de n'avoir pas, dès l'investissement, baissé ses ponts-levis!

Sous la présidence de Benoist d'Azy, doyen d'âge, Jules Favre est monté à la tribune pour remettre ses pouvoirs à l'Assemblée. Celle-ci l'a accueilli avec de maigres « marques d'assentiment », sans noter aucunement l'importance historique de cet acte. *Exit* donc, le gouvernement du 4 Septembre : on n'aura pas pour lui plus de courtoisie parlementaire que pour Gambetta et la Délégation. Mais voici que plusieurs conservateurs s'en prennent à Garibaldi, l'accusant d'être venu en France par intérêt, bref l'interpellent indignement. Le vieux guerrier demande la parole, les injures l'empêchent de se faire entendre : « Majorité rurale, honte de la France! » lance du haut de la galerie des journalistes le jeune Gaston Crémieux.

Garibaldi, très grave, drapé dans son manteau, se retire alors, descend l'escalier du Grand-Théâtre acclamé par la foule, entre les gardes nationaux qui lui rendent les honneurs. Il repartira directement pour la Sardaigne. Sa démission en entraînera d'autres.

Dans les couloirs, Thiers déploie ses talents de discoureur sans relâche. Il tranche, prononce, s'impose. C'est d'emblée lui qui mène la partie. Supérieurement. Lui qui fait appel au patriotisme des princes d'Orléans pour les détourner de venir siéger — la validation de leur élection a été réservée. Lui qui fait miroiter aux yeux de la droite un possible retour de la monarchie « unie », mais seulement s'ils savent se tenir tranquilles. Lui qui fait porter au fauteuil — 519 voix sur 536 — le Jurassien Jules Grévy, républicain centriste par excellence, homme de la légalité par-dessus tout.

Tel est son prestige retrouvé, les événements lui donnant raison, que le lendemain 18 nul ne s'étonne de l'adoption d'une résolution Dufaure-Grévy à l'unanimité — l'extrême gauche s'abstenant :

L'Assemblée souveraine,

Considérant qu'il importe, en attendant qu'il soit statué sur les institutions de la France, de pourvoir immédiatement aux nécessités du gouvernement et à la conduite des négociations, décrète :

M. Thiers est nommé chef du pouvoir exécutif de la République française sous l'autorité de l'Assemblée nationale, avec le concours des ministres qu'il aura choisis et qu'il présidera.

« Chef »? Le titre lui déplaît : « Me prennent-ils pour leur cuisinier? » Il s'y habituera quand même. « ...de la République française »? C'est lui qui, malgré de vives réclamations, a fait ajouter les quatre mots. Louis Blanc proteste contre la formule provisoire du « considérant », mais a-t-il pu échapper à la droite qu'elle était proprement jouée?

De toute façon, voilà Thiers chef de l'État et président du Conseil, autant dire dictateur.

Aussitôt après le vote, les ambassadeurs d'Angleterre, d'Italie et d'Autriche viennent apporter à Bordeaux la reconnaissance du nouveau régime. Peu après les imiteront la Russie, la Suisse, l'Espagne, le Portugal, la Belgique, la Turquie. La République existe *de jure*.

Sans perdre de temps, Thiers forme son ministère. Deux fidèles du centre droit : Dufaure (Justice) et Lambrecht (Commerce); trois républicains antigambettistes; Jules Favre (Instruction publique); un légitimiste, de Larcy (Travaux publics); le général Le Flô (Guerre), le vice-amiral Pothuau (Marine), et aux Finances, d'abord Buffet, qui refuse, puis le protectionniste rouennais Pouyer-Quertier.

On n'a rien à refuser à Thiers qui est, de l'avis de tous, l'homme indispensable. L'Assemblée l'ayant chargé de se rendre à Versailles avec Jules Favre et Ernest Picard, pour traiter avec le chancelier, se permet tout au plus de nommer une commission de quinze membres pour l' « assister ». Il n'en aura cure. Au surplus la session est suspendue jusqu'à son retour.

La déclaration d'Émile Keller.

Il n'a toutefois pu se dérober, la veille de son départ, à une poignante manifestation des députés de l'Est qui l'ont, dira-t-il, « mis à la torture ». Au nom de ses collègues, Émile Keller, du Haut-Rhin, a donné lecture d'une déclaration en trois points :

1o L'Alsace et la Lorraine ne veulent pas être aliénées. Associées depuis plus de deux siècles à la France, elles réaffirment « à travers tous les obstacles et tous les dangers, sous le joug même de l'envahisseur, leur inébranlable fidélité ».

2o La France ne peut consentir ni signer la cession de ces deux provinces : « Elle peut subir les coups de la force, elle ne peut sanctionner ses arrêts. »

3o L'Europe ne peut permettre ni ratifier l'abandon de l'Alsace et de la Lorraine. Elle ne peut laisser saisir un peuple « comme un vil troupeau; elle ne peut rester sourde aux protestations répétées des populations menacées... La paix faite au prix d'une cession de territoire ne serait qu'une trêve ruineuse et non une paix définitive ».

D'avance, ils sont trente-six à faire connaître qu'ils tiendront pour nuls tous actes ou traités, vote ou plébiscite qui l'accepteraient, et jurent de revendiquer éternellement contre tous usurpateurs leur droit inviolable de rester membres de la communauté française.

L'Assemblée a écouté dans un silence oppressé, puis a éclaté en applaudissements. Les signataires : Gambetta, Grosjean, Humbert, Küss, Saglio, Varroy, Titor, André, Kablé, Tachard, Rehm, Édouard Teutsch, Dornès, Hartmann, Ostermann, La Flize, Deschange, Billy, Bardon, Viox, Albrecht, Alfred Kœchlin, Charles Bœrsch, Grandpierre, Chauffour, Rencker, Melsheim, Keller, Brice, Berlet, Schneegans, Ed. Bamberger, Noblot, A. Bœll, Scheurer-Kestner, Ancelon, demandent la prise en considération de leur texte. Si elle est votée, c'est toute la négociation projetée qui devient impossible.

« Il s'agit de notre honneur, il s'agit de notre unité nationale... », commente brièvement Émile Keller. Cette déclaration doit peser dans les négociations, il ne saurait être question dans les temps présents, « en pleine civilisation », de disposer des peuples contre leur volonté.

Un grand trouble de conscience s'est emparé même de la « majorité rurale ». Mais Thiers se lève aussitôt pour réagir. Il comprend le déchirement de l'Assemblée, il partage sa douleur. Mais elle ne doit pas se laisser entraîner par des paroles « sans savoir ce que nous pouvons mettre derrière ». Il la presse de demeurer logique avec elle-même. Elle veut la paix, n'est-il pas vrai? Alors elle ne peut adopter une motion qui implique la reprise de la guerre. Quant à lui, il rejette tout mandat impératif, il entend qu'on lui laisse une entière liberté de manœuvre.

On finit par biaiser, par renvoyer aux bureaux. Et par adopter la résolution fuyante du rapporteur Beulé :

L'Assemblée nationale, accueillant avec la plus vive sympathie la déclaration de M. Keller et de ses collègues, s'en remet à la sagesse et au patriotisme des négociateurs.

C'est purement et simplement, constatera Rochefort, un blanc-seing.

Une dernière allocution pour adjurer l'Assemblée de consacrer ses forces à l'acceptation d'une paix «qui ne sera acceptée que si elle est honorable ». Entre elle et lui, il y a bien l'engagement pris de remettre le pays à flot, avant de statuer sur ses institutions, et en attendant de maintenir le *statu quo.* Tel est le pacte de Bordeaux. Et le 19, Thiers monte dans son wagon-salon avec ses deux ministres et un diplomate, le baron Baude.

Pendant tout le trajet, entre deux sommes, il ne cessera d'incriminer les responsables des fautes accumulées malgré lui. Pourquoi n'avoir pas traité après la chute de Metz? Aujourd'hui, les Allemands connaissent la situation de la France et vont formuler des exigences insensées. Le spectacle de Paris sans lumières, parcouru de soldats désœuvrés et de gardes nationaux armés, le navre.

Encore plus navrant sera dans quelques jours, à Bordeaux, le rapport de l'amiral Jauréguiberry sur l'état des forces militaires de la France. Comme la plupart des « grosses épaulettes », le héros de Villepion et de Loigny estime impossible de continuer la lutte. Le matériel d'armement et d'équipement, les approvisionnements de vivres et de munitions sont dans un état certes satisfaisant, mais le personnel laisse trop à désirer. Sur 888 000 hommes sous les drapeaux 534 000 seulement ont pu être incorporés dans les armées actives dont 250 000 mobilisés médiocres et mal commandés. En dehors de 15 000 marins, corps d'élite, on ne peut compter, selon lui, que sur 220 000 hommes d'infanterie, qui ne sont pas tous animés de l'ardeur souhaitable. Donc...

Le train roule. Aquitaine, Poitou, Touraine, Beauce, toutes campagnes affligées... Le tiers du pays est envahi par plus de 500 000 Prussiens, Bavarois, Saxons, qui perçoivent les impôts, réquisitionnent, taxent, et surtaxent. Les Français ont 320 000 de leurs soldats prisonniers en Allemagne, 85 000 internés en Suisse, 15 000 en Belgique. Les hôpitaux regorgent de blessés et de malades. Usines et ateliers sont fermés, les affaires dans le marasme, les travaux des champs paralysés par le manque de main-d'œuvre et de chevaux. On admirera, avec le recul, que le franc n'ait jamais été mis en question.

Le mardi 21 février, Thiers est à Versailles et se présente, seul, chez Bismarck.

17

Les préliminaires de paix

Bismarck, dans sa correspondance, ses souvenirs et ses confidences, a beaucoup varié sur le personnage de Thiers. Tantôt il reconnaît les fortes et brillantes qualités de cet esprit distingué, en regrettant presque de devoir traiter aussi durement un tel interlocuteur. Tantôt, il le décrira surfait, marqué par l'âge, facilement décontenancé et trahissant beaucoup trop ce qu'il éprouve pour ne pas se laisser rouler.

Thiers, conscient de toutes les faiblesses de son bagage, devant un vainqueur résolu à faire sentir au maximum sa loi, est d'avance résigné — à la stupéfaction du prince royal, quand finalement il lâchera prise si vite.

Le chancelier attend devant sa cheminée, plantée de bouteilles servant de bougeoirs. Il vient à sa rencontre :

« Ce n'est pas à vous que devrait incomber pareille tâche... »

Tout de suite, sur le tapis, la durée de l'armistice dont le délai expire le jeudi à midi : on ne conclut pas une paix en quarante-huit heures. Bismarck recommence à se retrancher — il en usera et en abusera — derrière les ordres de son souverain. Il admet pourtant la prolongation jusqu'au dimanche 26, mais on rédigera un traité préliminaire.

Maintenant, les conditions allemandes. S'y inscrivent la cession de l'Alsace tout entière, de la Lorraine messine, une indemnité de six milliards, et l'entrée sans condition des vainqueurs dans Paris.

Thiers, quand même, sursaute :

« Si vous me demandez l'impossible, je me retirerai et vous gouvernerez la France. Ravagez-la à votre guise! »

Il va, le 22, visiter Guillaume et le prince héritier. Ils tiennent, l'un et l'autre, à défiler dans Paris comme ils l'ont promis à leurs troupes. On revient aux six milliards : « Personne au monde ne pourrait les trouver, répond Thiers : ce sont des militaires qui vous ont suggéré ces chiffres, non des financiers. »

Il en offre trois.

Mais Bismarck a imaginé de faire venir deux banquiers francfortois, Henckel de Donnersmarck et Bleichröder, tout prêts à avancer ce qu'on voudra contre une hypothèque sur les chemins de fer. Ainsi en use-t-on avec les créanciers douteux comme les Turcs. Voilà qui hérisse Thiers : « C'est une indignité. »

A ces mots Bismarck, qui, jusqu'à présent, s'est fort bien exprimé en français, se met brusquement à parler allemand, et réclame un interprète : « Mes connaissances de votre langue ne sont pas suffisantes pour me permettre de comprendre les dernières paroles de M. Thiers. »

Il se radoucit pourtant, et Thiers obtient que l'indemnité — calculée d'après celle qui fut versée par la Prusse en 1807, et proportionnellement au nombre des habitants — soit ramenée à cinq milliards. On reparle français.

L'État-Major prussien exige Strasbourg et Metz.

Le 24, c'est la journée décisive sur les annexions territoriales. L'idée de garder l'Alsace, répétons-le, n'est pas de Bismarck, mais des généraux. Non pas tant par référence au Saint Empire romain germanique que pour épauler la coupure du Rhin contre toutes nouvelles agressions venues de l'Ouest, comme celles dont l'Allemagne fut l'objet aux temps des jacobins et de Napoléon Ier.

Peut-être Bismarck, personnellement, renoncerait-il à Metz... Il l'a suffisamment confié à la ronde. Mais Moltke l'exige tout aussi fort, pour des raisons de sécurité. Tous les Allemands, à cet égard, sont loin de tomber d'accord. D'aucuns préféreraient prendre le Luxembourg. Le prince royal lui-même s'émeut de ces prétentions soldatesques, il préférerait une politique de modération et suppose que le chancelier pense comme lui. L'État-Major n'en veut démordre à aucun prix. Tant que la Belgique et la Suisse demeureront neutres, il lui faut, pour protéger l'Allemagne, le quadrilatère Coblence,

Metz, Strasbourg et Mayence. Sinon il se retrouvera à la merci d'une offensive mieux conduite que celle de Napoléon III.

Et le chancelier ne peut rien contre l'État-Major. Il se contentera d'avouer à l'occasion qu'il partage les appréhensions de Frédéric-Guillaume : « Nous avons obtenu, écrira-t-il à sa femme, plus que je crois utile, d'après mes calculs politiques personnels... Nous prenons Metz, avec des éléments très indigestes... » Est-il vrai qu'il a raconté à table — le 22 février — que si les Français donnaient un milliard de plus, il pourrait leur laisser Metz, et affecter 800 millions à la construction d'une forteresse puissante du côté de Falkenberg ou de Sarrebruck, ce qui laisserait encore 200 millions de bénéfices? Il est hors de doute qu'il a répété ici et là qu'il ne lui plaisait pas de voir dans sa maison « tant de Français qui n'aimeront pas y être ».

Comment expliquer, si telles étaient les dispositions de Bismarck et du prince royal, et si les généraux s'intéressaient strictement aux fortifications, comment expliquer que la proposition n'ait pas été faite de laisser Metz à la France mais comme ville ouverte, démantelée?

Plus tard, en 1875, Bismarck déclarera impérieuses les raisons qui ont conduit l'Allemagne à s'approprier l'Alsace-Lorraine, « seul rempart sûr de son pays ». Mais tous les témoignages concordent : pendant ces heures «atroces» de Versailles, il a fallu lui forcer la main pour qu'il s'aligne sur les généraux. En fait, il était aussi alarmé que Thiers à l'idée que la guerre pouvait recommencer : et Thiers avait peut-être là une carte à jouer... Les ministres bavarois, badois et wurtembergeois l'ont trouvé en la circonstance « ignorant et discoureur ».

Toujours est-il qu'il cède sur l'Alsace et qu'il cède sur Metz. Non sans se défendre, sans doute : « J'entends encore, rapportera Jules Favre, sa voix brisée par le chagrin, ses paroles entrecoupées, ses accents à la fois suppliants et fiers. »

Et Jules Favre lui-même? Il n'aura été que le très pâle second du numéro un. La commission des quinze ne fait qu'entériner. Thiers tout seul a tout assumé.

Il livrera pourtant un ultime combat pour Belfort. Donner Belfort, qui ne s'est toujours pas rendu? Impossible. Cette fois il menace de rompre, de tout jeter au panier :

« Jamais je ne céderai à la fois Belfort et Metz... Vous voulez ruiner la France dans ses finances, la ruiner dans ses frontières. Eh bien, qu'on la prenne, et qu'on la gouverne, en présence de l'Europe, si elle le permet.

— Croyez-moi, j'ai fait ce que j'ai pu; mais quant à vous laisser une partie de l'Alsace, c'est impossible.

— Je signe à l'instant même si vous me concédez Belfort. Sinon, rien. »

Ébranlé cette fois, Bismarck écrit deux billets pour Guillaume et pour Moltke. On attend. Thiers, mort de fatigue, s'est assoupi, comme il lui arrive souvent, dans son fauteuil. Bismarck pose sur ses genoux, doucement, une couverture. Deux heures passent. Il a fallu chercher Guillaume à la promenade, discuter avec Moltke.

Enfin Bismarck reparaît. La main encore sur la poignée de la porte, il demande :

« Que préférez-vous? Belfort ou notre entrée dans Paris? »

C'est un cri qui sort de la bouche de Thiers :

« Belfort! Belfort! »

1 099 719 Alsaciens, 528 413 Lorrains.

Le 25, le Grand État-Major allemand soulève encore des difficultés, les derniers détails sont pourtant arrêtés. Les signatures sont échangées le 26, entre Thiers et Jules Favre d'une part, et de l'autre Bismarck, chancelier de l'Empire allemand, et les ministres bavarois, wurtembergeois et badois, Bray-Steinburg, Waechter et Jolly :

1° La France renonce en faveur de l'Empire allemand à tous ses droits et titres sur les territoires situés au-delà du liséré vert figurant sur une carte jointe. Deux modifications seulement : en Moselle les villages de Sainte-Marie-aux-Chênes et de Vionville sont cédés à l'Allemagne; par contre, la ville et les fortifications de Belfort resteront à la France.

La cession concerne :

en Alsace, le département du Bas-Rhin en entier, le département du Haut-Rhin (moins la ville de Belfort et 13 communes du canton de Delle);

en Lorraine, dans la Moselle, les arrondissements de Thionville, de Sarreguemines, de Metz (moins 10 communes du canton de

Gorze), 5 communes de l'arrondissement de Briey, dans la Meurthe l'arrondissement de Château-Salins (moins 3 communes du canton de Château-Salins et 10 du canton de Vic-sur-Seille), celui de Sarre-bourg (moins 8 communes du canton de Lorquin), dans les Vosges, le canton de Schirmeck et 7 communes du canton de Saales, dans l'arrondissement de Saint-Dié.

Soit une population (théorique) de 1 099 719 Alsaciens et de 528 413 Lorrains.

2° La France paiera à l'empereur d'Allemagne 5 milliards de francs, dont un milliard en 1871, le reste en trois ans.

3° L'évacuation du territoire français commencera après la ratification du traité par l'Assemblée de Bordeaux. Immédiate-ment, les troupes allemandes quitteront l'intérieur de Paris et les forts de la rive gauche, puis, dès que possible, les départements au sud de la Seine. Elles se retireront des autres graduellement au fur et à mesure des versements.

Les troupes françaises se retireront derrière la Loire jusqu'au traité de paix définitif. Exception est faite pour la garnison de Paris, dont l'effectif ne pourra pas dépasser 40 000 hommes.

4° Les troupes allemandes restant en France seront nourries aux frais du gouvernement français.

5° L'Allemagne n'opposera aucun obstacle à l'émigration des Alsaciens et Lorrains « et ne pourra prendre contre eux aucune mesure atteignant leurs personnes ou leurs propriétés ».

6° Les prisonniers de guerre seront rendus aussitôt après la ratifi-cation des préliminaires.

7° Immédiatement après, les négociations pour le traité de paix définitif s'ouvriront à Bruxelles.

8° Les préliminaires une fois ratifiés, les préfets et perceptions allemandes disparaîtront.

Une entrée symbolique dans Paris.

Rayonnant, Bismarck s'est servi d'une plume en or offerte par des dames d'outre-Rhin. Thiers, anéanti, s'essuyant les yeux et Jules Favre, le cœur oppressé, reviennent à Paris en voiture sans échanger un mot. Il s'agit maintenant pour eux de précipiter la ratification, car la situation dans la capitale peut redevenir explosive.

Comment la population qui gronde et vient d'orner de couronnes et de drapeaux rouges la colonne de Juillet acceptera-t-elle l'humiliation d'une entrée des Allemands?

La convention prolongeant l'armistice a prévu que la partie comprise entre la Seine, la rue du Faubourg-Saint-Honoré et l'avenue des Ternes serait occupée par 30 000 hommes jusqu'à la ratification des préliminaires. Des manifestations de protestation ont déjà eu lieu, sous les auspices d'une organisation « fédérative » de la garde nationale, dirigée par le « Comité central ». On y a décidé de résister par la force, si l'ennemi se montre. Les canons parqués sur la place Wagram ont été enlevés par la foule. On recommence à battre le rappel sans ordre.

Thiers, Jules Favre et Ernest Picard vont expliquer par affiches qu'ils ont fait « tout ce qui était humainement possible », que l'occupation sera limitée au quartier des Champs-Élysées, que, si la convention n'était pas respectée, « d'affreux ravages atteindraient toute la France », mais qui peut dire qu'ils seront entendus? Vinoy sera-t-il suivi par sa garde nationale qu'il exhorte à maintenir, malgré les excitations, un ordre scrupuleux?

On redoute le pire et, curieusement, le mardi 28, dans l'après-midi, le même Comité central de la garde nationale qui avait d'abord appelé le peuple aux armes, fait savoir qu'il se range au sentiment général et veut éviter toute agression qui serait le renversement immédiat de la République. Sa nouvelle consigne est d'isoler la zone d'occupation avec des barricades et un cordon de sentinelles pour empêcher toute communication avec le reste de Paris. Un coup de main contre la caserne de la Pépinière ne sera pas pour autant décommandé, mais dans la soirée l'agitation se calme et fait place à l'angoisse.

Le mercredi est froid et sec. La ville est en deuil, sans journaux, ni omnibus, ni cafés, ni restaurants, théâtres fermés, administrations en grève, drapeaux noirs aux mairies, nœuds de crêpe aux guidons des bataillons de la garde nationale. Celle-ci est partout à son poste, barrant toutes les voies d'accès à la Concorde et aux Champs-Élysées.

Précédés d'une forte avant-garde, les Allemands débouchent au matin sur le rond-point de l'Étoile — l'Arc de triomphe a été obturé pour les obliger à le contourner. Le gros des troupes après une revue à Longchamp, défilera dans l'après-midi, dans des rues sans passants. Les officiers flambent neuf, les soldats beaucoup moins. Ils sont même « affreusement sales », retiendra Jules Claretie. Ils font leur cuisine sur le trottoir. Tout est clos sur leur passage, les statues de pierre de la Concorde sont voilées. Leurs musiques jouent sur des places désertes. A la nuit, entre les façades sans lumières, leurs patrouilles martèlent sinistrement le pavé.

Ce n'est pas l'entrée triomphale annoncée par les généraux : mais vendredi 3 mars, l'empereur Guillaume doit se rendre en grand appareil, tous drapeaux déployés, aux Tuileries et y recevoir l'hommage de ses princes.

Seulement la cérémonie n'aura pas lieu, les préliminaires ayant été ratifiés auparavant, et la convention est formelle. Les officiers ne retourneront pas au Louvre, où leur apparition le jeudi a été saluée par des huées et a entraîné une protestation de Vinoy. Il leur faut plier bagage et s'en aller sous les quolibets de Gavroche. Pour être allées les regarder de trop près, des filles seront fouettées, et à peine auront-ils quitté l'Étoile qu'on y brûlera des tas de paille : purification.

L'occupation de Paris aura duré exactement deux jours. Guillaume a voulu que fût respectée scrupuleusement la convention, mais il est furieux : « On nous chasse », répète-t-il. Il se faisait une telle joie de sa parade... Et maintenant, il lui faut même déménager de la préfecture de Versailles.

Une incroyable précipitation.

C'est avec une incroyable précipitation que l'Assemblée a accordé à Thiers la ratification des préliminaires.

Il fait son entrée, le 28, dans la salle des séances. Le silence est de plomb. Les représentants, atterrés, savent déjà, ou devinent. Dès les premiers mots de son récit, les dernières illusions s'en vont. Il parle d'une voix étranglée :

« Vous nous jugerez... »

Il demande l'urgence, le vote devant être le signal de retour des prisonniers et de l'évacuation des départements occupés, Paris compris. Quant aux cessions territoriales, il laisse à Barthélemy-

Saint-Hilaire le soin de les énumérer, canton par canton. Des yeux se mouillent, des grondements se font entendre :

« C'est une honte, lance le socialiste Tolain.

— S'il y a de la honte, riposte vivement Thiers, elle sera pour tous ceux qui à tous les degrés, à toutes les époques, ont contribué aux fautes qui ont amené cette situation... J'ai passé la nuit debout. J'ai quitté Paris hier au soir, et quand je parle ainsi, je désire être compris sans rien ajouter davantage. »

L'urgence est votée. Dans la soirée, Émile Keller et des collègues alsaciens et lorrains montent à l'entresol de l'hôtel de France pour tenter auprès de Thiers une dernière démarche. Il défend durement sa porte, ne veut même pas qu'ils entrent :

« Je sais, je sais ce que vous allez me demander. Allez, allez, c'est une chose impossible. Ne la formulez pas. Allez, allez, je n'y puis rien. Je n'y répondrai pas. Retirez-vous, retirez-vous.

— Mais, monsieur Thiers, on nous vend, on nous abandonne. Les lois divines et humaines interdisent de livrer une population comme un troupeau!

— Sortez, vous dis-je, je ne veux, je ne puis pas vous entendre. Retirez-vous. »

Une scène exécrable. On veut supposer que, les visiteurs ainsi congédiés, Thiers, brisé, s'est effondré en sanglots.

Le lendemain 1er mars, l'Assemblée est saisie du projet de loi de ratification des préliminaires. Les abords sont gardés par des fantassins, des marins, des cuirassiers. Des attroupements se forment, fébriles. A l'intérieur, les dames des galeries, en toilettes, se montrent Gambetta, appuyé contre une colonne, l'air absent, Trochu, vraiment trop désinvolte et sarcastique.

Victor Lefranc, au nom de la commission des quinze, ouvre le débat, concluant à l'adoption. Edgar Quinet s'élève contre l'intolérable prétention de la Prusse, qui ne se contente pas d'user de la force, mais veut obliger l'Assemblée à mutiler elle-même la France. Victor Hugo jette des phrases enflammées :

« Un jour, la France ressaisira la Lorraine et l'Alsace. Est-ce tout? Non, elle ressaisira Trèves, Mayence, Coblence, Cologne, toute la rive gauche du Rhin. Elle criera : « C'est mon tour! Alle-« magne me voilà. Sommes-nous ennemies? Non! Je suis ta sœur. « Les peuples ne feront plus qu'un seul peuple, une seule république « unie par la fraternité. »

« Soyons les États-Unis d'Europe, la liberté et la paix universelle. Et que la France dise à l'Allemagne : « Nous sommes amies, je « n'oublierai pas que tu m'as débarrassée de mon empereur, moi je « viens te débarrasser du tien! »

Cette grandiloquence trouve dans la majorité rurale peu d'échos. A son tour, Louis Blanc condamne cette paix qui n'étant pas juste, ne peut être durable, appelle les Français à se battre encore dans leurs montagnes et sur les mers. Millière revendique pour la France le droit de la déchirer, cette paix, dès qu'elle le pourra. Se succèdent des orateurs imprévus, tel Changarnier, qui accuse Napoléon Ier — l'autre — d'avoir voulu détruire la Prusse jadis, crime, qu'il faut aujourd'hui payer. Soudain on voit à la tribune monter Émile Keller.

Ce n'est pas Keller qui devait intervenir au nom des Alsaciens, mais le professeur Küss, maire de Strasbourg : la douleur l'a terrassé, et il se meurt tout près de là.

« Son agonie, déclare Keller, est le plus éloquent des discours. Pour rester Français, nous avons fait tous les sacrifices et nous sommes prêts à les faire encore. Nous voulons être Français et nous resterons Français : il n'y a pas de puissance au monde, il n'y a pas de signature, ni de l'Assemblée, ni de la Prusse, qui puisse nous empêcher de rester Français... Ce traité est une injustice, un mensonge, un déshonneur! »

Il en appelle à Dieu, à la postérité, aux peuples, à l'épée de tous les gens de cœur... Acclamé par la gauche, il regagne sa place et croise Thiers qui l'interpelle sèchement :

« Donnez-nous les moyens! »

Et comme Keller ne répond pas :

« Alors il ne faut pas nous donner des paroles! »

Malgré son émotion qui ira parfois jusqu'aux larmes, Thiers s'est ressaisi. Il plaide. Il plaide l'impuissance de la France militairement défaite dès le début d'une guerre déclarée avec une imprudence sans égale. Persévérer, avec des paysans courageux mais mal instruits devant une armée ennemie de 500 000 hommes serait vouloir détruire la France. Il plaide l'avenir qu'il faut sauver. Lui qui ne l'a pas voulue, cette guerre, il avait espéré émouvoir... Il n'y est pas parvenu. Il conjure néanmoins l'Assemblée de ratifier... C'est une des plus grandes douleurs de sa vie, mais il faut avoir le courage de son malheur!

Au cours de la séance éclatera un violent incident. Bamberger, député de la Moselle, parle des fils, Alsaciens et Lorrains condamnés à devenir Prussiens, Napoléon III aurait dû signer lui-même ce traité honteux!

« Il ne l'aurait jamais signé! » réplique un bonapartiste corse qu'appuie véhémentement Conti.

Celui-ci s'empare de la tribune à son tour et — non sans aplomb — défend l'empereur et l'Empire, rappelant du reste à quelques-uns qu'ils ont, après tout, prêté serment. C'est alors le grand tumulte. L'Assemblée se venge sur ce maigre poète à lorgnon. « Déchéance! Déchéance! Hors la loi le 2 décembre! » Mais qu'est-ce donc, à côté de Conti, ce visage sanguin, cette barbe et ces cheveux blancs? Victor Hugo lui-même dont l'apparition fait crier : « *Châtiments!* C'est l'heure du châtiment! »

A la reprise, car il a fallu suspendre, une motion est déposée sur le bureau, confirmant la déchéance de Napoléon III et de sa dynastie, et le déclarant « responsable de la ruine, de l'invasion, du démembrement de la France ». Et comme Gavini tente de relayer Conti :

« C'est vous, glapit Thiers, vous qui protestez, qui avez voulu cette guerre... Vous avez méconnu la vérité. Elle se dresse aujourd'hui devant vous, et c'est une punition du Ciel de vous voir ici obligés de subir le jugement de la nation, qui sera le jugement de la postérité! »

Au plus creux de la détresse nationale, il est facilement payant de pointer le doigt vers des coupables. Thiers, qui a grand-peine à défendre son prestige devant l'indignation douloureuse des Alsaciens et des Lorrains, exploitera à fond cet incident Conti. On verra même le jeune Clemenceau surenchérir, en demandant au nom d'un club positiviste — il était alors disciple d'Auguste Comte — que la Corse ne fasse plus partie de la France : heureusement on ne prend pas sa motion au sérieux, il en tombe de tous les côtés d'aussi biscornues.

La protestation des annexés.

Il ne reste plus qu'à voter, à la tribune. Bulletins blancs pour la ratification, bleus contre. Blanc, c'est la paix, bleu, c'est la guerre. C'est le dénouement. La mort dans l'âme, mais résolument — on les a mandatés pour voter la paix — 546 députés approuvent Thiers, contre 107. Il y a 23 abstentions. « La tristesse de ceux qui subissent, relatera Jules Simon, est égale à la tristesse de ceux qui protestent. »

Sitôt proclamé le résultat du scrutin, les représentants alsaciens et lorrains se lèvent, pâles et tremblants, pour entendre leur collègue Jules Grosjean, du Haut-Rhin, lire la protestation historique :

Livrés au mépris de toute justice, et par un odieux abus de la force, à la domination de l'étranger, nous avons un dernier devoir à remplir :

Nous déclarons encore une fois nul et non avenu un pacte qui dispose de nous sans notre consentement.

La revendication de nos droits reste à jamais ouverte à tous et à chacun dans la forme et dans la mesure que notre conscience nous dictera.

Au moment de quitter cette enceinte où notre dignité de nous permet plus de siéger, et malgré l'amertume de notre douleur, la pensée suprême que nous trouvons au fond de nos cœurs est une pensée de reconnaissance pour ceux qui, pendant six mois, n'ont pas cessé de nous défendre, et d'inaltérable attachement à la patrie dont nous sommes violemment arrachés.

Nous vous suivrons de nos vœux et nous attendrons avec une confiance entière dans l'avenir que la France régénérée reprenne le cours de sa grande destinée.

Vos frères d'Alsace et de Lorraine, séparés en ce moment de la famille commune, conserveront à la France, absente de leurs foyers, une affection filiale, jusqu'au jour où elle viendra y reprendre sa place.

La lecture faite, et applaudie au milieu d'une émotion intense, tous les députés de l'Est se retirent, lentement. A cette heure même meurt Émile Küss. Devant son cercueil à Bordeaux, Gambetta prononcera le mot de revanche : « Ce sera la protestation du droit et de la justice contre la force et l'infamie. » Et Teutsch, à Strasbourg, fera crier par une immense assistance : « Vive la France! »

Peu après mourra Félix Maréchal, dernier maire de Metz français.

Les « trente sous » se fédèrent.

Maintenant Thiers est pressé, pressé.

D'abord de voir évacuer Paris. Il se hâte de faire établir le procès-verbal de la séance de l'Assemblée, le remet à un secrétaire d'ambassade qui part pour Versailles. Aux premières heures du 2 mars, la pièce est remise par Jules Favre à Bismarck.

Mais ce sont les Parisiens, surtout, qui préoccupent Thiers. Les nouvelles ne sont pas bonnes. Des dépôts d'armes ont été pillés. On parle de plus en plus de ce Comité central qui s'agite et qui agite. Sous le moindre prétexte, dans les faubourgs, on entend à nouveau le rappel. Thiers s'est depuis toujours méfié de la « vile multitude », et celle-ci recommence à exagérer. De jour en jour, la situation s'aggrave. On assomme des sergents de ville. A tout propos, la rue surexcitée crie au Prussien ou au mouchard. Un nommé Vicentini a été jeté à l'eau, du quai Henri-IV, dûment garrotté, sans que personne pût vraiment dire pourquoi. Les marins, disciplinés, représentent encore un élément d'ordre, mais à partir du 8 mars ils repartiront pour Cherbourg, Brest et Rochefort; les derniers, ceux de Toulon, le 17 au soir.

Qu'est-ce au juste que ce Comité central qui donne l'impression, tour à tour, de contenir et de tenir la fameuse multitude?

La garde nationale, à Paris, a vu, depuis l'Empire, ses effectifs grossir jusqu'à 260 bataillons, commandés par des officiers élus, bons ou mauvais, beaucoup étroitement contrôlés par les clubs, surtout blanquistes, et les groupuscules internationalistes. Depuis l'armistice, la plupart des bourgeois ont rendu leurs fusils, leurs képis, leurs « godillots » et leurs guêtres pour vaquer à leurs affaires. Ceux qui font nombre désormais au rassemblement sont les « trente sous », ceux qui, pour vivre, ont grand besoin de cette maigre solde. Saupoudrés d'intellectuels, enseignants, avocats, journalistes, ce sont des ouvriers et des artisans vivant dans des taudis, dont le luxe du Second Empire a insulté la misère. Volontiers hirsutes, ils parlent la langue des faubourgs et, en fumant leur brûle-gueule, applaudissent aux péroraisons des orateurs d'estaminets qui pullulent. Comment respecteraient-ils ce « monsieur » Thiers en qui ils discernent sans peine un « ennemi de classe »?

Maintenir, dans la garde nationale la solidarité des « bons » contre les autres, en vue surtout des élections : telle a été l'idée première de cette Fédération républicaine de la garde nationale, d'où est sorti ce Comité central qu'on a vu s'interposer, lors de l'entrée des Allemands aux Champs-Élysées, pour éviter le pire. Les gardes nationaux affiliés sont désormais les *fédérés*. Et soudainement on a la révélation, jusqu'à Bordeaux, d'une puissance nouvelle qui, effectivement, se fait obéir à Paris.

Le Comité central a pour lui tous ceux qui n'acceptent ni la capitulation, ni le retour en force de ces réactionnaires provinciaux, qui bafouent les souffrances du siège et ne pensent qu'à réinstaller, à défaut d'un empereur, un roi. Cela fait beaucoup de monde. Le 3 mars, la Fédération républicaine a publié ses statuts, revendiquant le droit pour les bataillons de nommer tous leurs chefs et de les révoquer. Elle a même été saisie d'une motion menaçant, si Paris était « décapitalisé », de constituer la grande ville en République indépendante.

Versailles capitale.

Précisément, à Bordeaux, il n'est question que de cela, de « décapitaliser » Paris. La nouvelle, confirmée, que la garde nationale a parqué quelque 500 canons et mitrailleuses à Montmartre et à Belleville et refuse de s'en dessaisir, cause une sorte de panique. Jules Favre, du Louvre, multiplie les appels au secours, mais Thiers ne veut « remonter » qu'avec des troupes sûres. Il ne les a pas. La majorité de l'Assemblée hésite entre Bourges, Orléans, Fontainebleau, Versailles. C'est en fin de compte Thiers qui décide : Versailles.

Paris, aux yeux des Bordelais, est devenu impossible. On tient Paris pour responsable de cette guerre folle, et de la révolution du 4 septembre, et de l'insurrection du 31 octobre, plus encore de la prolongation « criminelle » de la résistance. On ne veut plus de ce « chef-lieu de la révolte », de cette « marmite bouillante », d'où l'on édicte, par télégraphe, les changements de régime. N'importe quelle capitale, mais sûrement pas Paris.

Versailles? Le 10 mars, Louis Blanc, qui tient à la capitale traditionnelle, est battu par 461 voix contre 104. Ce sera donc Versailles, prochaine séance le 20.

Le 14, Thiers reprend le train, et qui l'aime le suive.

Ils ne le suivent pas tous. Gambetta a résigné son mandat de député pour aller se reposer à Saint-Sébastien. Démissionnaires également Rochefort, Arthur Ranc, Benoît Malon, Delescluze, Razouat, Courbet, Félix Pyat, Tridon et Victor Hugo qui sort « bruyamment » de cette Assemblée où l'on ne l'écoute pas. Étrange idée, par parenthèse, celle que certains ont lancée, de mettre en accusation les ministres du 4 Septembre!

Mais l'opposition n'a pas de chef, devant Thiers qui seul compte, — et qui va laisser sa majorité commettre faute sur faute. Après le déplacement de la capitale, celle, le 10 mars, de rendre immédiatement exigible le paiement des loyers, puis le règlement, le 13, avec intérêts, des effets de commerce prorogés depuis le 13 avril 1870. Celle, encore, de supprimer la solde de la garde nationale pour tous ceux qui ne présenteront pas un certificat d'indigence. Les gentilshommes et propriétaires ruraux de l'Assemblée n'ont probablement pas « réalisé » que c'était là de véritables provocations.

Dans un Paris sans travail, la loi sur les échéances se traduit par 150 000 protêts, soit 45 000 boutiquiers ou artisans en péril de faillite et menacés d'expulsion. Priver de leurs trente sous les hommes et leurs épouses de leurs quinze sous, alors que nulle part on n'embauche, veut dire condamner 300 000 foyers à la misère. Pour faire bonne mesure, on désigne, pour reprendre Paris en main, les généraux en telles circonstances les moins recommandables. Vinoy, placé à la tête de l'armée, est un ancien sénateur de l'Empire. Aurelle de Paladines, « bombardé » chef de la garde nationale de la Seine, est un homme du 2 décembre, relevé par Gambetta de son commandement sur la Loire. Valentin, nouveau préfet de Police, encore un bonapartiste. Et comme si ce n'était assez, un arrêté paru le 12 à l'*Officiel* suspend six journaux, *Le Vengeur* de Félix Pyat, *Le Cri du Peuple* de Jules Vallès, *Le Mot d'Ordre* de Rochefort, *Le Père Duchêne* de Vermersch, *La Caricature* de Pilotell, *La Bouche de Fer* de Paschal Grousset. Ce n'étaient certes pas tous des libelles de haute qualité, ni même de bon goût. Cette censure ne renforcera pourtant pas l'autorité du gouvernement, qu'on accusera de préparer un coup d'État. Était-il même opportun de brusquer la condamnation à mort (par contumace) de Flourens et de Blanqui pour l'affaire du 31 octobre que l'on supposait, d'un commun accord, oubliée? Vinoy ne cesse de signaler des symptômes inquiétants d'exaltation populaire, et réclame des effectifs.

L'aube du 18 mars.

En fait, le grand souci de Thiers est de rassurer sa majorité rurale, de lui prouver qu'elle peut venir siéger à Versailles, comme convenu, dès le 20, sans avoir à craindre « les canons de l'ennemi ou les pavés de l'émeute ». Le monde des affaires compte sur son énergie. Installé le 14 à la préfecture, que vient de quitter l'empereur Guillaume, il prend ses dispositions. De toute urgence, soumettre Paris. Des troupes ? On lui envoie surtout de jeunes recrues mal instruites, mal commandées mais il ne prend guère au sérieux les « tapageurs » des faubourgs. Une démonstration de force doit les obliger à rendre cette artillerie qu'ils se sont appropriée : ils soutiennent, eux, qu'elle a été payée pendant le siège par souscriptions, et qu'ils n'ont nullement à la rendre, surtout s'il s'agit de la livrer à l'ennemi. Donc, objectif : les Buttes-Chaumont, la rue de Flandre, la Chapelle, Clichy, Belleville, Ménilmontant, la place des Vosges, mais d'abord surtout les terrains vagues de Montmartre, où ils détiennent cent soixante et onze bouches à feu braquées sur la ville.

Le 17, il convoque Vinoy, Aurelle de Paladines, Jules Ferry, maire de Paris, Choppin préfet de Police provisoire. L'opération est au point, les colonnes se mettront en marche à deux heures du matin. Une proclamation sera affichée dans la nuit : que les bons citoyens se séparent des mauvais, qu'ils aident la force publique au lieu de lui résister. Ainsi hâteront-ils le retour de l'aisance dans la cité, en servant la République, « que le désordre ruinerait dans l'opinion de la France ». Les derniers mots sont une mise en demeure : « Cet avertissement donné, vous nous approuverez de recourir à la force, car il faut à tout prix, et sans un jour de retard, que l'ordre, condition de votre bien-être, renaisse entier, immédiat, inaltérable. »

Le jour qui se lèvera sera celui du 18 mars — et de la Commune.

18

Francfort et les suites

La Commune : soixante-douze jours de convulsions dont les détails n'entrent pas dans le cadre de ce récit [1].

Comment les événements auraient-ils tourné pour Thiers, pour la France, pour l'Europe, si cette insurrection, conduite avec plus de préméditation et de résolution et moins de romantisme, avait tout de suite lancé ses bataillons contre Versailles?

Thiers, pour protéger l'Assemblée, ne disposait alors que de troupes douteuses, sans formation ni conviction. Celles qui, le 18 mars, à Montmartre, mirent tout de suite la crosse en l'air, fraternisèrent avec les gardes nationaux révoltés, oubliant vite ces canons à reprendre, ces attelages à amener, voire participèrent, tel le 88e de ligne, à l'exécution, rue des Rosiers, des généraux Lecomte et Clément Thomas.

Que fût-il arrivé si, au lieu de laisser le chef de l'exécutif se retirer à bride abattue par le pont de Sèvres, vers la cité des rois, le bataillon mutiné défilant sous ses fenêtres, quai d'Orsay, avait eu l'idée de l'enlever avec le général Le Flô? « Je crois que nous sommes flambés », avait opiné celui-ci.

Pendant les jours suivants, il aurait suffi aux fédérés de le vouloir pour occuper Versailles et sa préfecture, forcer l'Assemblée à s'en retourner à Bordeaux ou à chercher refuge ailleurs.

Mais les fédérés n'avaient pas de chefs. Ils omirent même de prendre possession du Mont-Valérien, position-clé. Leur Comité central, mélange hétéroclite de patriotes exaspérés, de doctrinaires

---

1. Voir André Guérin : *1871, la Commune*, Hachette.

proudhoniens, jacobins ou marxistes, de généreux et d'illuminés, de sages, de discoureurs et d'exagérés, était aussi peu que possible préparé à l'action.

Pendant que Thiers, recouvrant son souffle et ses esprits, appelait à lui tous officiers, soldats et fonctionnaires demeurés dans l'obéissance, et se mettait en devoir de vider Paris pour y rentrer un jour par la force, à la manière de Windischgraetz, en 1848, dans Vienne, le Comité central ne pensait qu'à faire, très légalement, des élections.

Maître de l'Hôtel de Ville, des ministères et des mairies, maître d'au moins 80 000 hommes en armes et décidés, comme ceux qui n'hésitèrent pas à tirer, place Vendôme, sur d'encombrants manifestants modérés, il devait attendre jusqu'au 26 mars pour installer, dans les formes, cette assemblée municipale élue, la Commune saluée par un fol enthousiasme populaire dans les sonneries de cuivres, les roulements de caisses et les chœurs, et ce vaste frémissement de drapeaux rouges, spectacle qui transporta Jules Vallès.

Thiers, de son côté, agissait, donnait des ordres pour recevoir et regrouper d'urgence les prisonniers revenus d'Allemagne, reconstituer des batteries, des parcs de munitions, faire le tri des éléments sûrs, les caserner, les équiper, les chapitrer. Bientôt il aura réuni, lui aussi, 80 000 hommes. En six semaines, avec les complaisances de Bismarck il en comptera le double, et plus encore.

Mais si le 2 avril, la Commune avait réussi sa marche sur Versailles?

C'est dans toute sa hideur, la guerre civile.

Une grande chance pour Thiers que la Commune eût laissé à l'arrière-plan ou traité d'aussi infantile manière l'aspect militaire de ses problèmes et négligé la lutte contre les « capitulards », pour rédiger des textes contre l'exploitation capitaliste, sur l'autonomie communale, l'instruction laïque, publique et obligatoire, la séparation de l'Église et de l'État, la limitation de la durée du travail, l'association des personnels à la gestion des entreprises — toutes idées considérées en ce temps-là comme atrocement anarchistes. Quelle autre chance pour lui, alors que la Banque de France se trouvait à la merci de leurs bataillons, que les délégués Jourde, Varlin, Charles Beslay aient si patriotiquement respecté les trois milliards

trois cent vingt-trois millions de francs-or de l'encaisse! En deux
mois ils ne se firent avancer, pour le fonctionnement des services
publics, que sept millions. Quels n'eussent pas été les moyens de
pression de l'insurrection si elle avait osé porter la main sur la
« fortune de la France »?

Sans relâche, Thiers s'était employé à rassurer une Assemblée
apeurée en magnifiant cette armée qui s'organisait sous lui « une
des plus belles que la France eût possédée ». Il s'avançait beaucoup
et ne pouvait dire au juste ce que vaudraient ces régiments : du
moins jusqu'à ce début d'avril où deux brigades de sergents de ville
et d'infanterie de marine s'avancèrent au contact des fédérés au
rond-point des Bergères, les rejetant sur Courbevoie et Puteaux.
Vive émotion dans Paris, où la Commune se croyait invincible, et
où retentit un cri : « A Versailles! » Première bataille rangée qui
devait surtout démontrer, sous le feu du Mont-Valérien, autour de
Meudon et sur le plateau de Châtillon la totale insuffisance des
généraux improvisés, Bergeret, Eudes, Duval. Celui-ci encerclé fut
pris et fusillé sur place par Vinoy. Abandonné par ses troupes, Flourens fut abattu à coups de sabre par un capitaine de gendarmerie.
A Chatou, le général marquis de Galliffet, grand amateur de feux de
peloton (qualifié de « bête féroce » par Léon Daudet dans son *Paris
vécu*), fit « régler leur compte » à plusieurs « bandits de Paris », et
l'élégant public versaillais se chargea de traiter assez sauvagement
les prisonniers enchaînés. Les foules affreuses, quelles qu'elles soient!

Dès lors, la guerre civile devait se faire inexpiable. Thiers, maintenant sûr de la victoire, repoussait toutes les offres de conciliation,
fût-ce la libération de Blanqui contre celle de Mgr Darboy, arche-
vêque de Paris. La Commune, sans tête véritable, continuait à
délibérer très inconfortablement parmi les tendances rivales et parfois ennemies, les ambitions personnelles aussi, sans compter les
manifestations tumultueuses de beaucoup trop de pseudo-guerriers
chamarrés et emplumés, aux bottes excessivement vernies. Suivirent,
l'institution du service obligatoire, la chasse aux réfractaires, les
perquisitions, le zèle fanatique de Raoul Rigault à l' « ex »-préfecture
de Police, les arrestations au petit bonheur. Plus d'incohérences que
de vilenies : la Commune n'eut pas le temps de parvenir à l'âge
adulte.

Si Thiers haïssait la « vile multitude », les « communards » le lui
rendirent bien, à ce *Foutriquet, Nain grotesque,* ce *Tamerlan à*

lunettes, ce *général Boum*, ce *Vieux drôle*. Ils firent démolir son hôtel de la place Saint-Georges, peu avant de renverser la colonne Vendôme. Mais ils ne parvinrent qu'aux tout derniers jours — et encore — à dominer leurs divisions. Tandis que les gros canons de Versailles prenaient pour cibles Issy et Vanves, et Passy, Auteuil, puis les Ternes, puis l'Étoile et les Champs-Élysées, ils usaient deux délégués à la Guerre. Cluseret, saint-cyrien aventurier, compétent mais brouillon; Louis Rossel, polytechnicien, officier du génie, ulcéré par les préliminaires de paix, et déchaîné contre le « parti couard ». Le 10 mai leur succédait Delescluze, vétéran du journalisme révolutionnaire, aussi peu qualifié que possible pour commander des troupes.

Enlisée dans des discussions oiseuses pour ou contre un comité de salut public, la Commune était perdue, malgré les prouesses de Dombrowski, Wroblewski, La Cécilia, malgré la vaillance de ses « combattants aux bras nus ». Le dimanche 21 mai — négligence inimaginable de la garde aux remparts, et trahison à la fois — les Versaillais franchissaient la porte de Saint-Cloud écroulée, et l'arme sur l'épaule, pénétraient jusqu'au Trocadéro, dépassaient l'Arc de Triomphe, s'enfonçaient dans le faubourg Saint-Germain. Ils s'arrêtèrent, la nuit venue, à la gare Saint-Lazare, au Palais-Bourbon, aux Invalides, à Montparnasse, mais ils auraient pu tout aussi bien pousser droit devant eux et en finir.

La semaine sanglante.

La bataille de rue sur les barricades, réduites l'une après l'autre par des mouvements tournants, devait se prolonger une semaine — la terrible *semaine sanglante*. Avec ses épisodes évoqués devant tant de tribunaux et dans tant de relations contradictoires.

La défense de Montmartre par un détachement de femmes, la capture de Louise Michel et la mort de Dombrowski. Les exécutions sommaires commandées par Galliffet. La légende des compagnies de pétroleuses, mais la réelle mise à feu des Tuileries, du Conseil d'État, du palais de la Légion d'honneur, de l'Hôtel de Ville. Le repli de la Commune sur la mairie du XIe. Le massacre des suspects ou prétendus tels sous la fureur des « pantalons rouges », titubant de fatigue et d'eau-de-vie. Les combats sans pitié du Panthéon, de la rue Gay-Lussac. Les feux de salve de la caserne Lobau. Les blessés achevés dans les ambulances. Les cours martiales à tous les carrefours. Le cadavre de Rigault sur le pavé, de Rigault qui venait de faire abattre le loyal républicain Gustave Chaudey, celui de Millière, agenouillé de force devant les douze fusils. L' « insolence », notée par tous les témoins, de ces fusillés, qui défiaient et narguaient. L'exécution des otages à la Grande-Roquette, dont le président Bonjean, de la Cour de cassation, et Mgr Darhoy. Celle des dominicains d'Arcueil, devant la prison de l'avenue d'Italie. Celle des jésuites, des gardes de Paris et des policiers de la rue Haxo. L'autre retrait de la Commune à la mairie du XXᵉ, rue de Belleville, les ultimes heures nourries d'ultimes palabres alors que Clinchant, Douay, Vinoy, Ladmirault se rabattaient sur elle, que Montmartre canonnait les Buttes-Chaumont et Ménilmontant et que flambaient, après le théâtre de la Porte-Saint-Martin, l'Arsenal et le Grenier d'abondance, les docks de la Villette. Les Allemands contemplant le spectacle de Saint-Denis, et jubilant. Le Père-Lachaise et le mur de la rue du Repos où l'on poussa les derniers à tuer. Le suicide de Delescluze, allant s'offrir aux balles, au Château-d'Eau, son écharpe rouge nouée autour de sa redingote. Brunel, Vermorel, Protot, Oudet, Frankel grièvement blessés. Varlin, dans la soirée du 28, alors qu'on ne tire plus, lynché rue des Rosiers. Et cette longue traînée rouge qui, à la fin de la semaine sanglante, coulait sous le Pont-Neuf : « Le sol est jonché de leurs cadavres, avait télégraphié Thiers : ce spectacle affreux servira de leçon... »

La Justice militaire annonça 17 000 morts. Camille Pelletan dira 30 000, Mac-Mahon chiffrant à 877 tués les pertes versaillaises. On saura trois ans plus tard le bilan officiel de la répression : 285 condamnations à mort, dont 8 femmes, 432 aux travaux forcés, 4 017 à la déportation dans une enceinte fortifiée, 3 507 à la déportation simple, sans compter quelque 5 000 à la réclusion, au bannissement, à la surveillance de la haute police — et 3 313 sentences rendues par contumace.

Sans attendre la fin, l'Assemblée avait déjà résolu : les armées de terre et de mer, et le chef du pouvoir exécutif « ont bien mérité de la patrie ».

Thiers tout-puissant.

La toute-puissance de Thiers, pour un temps au moins, ne saurait être contestée. Il a maté l'insurrection de Paris, comme à moindre frais, celles de Lyon, du Creusot, de Saint-Étienne, de Narbonne, de Toulouse, de Limoges, de Marseille. Plus quelques mouvements à Perpignan, Bordeaux, Périgueux, Cuers. Plus, en Algérie, le soulèvement des Kabyles. L'Assemblée, quoiqu'au fond monarchiste, est à sa dévotion. Une objection quelconque s'exprime-t-elle, et le voilà debout, le toupet en bataille, faisant savoir, aigrement, qu'il n'entend pas être gêné dans l'accomplissement de sa tâche, ou alors il s'en va. Il ne faut pas qu'on le tracasse.

On ne le tracassera pas. Nul n'a plus sourcillé, depuis le vote des préliminaires, pendant la rencontre de Bruxelles, ouverte le 28 mars pour mettre au point le traité de paix définitif.

A l'hôtel du Cygne : un document en français.

La sécession parisienne n'a certes pas renforcé la confiance de Bismarck, que préoccupe surtout le règlement de ses cinq milliards. Ni rapproché de nous les puissances européennes, alarmées par ce nouveau « foyer d'anarchie ».

Jules Favre s'entend réclamer de nouvelles garanties. L'Allemagne avait tablé sur le rapatriement, dans un délai très court, de son armée : l'éloignement de ses jeunes hommes est de plus en plus pénible et coûteux; l'économie en souffre, le budget aussi... Bref il faudra recommencer à marchander.

On se retrouve pourtant le 6 mai à Francfort, à l'hôtel du Cygne, pour conclure. Jules Favre et Pouyer-Quertier devant le chancelier, un chancelier qui parlerait presque de tout remettre sur le tapis, à cause de la Commune : au fond on le sait très impatient d'en terminer.

Les Français s'en tirent au plus juste — leur semble-t-il — avec de légères concessions sur le maintien des garnisons prussiennes dans les forts du nord de Paris. Les modalités de versement, pour les cinq milliards, sont approuvées sans trop de complications : un milliard dans le courant de 1871, les quatre autres en trois ans, et portant intérêts moratoires à 5 %.

Accord pareillement fait sur l'échange de 6 000 hectares autour de Belfort, rétrocédés à la France, contre 10 000 hectares attenants au bassin de Briey : c'est la seule retouche à la carte au liséré vert de l'État-Major prussien. Sur le rachat des chemins de fer dans la région annexée on transige à 325 millions. Il est entendu enfin — mais c'est assurément façon de dire — que l'Allemagne ne soulèvera pas de difficultés pour la libre option des Alsaciens et des Lorrains : ceux qui voudront quitter le pays pourront (en principe) emporter leurs biens, jusqu'au 31 octobre 1872.

C'est tout. On signe le 10 mai — alors que Versailles bombarde Paris — le document rédigé en français : d'une part Jules Favre, Pouyer-Quertier, de Goulard, de l'autre Bismarck et Arnim.

Le traité de Francfort sera, à peu près sans débat, ratifié par l'Assemblée par 433 voix contre 98. Mieux vaut pour ceux qui l'approuvent, jeter leur bulletin dans l'urne et s'en aller, sans plus de paroles. Qu'oseraient-ils ajouter?

« Maintenant, commente Bismarck, nous ne devons plus songer qu'à rapprocher nos deux nations.

— Malheureusement, répond Jules Favre, je crains que ce vœu soit plus facile à former qu'à réaliser. Les conditions imposées ne nous y préparent pas. Nous nous y conformerons. Nous ne pouvons promettre davantage. »

Là-dessus, le public parisien, aussi versatile que toujours, fera un succès frénétique à Thiers quand — premier signe du relèvement national — le 29 juin, sur cet hippodrome de Longchamp (où Guillaume trois mois avant s'est fait acclamer par son armée), il osera rassembler 120 000 soldats français en tenue de campagne, 15 000 cavaliers et ce 54e de ligne, qui défendit Bitche et refusa de se rendre. Lorsque Mac-Mahon s'avancera pour saluer du sabre, dans l'ancienne tribune impériale, non plus Napoléon III déchu, mais le chef du pouvoir exécutif, une immense clameur s'élèvera. D'adhésion.

Pouyer-Quertier : Les 5 milliards.

La folle guerre perdue laisse la France en deuil de 145 000 tués, et de 17 000 prisonniers morts en captivité, par ailleurs surchargée de dettes : rançon due à l'Allemagne, entretien des troupes d'occupation, dépenses militaires, déficits budgétaires, réparation des dégâts, dédommagements divers sont chiffrés à 15 milliards 360 millions. A quoi s'ajoutent après la Commune, en réédifications, frais de justice, déportation des condamnés, reconstitution des archives détruites, 231 millions. C'est une addition fabuleuse.

Pourtant, dès la paix, les affaires reprennent, comme miraculeusement. Les capitaux blottis rentrent dans le circuit économique. En juin 1871, un emprunt de deux milliards pour l'indemnité de guerre est couvert, au double, en six heures. Les Parisiens à eux seuls ont apporté deux milliards et demi, les Messins vingt millions. En juillet 1872 le gouvernement demandera trois autres milliards, et les souscriptions multiplieront la somme par quatorze. Le crédit de la France fait l'étonnement de l'Europe, quoique plus d'un riche ait eu peur pour ses rentes, si l'on se reporte aux correspondances du temps.

La virtuosité de Thiers aussi, qui veut hâter la libération des départements, et doit faire face à un Bismarck redevenu tatillon et de plus en plus mal disposé envers un régime à ses yeux fragiles. Berlin voit aux élections partielles les républicains regagner du terrain et Gambetta refaire surface : il exige des paiements en or, argent, billets de banque d'Angleterre, de Prusse, des Pays-Bas, de Belgique, à l'exclusion de la Banque de France. Le roublard Pouyer-Quertier, dont les performances, la serviette au cou, font toujours impression sur le chancelier, parvient néanmoins à abréger les délais, verse 500 millions en juin 1871, et l'évacuation commence, facilitée, doit-on dire, par la bonne volonté du général von Manteuffel, commandant en chef des troupes d'occupation. En septembre, contre un autre milliard, de nouveaux régiments retournent en Allemagne, il ne reste plus que douze départements contrôlés par les *Kommandanturs*.

Pouyer-Quertier, non sans mal, en échange d'un demi-milliard et d'avantages pour les produits manufacturés d'Alsace-Lorraine, fait accepter en octobre la libération de six autres départements. En mars 1872, les rapports tournent à l'aigre. La réapparition rapide de la prospérité française inquiète réellement Bismarck. Un incident assez burlesque s'est produit à Versailles entre Mac-Mahon et Manteuffel, celui-ci, se jugeant mal accueilli par celui-là, l'ayant provoqué en duel. L'ambassadeur allemand Arnim donne ouvertement à entendre que Thiers n'est pas solide, qu'il peut être du jour au lendemain renversé, ou « craquer » physiquement. Quand la France offre de régler le solde pour l'évacuation totale, on fait traîner les choses en longueur, on paraît même soulever à nouveau la question de Belfort... Les pourparlers sont laborieux et méfiants, coupés d'incidents, de menaces, de ruptures. Enfin, le 15 mars, l'ambassadeur français Gontaut-Biron signe. Il ne restera plus qu'à regrouper en un nouveau département de Meurthe-et-Moselle, chef-lieu Nancy, ce qui reste à la France des deux départements lorrains de la Meurthe — soit les arrondissements de Nancy, Toul et Lunéville — et de la Moselle — soit l'arrondissement de Briey. Et à organiser en « territoire » préfectoral la partie belfortaine du Haut-Rhin.

Les Allemands, de leur côté, dénombreront 41 500 morts. Manteuffel emportera de Versailles, comme souvenir précieux, les ouvrages dédicacés de Thiers, auquel l'empereur Guillaume enverra son propre exemplaire des œuvres du grand Frédéric. Ainsi les « altesses » se seront, très traditionnellement, fait ces « politesses » évoquées par Victor Hugo.

Le drame alsacien et lorrain.

Peu importe après cela, que la droite, lasse de Thiers, de ses insolences, de ses rouieries parlementaires et de sa « République conservatrice », l'ait empêché de jouir pleinement de son triomphe le 13 septembre 1873, quand le dernier soldat allemand passera la (nouvelle) frontière. Elle l'obligera auparavant, le 24 mai, à « rendre son tablier » et le remplacera par Mac-Mahon. Mais on peut désormais installer à la présidence n'importe qui : la guerre est terminée.

Sauf pour l'Alsace et la Lorraine.

Sauf pour les Alsaciens et les Lorrains, placés devant le déchirement familial de l'option, et dont la protestation prolongée se rappellera comme un remords aux « neutres » qui ont laissé faire.

Bismarck, pour qui la guerre à la France n'avait été d'abord que le dernier obstacle à vaincre avant l'unification de l'Allemagne, se ralliera plus tard, nous l'avons dit, à la thèse militaire de l'indispensable glacis fortifié jusqu'aux Vosges, seule protection qui vaille contre un voisin belliqueux. Obsédé par l'éventualité d'une guerre de revanche déclenchée par une voisine « infiniment plus forte aujourd'hui qu'autrefois », il redira, en 1887, le risque toujours couru par son pays de revoir les Français à Berlin, faisant souffrir les Allemands comme de 1807 à 1813, « reprenant la ligne du Rhin, en aval de l'Alsace, ressuscitant un royaume de Hanovre, rendant le Schleswig au Danemark, et s'intéressant au sort des Polonais prussiens... », cependant que s'appesantira dans l'Empire des Hohenzollern la morgue d'une caste d'officiers moyenâgeux, immense d'orgueil, propageant autour d'elle le culte de la force au service d'une race de seigneurs, tenant de Dieu des droits privilégiés.

Sans l'annexion de l'Alsace-Lorraine, sans doute les Français eussent-ils oublié peu à peu les malheurs et les cruautés de ce conflit aveuglément accepté par un gouvernement inepte, tombant dans le piège tendu par Bismarck et encouragé par des généraux trop souvent présomptueux et ignares. Mais la revendication de Strasbourg et de Metz, dans les pires dissensions intérieures, sera tenue pour un sujet en quelque sorte sacré, qu'on ne remettra pas en cause, et l'Allemagne ne pourra plus être, dans l'esprit des Français, un pays comme les autres : « L'Allemagne, écrira dès la fin de mai 1871 le si pacifique Flaubert, c'est un pays où volontairement je ne mettrai jamais les pieds. J'ai assez vu d'Allemands cette année pour souhaiter n'en revoir aucun, et je n'admets pas qu'un Français qui se respecte puisse se trouver pendant même une minute avec aucun de ces messieurs, si charmants qu'ils puissent être. Ils ont nos pendules, notre argent et nos terres, qu'ils les gardent, et qu'on n'en entende plus parler. »

Dès 1872, l'Assemblée votera l'institution du service militaire obligatoire de cinq ans. Ce sera le départ entre les deux pays d'une course folle aux armements et aux alliances, qui aboutira à l'inéluctable.

Le traité de Francfort : une trêve qui ne rassurera personne.

Dès la signature a commencé pour l'histoire un compte à rebours dont le terme sera 1914.

Pendant quarante-trois ans, à cause de l'Alsace-Lorraine, l'Europe, en plein essor industriel, va vivre hérissée de baïonnettes et se ruiner en dépenses militaires.

L'émotion soulevée en France en 1887 par l'enlèvement du commissaire de police Schnæbelé, de la gare de Pagny-sur-Moselle, le délire cocardier entretenu jusqu'en 1889 par les partisans du général Boulanger, l'affaire Dreyfus qui éclate en 1894, les démonstrations de Guillaume II à Tanger en 1905, l'envoi de la canonnière allemande *Panther* à Agadir en 1911 entretiendront des deux côtés des Vosges un climat de tension perpétuelle.

Depuis 1875 et la loi des cadres créant un quatrième bataillon dans les régiments français, l'État-Major allemand, sincèrement apeuré malgré les Vosges, dénoncera sans relâche la menace à laquelle il doit faire face. Il fera fortifier formidablement Metz, Château-Salins, Strasbourg, installera un 21e corps d'armée à Sarrebruck-Saint-Avold, créera un réseau de routes stratégiques convergeant vers la frontière belge et la plaine de Woëvre, multipliera aux usines Krupp les commandes de pièces à longue portée, en arrivera à se donner une armée de 876 000 hommes sur le pied de paix.

La France suivra, en adoptant le fusil Lebel, puis le canon de 75, en levant des troupes coloniales et après avoir ramené le service obligatoire à deux ans, en votant en 1913 le retour aux trois ans : aussi en faisant largement écho — Déroulède, les bataillons scolaires, les revues tricolores à grand spectacle, les retraites aux flambeaux — aux démonstrations d'un patriotisme devenu finalement chauvinisme.

Surtout, deux systèmes d'alliances vont se dresser l'un contre l'autre. A la Triple-Alliance germano-austro-italienne, œuvre de Bismarck, s'opposera la Triple-Entente franco-russo-britannique.

Ce sera la « première guerre mondiale ». On emploiera dans les airs les dirigeables, les avions de combat et de bombardement, en mer les sous-marins, sur terre les gaz; mais les fantassins français entreront bravement en campagne en août 1914 avec les mêmes pantalons rouges, les Allemands avec les mêmes casques à pointe qu'en 1870; les mêmes crinières de cuirassiers flotteront au vent, et les mêmes flammes aux lances des uhlans, on rediscutera entre techniciens supérieurs de l'efficacité comparée de l'artillerie lourde et de l'arme blanche.

Cette autre guerre partie de Sarajevo, embrasera les Balkans, la Pologne, la Galicie, l'Asie Mineure, le centre de l'Afrique et jusqu'à Tsing-Tao. Mais dès que les plénipotentiaires se réuniront pour y mettre fin, tout naturellement, leur premier soin sera d'effacer sur la carte d'Europe un certain liséré vert.

La guerre de 1914-1918 devait coûter aux Français plus de 1 390 000 morts et 2 800 000 blessés, aux Allemands 1 950 000, aux Austro-Hongrois 1 200 000. Et 1 700 000 aux Russes, 908 000 aux Britanniques, 650 000 aux Italiens, 400 000 aux Serbes, 158 000 aux Roumains, 120 000 aux Américains, 100 000 aux Belges — plus 325 000 Turcs, 87 000 Bulgares.

Le 5 novembre 1918, Clemenceau, président du Conseil, montait à la tribune de la Chambre des députés et donnait lecture des clauses de l'armistice déjà signé par l'Autriche-Hongrie : l'Allemagne de Guillaume II devant être contrainte, très vite, à en accepter d'analogues. Il rappelait sous les bravos qu'il avait été élu pour la première fois de sa vie représentant de la nation en 1871, à l'Assemblée de Bordeaux, qu'il s'était associé à la protestation contre l'annexion de l'Alsace et de la Lorraine. Il faisait applaudir le nom de Gambetta, « qui fut le défenseur du territoire, dans des conditions telles que la victoire était impossible, et qui n'a jamais désespéré... Avec lui j'ai voté la continuation de la guerre. Et vraiment, quand je vois ce qui s'est passé pendant ce demi-siècle, je me demande si, après tout, pendant cinquante ans, la guerre n'a pas continué... ».

Le 11 novembre, l'armistice entré en vigueur, Clemenceau envoyait « le salut de la France une et indivisible à l'Alsace et à la Lorraine retrouvées ». Au Sénat, Henry Chéron donnait lecture de la déclaration d'Émile Keller à Bordeaux le 17 février 1871.

Le 28 juin 1919, le traité de Versailles annulait le traité de Francfort.

Et le 8 décembre 1919, jour de l'installation de la nouvelle Chambre, sous la présidence du doyen d'âge, Jules Siegfried, on voyait entrer dans l'hémicycle en groupe compact les vingt-quatre élus du Haut-Rhin, du Bas-Rhin et de la Moselle, salués par une ovation enthousiaste. Le pasteur Altorffer, l'abbé Wetterlé, le général de Maud'huy, Robert Schuman et leurs collègues prenaient place. Le docteur François, en leur nom, se référait à son tour à Émile Keller et notait qu'au scrutin du 16 novembre précédent, dans les deux provinces, tous les candidats de toutes les listes en présence avaient exprimé « leur indéfectible affection pour la patrie retrouvée... ». Il ajoutait : « La France a donc obtenu l'unanimité des suffrages dans nos trois départements, et en vertu du droit, maintenant universellement reconnu, qu'ont les peuples à disposer d'eux-mêmes, l'Allemagne ne saurait plus, à aucun titre, revendiquer le territoire qu'elle ne détenait qu'en vertu du droit périmé de conquête. »

De nouveau, l'Alsace et la Lorraine vivaient à l'heure française. Ce qui n'alla pas, entre les deux guerres mondiales sans diverses frictions, scolaires surtout, à propos de la Muttersprache, et du catéchisme. La nouvelle occupation temporaire de l'Alsace-Lorraine, qui suivit la victoire-éclair de Hitler en 1940 devait toutefois par ses cruautés, effacer l'autonomisme, sous sa forme politique, et n'en laisser survivre que des revendications plus ou moins contestées de « bilinguisme ». Comme l'écrit Alfred Kastler, prix Nobel de physique, « c'est d'avoir vécu avec la France l'épopée de la Révolution, de s'être enflammés avec tous les Français pour l'idéal commun de liberté et de fraternité qui a fait des Alsaciens des Français de cœur, des citoyens à part entière ». Et c'est là sans doute dans l'histoire un des plus beaux exemples démontrant que les affinités électives, les Wahlverwandtschaften de Gœthe, peuvent être plus fortes que le lien du sang, la Blutverwandtschaft.

Et les personnages du drame
que devinrent-ils?

NAPOLÉON III, mort à Chislehurst (Angleterre) le 9 janvier 1873. Emporté par sa maladie de vessie, après une intervention chirurgicale.

Libéré de Wilhelmshöhe le 18 mars 1871, le jour de l'insurrection montmartoise, et escorté de Cassel jusqu'à la frontière belge par une garde d'honneur allemande. Train royal, puis yacht à vapeur de Léopold jusqu'à Douvres, pour rejoindre l'impératrice.

Ne cessa d'exprimer une grande sérénité. Si des fautes avaient été commises, elles incombaient à ses ministres, seuls responsables du désastre. D'ailleurs on aurait besoin de lui, tout de suite. Il n'en douta plus après l'élection de Rouher en Corse le 11 février 1872, mais professait déjà auparavant : « Je suis l'unique solution. »

Devait rêvasser jusqu'au bout, dans la fumée de ses cigarettes. Vieux conspirateur, se retrouva vite à son aise parmi les émissaires, officiels ou clandestins, du parti bonapartiste, généraux, préfets et prélats, se faisant fort d'obtenir de Bismarck la restitution de l'Alsace-Lorraine. Très dur, au demeurant, pour les signataires du traité de Francfort : « J'ai agrandi la France... Comment pourrais-je signer son démembrement? »

Ne cessa de croire dur comme fer à un autre « retour de l'île d'Elbe », cette fois par Ostende, l'Allemagne, la Suisse, Annecy, Lyon. Il fut même question d'un coup de main, entre Paris et Versailles, sur le train parlementaire. La date en était fixée à mars 1873.

La mort mit fin à ces billevesées.

EUGÈNE-LOUIS, prince impérial, mort en 1879 à l'âge de vingt-trois ans à Ulundi (Zoulouland).

Avait achevé à l'Académie royale de Woolwich son éducation militaire sous la tunique rouge des cadets anglais. Acclamé, à sa majorité politique en mai 1874, comme le chef de la dynastie et reconnu, sous la tutelle de Rouher, comme celui du parti. S'ennuyant horriblement dans le brouillard insulaire, se sentant grande envie de connaître l'odeur de la poudre, en outre trop étroitement bridé par sa mère et peut-être en proie à une amourette, décida un jour de suivre ses camarades de promotion en Afrique du Sud comme lieutenant dans une batterie d'Aldersholt : il ne voulait surtout plus être le « petit prince » dont l'opposition avait raillé la « balle de Sarrebruck ». Tombé sous les sagaies des Zoulous, un peu abandonné par son capitaine. On devait apprendre après les obsèques que, sous l'inspiration de Rouher, il avait, dans son testament, désigné comme prétendant légitime non pas le turbulent prince Napoléon, mais le fils de celui-ci, Victor.

EUGÉNIE, morte à Madrid en 1920, très vieille dame en noir, très respectée.

Déjà titulaire de lourdes responsabilités, aux années de la « fête impériale » et de la diplomatie de salon, elle avait cru devoir s'associer aux sottes tractations de Régnier, comme aux vaines intrigues bonapartistes pour retrouver ses palais perdus. A défaut des Tuileries, elle se serait contentée du Louvre. Mais la fin de sa vie, après la mort de son fils, fut toute de dignité souveraine.

La République, bonne fille, lui avait reconnu une fortune assez vaste pour lui permettre de mener à Farnborough, et par le monde, une existence somptueuse.

Vint la guerre de 1914, qui l'enthousiasma : « C'est la revanche. »

En 1917, elle fit révélation de la réponse de Guillaume Ier le 26 octobre 1870, à sa propre lettre demandant une paix sans cession de territoire : « Les cessions de territoire, lui signifia le vieil empereur et roi, n'ont d'autre but que de reculer le point de départ des armées françaises dans l'avenir. » Elle eut droit aux remerciements de Clemenceau. Le document fit forte impression sur Thomas Woodrow Wilson, président des États-Unis, et contribua à faciliter la restitution de l'Alsace-Lorraine, sans discussion ni plébiscite.

A la nouvelle de l'armistice du 11 novembre, elle pensa aux drapeaux français conservés dans les musées allemands : « Ils vont nous revenir, n'est-ce pas? »

GUILLAUME Iᵉʳ, mort à Berlin en 1888. Une vieillesse attristée par la politique anticatholique de Bismarck. Eut droit, en 1878, à deux attentats. Depuis longtemps dépassé par les événements.

FRÉDÉRIC III, ancien prince royal de Prusse sous le nom de Frédéric-Guillaume — mort après un règne de quatre-vingt-dix-huit jours. Cancer du larynx. Laissa sa veuve, l' « impératrice Frédéric », fille de Victoria d'Angleterre, en proie aux mauvais procédés de Bismarck et de son propre fils Guillaume II. Son *Tagebuch*, journal de guerre, devait susciter de violentes polémiques.

BISMARCK, mort en 1898 à Friedrichsruhe. Malgré ses victoires militaires, vécut le reste de sa vie dans l'obsession d'une revanche française, le moindre achat de chevaux à proximité des Vosges lui faisant redouter une attaque brusquée dans la plaine d'Alsace. Se maintint à la chancellerie, malgré ses manières autocratiques et coléreuses, sous Frédéric III, mais de plus en plus difficilement sous Guillaume II.

Après le coup de fouet donné à son économie par les milliards de l'indemnité, l'Allemagne avait connu une période d'opulence factice, suivie d'une autre période de spéculation déprimante, puis de marasme et de chômage. Les lois d'assurances ne suffirent pas à apaiser l'agitation des socialistes. Le jeune Guillaume II devenu empereur, se piquait alors d'idées vaguement « avancées », et entra rapidement en conflit avec ce « vieux » qui prétendait ne rendre de comptes à personne : « Je le laisserai gouverner six mois, puis je gouvernerai moi-même. » La situation se compliquait d'intrusions continuelles de Bismarck dans les affaires de la famille impériale.

Bismarck, plus tard, qualifiera Guillaume II de « dégénéré ». Il n'eut pourtant pas, cette fois, le dernier mot. Au sortir de diverses scènes orageuses sur la politique sociale puis sur la politique russe, Bismarck, abasourdi, reçut bel et bien l'ordre de remettre sa démission. Il le fit, le 18 mars 1890, en la motivant, mais eut l'amertume de constater la parfaite indifférence du peuple allemand à son égard.

Chargé d'honneurs et de compliments, fait duc de Lauenbourg et promu feld-maréchal, il termina ses jours en remâchant son amertume sarcastique. Il laissa de nombreux écrits, discours et lettres qui furent réunis en 1933 en un *Testament politique*, confirmant, parfois avec hauteur, parfois avec cynisme, les conceptions politiques « réalistes » du « Chancelier de fer ».

GRAMONT, Antoine-Alfred-Agénor (prince de Bidache, duc de Guise et de) : mort à Paris en 1880, après avoir, dans sa retraite, polémiqué abondamment pour dégager ses responsabilités.

THIERS, Adolphe : mort en 1877 à Saint-Germain-en-Laye. Renversé par la droite à l'Assemblée nationale le 24 mai 1873, deux mois après le vote décrétant qu'il avait bien mérité de la patrie. Il enragea, non sans raisons, de voir Mac-Mahon, qui lui devait tout, accepter sans façon de lui succéder sur-le-champ.

Redevenu très vite, malgré ses forces déclinantes, un parlementaire caustique, *leader* du centre gauche, intervenant à propos de tout, et brocardant à la ronde. Flatté néanmoins des adresses de félicitation et de gratitude qui attestaient sa popularité française et son autorité européenne. Vota l'amendement Wallon qui, à une voix près, consacra constitutionnellement la République.

Sa veuve refusa les funérailles aux frais de l'État. Elles furent néanmoins grandioses et empreintes, en pleine crise du Seize Mai, d'un républicanisme fervent. C'est à Mlle Dosne, belle-sœur de Thiers, qu'il appartiendra de défendre plus tard, inlassablement, le rôle de celui-ci dans la libération du territoire, dont auraient tendance à accaparer le mérite des amis de Pouyer-Quertier, et aussi la haute banque prêteuse de milliards.

PALIKAO, Cousin-Montauban (comte de) : mort en 1878. Après avoir vainement offert ses services au gouvernement de Tours, se contenta d'écrire une relation de ses vingt-quatre jours de ministère.

POUYER-QUERTIER, Auguste-Thomas : mort à Rouen en 1891. Après avoir négocié l'emprunt avec les banques, puis avec Berlin la libération anticipée du territoire, se tourna très vite contre Thiers, soutenant Broglie et la droite. Vota contre la Constitution de 1875 et, protectionniste intégral, se consacra aux traités de commerce.

MAC-MAHON, duc de Magenta : mort en 1893, à La Forest (Loiret). Avant ses désastres de Reichshoffen et de Sedan, avait été, en Algérie, en Crimée, en Italie, ce qu'on appelle un glorieux militaire. De ceux qui, après l'adieu aux armes, se risquent sans grand discernement dans la politique.

Jules Simon rapporte qu'en mars 1873, des difficultés s'annonçant, il avait dit en souriant à Thiers :

« Et voilà votre œuvre accomplie. Il faut dire votre *nunc dimittis*.

— Mais ils n'ont personne...

— Ils ont le maréchal de Mac-Mahon.

— Oh! pour celui-là, j'en réponds : il n'acceptera jamais. »

Mac-Mahon, homme des monarchistes, n'en accepta pas moins, sans trop se poser de problèmes, la présidence provisoire de la République. Mais fit montre en ses fonctions de très médiocres talents, se prêtant à la politique réactionnaire et cléricale de Broglie et de Cissey, puis de Buffet — l'ordre moral —, tout en laissant la Chambre et le Sénat adopter la Constitution républicaine de 1875. Finit par sombrer dans la crise du Seize Mai 1877, pour avoir, après l'arrivée dans la nouvelle Chambre d'une majorité républicaine, prétendu résister, essayer puis congédier un ministère Jules Simon, puis rappeler Broglie, très vite jeté bas par 363 voix contre 158. Dissolution de la Chambre, élections, campagne électorale féroce de part et d'autre, menée d'un côté par le maréchal en personne, de l'autre par Gambetta. Battu par le suffrage universel, Mac-Mahon tenta de se soumettre sans se démettre, de gagner du temps. Les élections sénatoriales de 1879 l'obligèrent à abandonner l'Élysée, où le remplaça Jules Grévy.

ÉMILE OLLIVIER : mort en 1913. Ce républicain d'origine, converti à l'Empire libéral, grand artisan du plébiscite de mai 1870, qui avait accepté « d'un cœur léger » la guerre, fit des difficultés en 1873 quand on lui demanda, à l'Académie française (il avait été élu trois ans auparavant) de modifier au sujet de Thiers son discours de réception. S'intéressa dans la suite aux problèmes vaticans, au concordat et à Michel-Ange.

CHANZY, Antoine : mort en 1883 à Chalons-sur-Marne, après avoir été gouverneur de l'Algérie, sénateur et ambassadeur en Russie.

FAIDHERBE, Louis : mort à Paris en 1889; sénateur du Nord, grand chancelier de la Légion d'honneur; auteur de nombreux travaux de géographie, d'ethnologie et de linguistique. Funérailles nationales.

LE BŒUF, Edmond : mort en 1888 à Trun (Orne).

BOURBAKI, Charles : mort à Bayonne en 1897. Survécut à sa tentative de suicide, devint gouverneur de Lyon. Atteint par la limite d'âge en 1881, prit sa retraite.

DUCROT, Auguste-Alexandre : mort à Versailles en 1882 après avoir été député de la Nièvre, commandant de corps d'armée et relevé de son commandement pour attitude antirépublicaine.

TROCHU, Louis : mort à Tours en 1896. Après avoir été élu à l'Assemblée de Bordeaux par huit départements et beaucoup — un peu trop — occupé la tribune, démissionna en 1872, prit sa retraite et se consacra à la rédaction de ses mémoires.

JULES FAVRE : mort à Versailles en 1880. Élu par six départements à l'Assemblée de Bordeaux, et chargé de négocier le traité de Francfort, adressa à Thiers, après la signature, un message éperdu d'admiration : « La France tout entière s'associera au sentiment qui m'émeut jusqu'au fond de l'âme. Elle vous saluera une fois de plus comme son sauveur. Elle vous bénira et vous aimera... » Après quoi s'imposa une demi-retraite. Il n'en sortit que pour soutenir de temps à autre Thiers, puis combattre Mac-Mahon.

JULES SIMON : mort en 1896. Ministre de l'Instruction publique renvoyé par Mac-Mahon, adversaire du boulangisme, auteur de *Souvenirs du 4 Septembre* et d'ouvrages de philosophie et d'histoire; académicien.

MOLTKE, Helmuth (comte de) : mort à Berlin en 1891. Fort alarmé par le redressement économique et militaire de la France, s'employa en 1875 à convaincre Guillaume Ier de la nécessité d'une nouvelle guerre au-delà des Vosges. Se consacra ensuite au perfectionnement de l'armée allemande.

BAZAINE : mort à Madrid en 1888. Traduit le 13 octobre 1873 devant un conseil de guerre au Grand Trianon, présidé par le duc d'Aumale, doyen des généraux de division, et comprenant comme juges titulaires les généraux Ressayre, Chabaud-Latour, Princeteau,

Tripier, Martineau-Descheney, de la Motterouge; comme suppléants les généraux Guiod, Lallemand et de Susleau de Malroy. Défendu par le célèbre Lachaud, fut déclaré coupable le 10 décembre à l'unanimité d'avoir capitulé en rase campagne le 28 octobre 1870, traité avec l'ennemi sans avoir fait préalablement tout ce que lui prescrivaient le devoir et l'honneur, puis rendu la place de Metz sans avoir épuisé les moyens de défense.

Condamné à l'unanimité à la peine de mort avec dégradation militaire.

Le conseil de guerre adressa aussitôt, compte tenu des difficultés « inouïes » dans lesquelles le maréchal s'était trouvé, de ses états de services et de sa vaillance à Borny, à Gravelotte, à Noisseville, un recours en grâce à Mac-Mahon, qui commuera la peine en vingt ans de détention.

Bazaine répondit en considérant que la demande en grâce vengeait son honneur. Incarcéré au fort de l'île Sainte-Marguerite, il s'évada dans la nuit du 9 au 10 août 1874 en se laissant glisser le long d'une corde dans une barque amenée par sa femme mexicaine et le neveu de celle-ci, Alvarez Rull. Il gagna Gênes puis l'Espagne. De divers côtés, Mac-Mahon fut accusé d'avoir facilité sa fuite.

Se targua jusqu'au bout d'avoir obéi aux ordres de son souverain légitime, l'empereur.

WERDER, Auguste (comte de) : mort en 1877. Termina sa carrière à Carlsruhe comme commandant de corps d'armée.

GAMBETTA, Léon : mort à Ville-d'Avray, le 31 décembre 1882. Après avoir démissionné comme député du Bas-Rhin, fut réélu dans la Seine et les Bouches-du-Rhône. Rentra dans la bataille politique pour s'opposer aux projets de restauration monarchique; puis contribua efficacement au vote de la Constitution de 1875. Chef de la majorité républicaine à la Chambre, força, après le Seize Mai 1877 le maréchal de Mac-Mahon à se démettre Président de la Chambre. Puis président du Conseil en 1881. Le « grand ministère » qu'on attendait de lui, avec Félix Faure, Rouvier, Waldeck-Rousseau ne devait durer que soixante-treize jours; la Chambre le renversa le 26 janvier 1882. Redevenu simple député et directeur de *La Patrie française*, il devait mourir dans des circonstances encore troubles, chez son amie Léonie Léon, une balle partie d'un pistolet de duel lui ayant traversé la main et laissé un abcès incurable. Funérailles nationales.

FREYCINET, Charles (de Saulces de) : mort en 1923. Fut après la guerre sénateur, ministre, président du Conseil en 1882, et en 1886, de nouveau ministre aux Affaires étrangères et à la Guerre; s'attribua sous la IIIe République tous les records de portefeuilles. Battu en 1887 par Carnot à la présidence de la République. Auteur de travaux sur la mécanique rationnelle et la philosophie des sciences; académicien.

MANTEUFFEL, Edwin (baron de) : mort en 1885, après avoir été commandant en chef de l'armée d'occupation en France, feld-maréchal, puis *statthalter* d'Alsace-Lorraine, très déçu par le tempérament des « annexés ».

GALLIFFET, Gaston (marquis de) : mort en 1909. Se spécialisa sous la IIIe République dans les manœuvres de cavalerie. Accepta en 1899, à l'étonnement général, le portefeuille de la Guerre dans le ministère Waldeck-Rousseau, mais démissionna au bout de onze mois.

ROSSEL, Louis : fusillé le 28 novembre 1871 à Satory. Condamné à mort par le conseil de guerre de Versailles pour sa participation à la Commune. Sa grâce fut refusée, malgré l'insistance des Messins, en fait sous la pression de l'État-Major, qu'il n'avait guère épargné : « Si j'avais su, dit simplement Thiers, je ne l'aurais pas fait arrêter... » Eut comme compagnons de poteau l'indomptable révolutionnaire Théophile Ferré et le sergent Pierre Bourgeois, passé à l'insurrection.

SIMON, Joseph-Jules : ancien maire de Boulange (Moselle), mort le 8 mai 1929. Dix ans après la désannexion de la Lorraine et de l'Alsace.

Table des matières

ACHEVÉ D'IMPRIMER
— LE 16 FÉVRIER 1970 —
PAR L'IMPRIMERIE FLOCH
A   MAYENNE   (FRANCE)
(9391)
DÉPÔT LÉGAL N° 2036 - 1er TRIMESTRE 1970
23.10.1681.02

23/1681/8